Les Chevaliers d'Antarès

Tome 1
Descente aux enfers

Dans la même collection, à paraître en 2016 :

Les Chevaliers d'Antarès, tome 2 - Basilics
Les Chevaliers d'Antarès, tome 3 - Manticores
Les Chevaliers d'Antarès, tome 4 - Chimères

À ce jour, Anne Robillard a publié cinquante-cinq romans,
parmi eux, la saga à succès *Les Chevaliers d'Émeraude*,
la mystérieuse série *A.N.G.E.*, *Qui est Terra Wilder ?*,
Capitaine Wilder, la série surnaturelle *Les ailes d'Alexanne*,
la trilogie ésotérique *Le retour de l'oiseau-tonnerre*,
la série rock'n roll *Les cordes de cristal* ainsi
que plusieurs livres compagnons et BD.

Ses œuvres ont franchi les frontières du Québec
et font la joie de lecteurs partout dans le monde.

Pour obtenir plus de détails sur ces autres
parutions, n'hésitez pas à consulter
son site officiel et sa boutique en ligne :

www.anne-robillard.com / www.parandar.com

ANNE ROBILLARD

LES CHEVALIERS D'ANTARÈS

TOME 1
Descente aux enfers

Catalogage avant publication de Bibliothèque et Archives
nationales du Québec et Bibliothèque et Archives Canada

Robillard, Anne

Les Chevaliers d'Antarès

Sommaire : t. 1. Descente aux enfers.

ISBN 978-2-924442-48-7 (vol. 1)

I. Robillard, Anne.   Descente aux enfers.   II. Titre.

PS8585.O325C432 2016   C843'.6   C2015-942610-3
PS9585.O325C432 2016

Wellan Inc.
C.P. 85059 – IGA
Mont-Saint-Hilaire, QC   J3H 5W1
Courriel : info@anne-robillard.com

Illustration de la couverture et du titre : Aurélie Laget
Illustration de la carte : Jean-Pierre Lapointe
Mise en pages et typographie : Claudia Robillard
Révision et correction d'épreuves : Annie Pronovost

Distribution : Prologue
1650, boul. Lionel-Bertrand
Boisbriand, QC   J7H 1N7
Téléphone : 450 434-0306 / 1 800 363-2864
Télécopieur : 450 434-2627 / 1 800 361-8088

Dépôt légal – Bibliothèque et Archives nationales du Québec, 2016
Dépôt légal – Bibliothèque et Archives Canada, 2016

« Les gagnants trouvent des moyens, les perdants, des excuses. »

— Franklin Delano Roosevelt

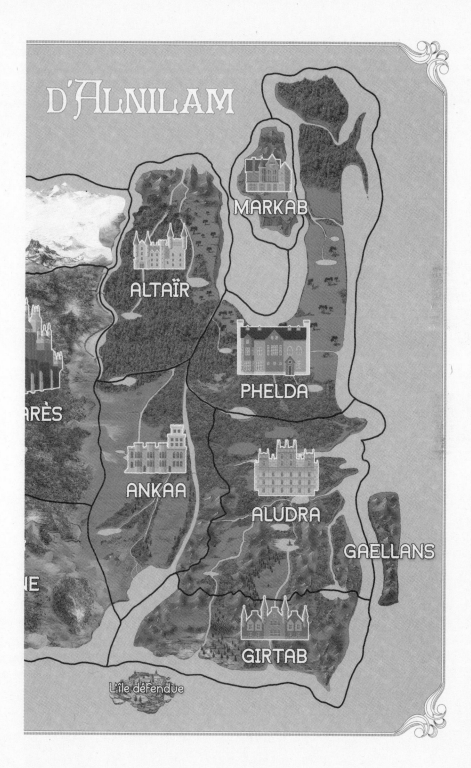

D'ALNILAM

MARKAB

ALTAÏR

PHELDA

ARÈS

ANKAA

ALUDRA

GAELLANS

NE

GIRTAB

L'île défendue

ALNILAM

De mémoire d'homme, rien n'avait jamais perturbé la paix dont jouissaient les habitants du grand continent d'Alnilam. Les treize royaumes faisaient du commerce entre eux et partageaient volontiers leurs coutumes, car les routes n'étaient pas dangereuses en ces temps-là. Personne ne s'aperçut donc que sur les hauts plateaux enneigés se préparait une terrible menace. Les premières villes anéanties par les flammes furent celles de la partie septentrionale de Hadar… et ce n'était que le commencement.

En quelques années à peine, les trois royaumes qui s'étendaient au pied des hautes falaises connurent le même sort. Afin de comprendre pourquoi cette région du continent était constamment la proie des flammes, le Haut-Roi Aciari d'Antarès quitta son château en compagnie de ses meilleurs guerriers. C'est au nord de son propre royaume qu'il aperçut d'abord l'ennemi: au milieu des flammes se tenaient des créatures aux longs cheveux tricolores, hautes comme deux hommes. Elles ne portaient qu'un pagne et un plastron composé de longs os attachés ensemble. Ce qui les rendait effrayantes, c'étaient leurs quatre bras, dont deux se terminaient par des mains et les autres, par des pinces. Aciari ne remarqua pas tout de suite le dard de scorpion suspendu au-dessus de leur tête, prêt à frapper leurs proies.

Ces insectes humanoïdes n'avaient sans doute jamais rencontré de résistance sur le territoire des humains, car ils foncèrent sur les soldats d'Aciari sans la moindre hésitation. Les archers en tuèrent un grand nombre, puis les lanciers en abattirent d'autres au javelot. Voyant tomber leurs congénères, les hommes-scorpions prirent la fuite. Les cavaliers les poursuivirent jusqu'à la falaise et les virent l'escalader avec la même agilité que des araignées.

Après avoir mis l'envahisseur en déroute, Aciari revint avec son armée dans la ville qui avait été dévastée. Il se pencha sur les cadavres qui n'avaient pas encore été calcinés dans l'incendie et vit qu'ils étaient affreusement mutilés. Il leur manquait même des lambeaux de peau sur les bras et sur les cuisses. «D'où viennent ces hommes-scorpions sans pitié et pourquoi agissent-ils ainsi?» se demanda le souverain. Les soldats aidèrent les survivants à enterrer leurs morts et Aciari promit de leur envoyer des ouvriers et des matériaux pour reconstruire les immeubles rasés par le feu.

Afin d'empêcher les hommes-scorpions d'exterminer la population entière d'Alnilam, dès son retour au palais, le haut-roi leva une grande armée. Il somma tous les royaumes de lui fournir des guerriers prêts à se battre pour sauver leur race. Peu importe leur provenance ou la fortune de leur famille, il les adouberait sous sa bannière. Des hommes et des femmes déjà capables de se battre arrivèrent bientôt à Antarès. Heureusement, Aciari possédait le plus vaste de tous les palais d'Alnilam. Il comptait une centaine de bâtiments construits autour d'une immense cour, où se trouvait une gigantesque écurie. Ses halls pouvaient accueillir des milliers de personnes et son palais disposait d'assez de chambres pour les loger.

Désireux de voir sa grande armée devenir rapidement opérationnelle, Aciari exigea que ses soldats sélectionnent les candidats sans délai. Jour et nuit, ils les mirent à l'épreuve et, au bout de quelques semaines, le roi convia les nouveaux combattants à la cérémonie de l'adoubement dans la plus vaste salle du château, puis leur offrit un banquet dont ils se souviendraient longtemps.

Pour diriger les Chevaliers d'Antarès, Aciari choisit Cairnech, le capitaine de sa garde, un homme d'âge mûr qui avait maintes fois prouvé sa valeur. Celui-ci ne resta pas au château à attendre le retour des hommes-scorpions. Il mena ses troupes vers le Nord, où il se mit à patrouiller inlassablement d'un océan à l'autre, même au-delà de la rivière d'Altaïr, ses troupes étant ravitaillées par des caravanes en provenance de tous les pays.

La présence des soldats ne mit pas un terme aux invasions des affreuses créatures armées de pédipalpes. Beaucoup de guerriers perdirent la vie durant les affrontements, ainsi que de nombreux commandants. Mais parmi les chefs survivants, aucun ne montra plus de courage et d'ingéniosité que le Chevalier Audax, originaire de Girtab. Admiré de tous, il devint le principal lieutenant de Cairnech et finit par lui succéder.

Afin de réduire les pertes de vies humaines, Audax entraîna ses hommes à une forme de combat différente de celle qui s'enseignait à Alnilam. Les Chevaliers cessèrent d'utiliser leurs chevaux pour foncer sur l'ennemi. De toute façon, la plupart se faisaient trancher les pattes par les pinces des scorpions. Les guerriers se mirent donc à se battre à pied. Une fois que les archers avaient décoché leurs flèches, les fantassins, en équipe de trois ou quatre par adversaire, cherchaient à neutraliser le dard et les pinces des créatures tout en s'efforçant de planter leur épée entre les os de leur plastron.

Audax ne s'arrêta pas là. Il divisa sa gigantesque armée en quatre troupes : les Chimères, les Basilics, les Salamandres et les Manticores. Chaque groupe composé de milliers de guerriers ne patrouillerait qu'un seul pays, qu'il apprendrait à bien connaître et à défendre adéquatement. Les Chimères furent postées au nord d'Antarès, tandis que les Basilics se chargeaient du nord de Hadar. Les Manticores furent placées à Arcturus et les Salamandres, quant à elles, à l'autre bout du pays, à Altaïr, car l'ennemi avait commencé à franchir le grand fleuve Caléana.

Les actions du grand chef permirent ainsi aux Chevaliers de repousser plus souvent les hommes-scorpions sur leurs terres enneigées et de sauver beaucoup de vies, mais surtout, elles dorèrent le blason de l'Ordre.

Ayant choisi des lieutenants pour mener chaque division, Audax était libre de se déplacer entre les différents champs de bataille. C'est ainsi qu'un jour, alors qu'il rejoignait le groupe des Manticores à Arcturus, un important événement changea sa vie. Tandis que les soldats pourchassaient l'ennemi à travers une ville enflammée, Audax crut entendre des cris aigus dans le crépitement du feu. Il se tourna vers une maison à deux étages sur le point de s'écrouler et aperçut par la porte ouverte une petite fille blonde agenouillée devant le corps inanimé d'un adulte. N'écoutant que son courage, le Chevalier fonça dans le brasier. Il souleva l'enfant, jeta un œil au cadavre de la femme gisant sur le plancher et extirpa la petite de la maison en flammes.

– Maman ! hurla la fillette.

– Nous ne pouvons plus rien pour elle. Je vais te trouver une autre famille dès que nous aurons écarté le danger.

Audax la garda avec lui jusqu'à la fin des combats. On lui apprit alors qu'il n'y avait aucun survivant parmi les humains.

– Les scorpions ont tué tout le monde ? se désola-t-il.

– Ceux qui étaient restés. Plus de la moitié des habitants de la ville l'avait déjà désertée, précisa Maedoc, le commandant des Manticores.

Puisqu'il n'avait personne à qui confier l'enfant, Audax la ramena au campement et lui fit servir à boire et à manger.

Traumatisée par ce qu'elle avait vécu, la petite ne toucha à rien. Elle se contentait de frotter entre ses doigts la pierre précieuse qu'elle portait au cou.

– Comment t'appelles-tu ?

Elle leva ses yeux bleus sur son sauveteur.

– Sierra… répondit-elle dans un murmure.

– C'est un très beau nom. Tu peux m'appeler Audax. Je t'en prie, fais un effort et avale au moins un peu d'eau.

– Je veux retourner chez moi…

– Je ne te mentirai pas, Sierra. Cela ne serait pas digne d'un Chevalier d'Antarès. Tous ceux qui étaient encore en ville ont péri sauf toi. Je ne peux pas te ramener dans les décombres, car tu y serais seule et sans défense. Comprends-tu ce que je te dis ?

Elle hocha la tête en retenant ses larmes de son mieux.

– As-tu de la parenté ailleurs qu'ici ?

– Je ne crois pas…

– Alors, je vais te ramener à Antarès, où je te trouverai une nouvelle famille.

– Nous ne rentrerons au château qu'à la trêve, dans un mois, lui rappela Maedoc.

– Elle devra donc chevaucher avec moi d'ici là.

Il prit soin de Sierra à la façon d'un père jusqu'au répit, cette période de l'année où les hommes-scorpions disparaissaient mystérieusement pendant plusieurs semaines. Jamais la fillette ne se plaignait. Elle mangeait ce qu'on lui offrait, acceptait de se laver dans l'eau froide des rivières et ne cherchait pas à s'éloigner de son protecteur. En bavardant avec elle, le Chevalier apprit qu'elle était le troisième enfant d'un couple de joailliers. Ses deux frères étaient des artisans, eux aussi, mais l'un travaillait le bois et l'autre l'argile. La pierre que Sierra portait au cou représentait tout ce qui lui restait de son ancienne vie.

Audax procura de nouveaux vêtements à sa pupille dans une ville où ils firent étape. Il lui enseigna aussi à maîtriser un cheval, au cas où il lui ordonnerait de fuir pendant un affrontement. Elle écoutait tout ce qu'il disait avec attention et démontrait une discipline qui faisait défaut à bien d'autres enfants de six ans. Il arrivait même au Chevalier de penser qu'elle était bien plus vieille qu'elle en avait l'air.

Lorsque les invasions cessèrent enfin, Audax se trouvait au Royaume de Hadar en compagnie des Basilics. Les soldats reprirent le chemin de la maison et arrivèrent au Château d'Antarès quelques jours plus tard, presque en même temps que les Chimères. Partant de plus loin, les Salamandres et les Manticores étaient toujours les dernières à rentrer au bercail.

Assise sur sa propre monture, Sierra examina la forteresse. Audax la surveillait discrètement. Elle n'affichait aucune émotion et pourtant, il n'avait existé aucune construction aussi gigantesque dans sa ville natale. Les palefreniers vinrent chercher les chevaux. Même si elle demeurait stoïque devant toute cette magnificence, le fait que Sierra colle à Audax comme son ombre fit comprendre à ce dernier qu'elle était effrayée. Il décida de la conduire directement au palais tandis que ses hommes se dirigeaient vers leur hall. Dans le vestibule, une femme d'une vingtaine d'années aux longues tresses rousses vint à la rencontre de l'homme et de l'enfant. Elle portait une robe brune rayée de noir et un tablier.

– Je suis ravie de te revoir sain et sauf, Audax, fit-elle avec un large sourire.

– Tout le plaisir est pour moi, Orfhlaith. Je te présente Sierra, une orpheline qui a besoin de notre protection.

– Alors, tu l'as emmenée au bon endroit. Nous allons commencer par un bain, mademoiselle.

L'enfant s'accrocha à la jambe du Chevalier.

– Tu n'as rien à craindre, Sierra, lui dit-il. Tu seras bien traitée, au château.

– Est-ce que tu m'abandonnes ici ?

– Non. Je te reverrai plus tard.

Cette promesse eut raison des réticences de la fillette, qui accepta la main que lui tendait Orfhlaith. Audax tourna les talons et se hâta de gagner sa chambre, au-dessus du hall. Il prit une douche et enfila des vêtements propres : un pantalon noir, une chemise blanche et de confortables bottes de cuir souple. Il essora ses longs cheveux bruns en se disant que s'il arrivait à éliminer la menace des hommes-scorpions, il lui plairait de passer le reste de sa vie dans une telle quiétude.

Avant de se joindre aux Basilics et aux Chimères qui fêtaient déjà pour oublier toutes les privations des mois précédents, il alla faire son rapport au Haut-Roi Aciari. Celui-ci le reçut dans son salon privé. Debout devant la fenêtre, il regardait les falaises au loin.

– J'imagine que tu viens me répéter la même chose que l'an dernier, soupira le souverain.

– Plus nous en tuons, plus il en arrive d'autres, Votre Majesté.

Aciari se retourna. Les épaules larges et les bras musclés, il possédait le physique d'un Chevalier. Seuls ses cheveux argentés trahissaient son âge.

– Nous n'arrivons pas à communiquer avec eux et ils ne craignent rien.

– Tout le monde a peur de quelque chose, Audax.

– Sans doute, mais nous n'avons pas encore trouvé leur faiblesse.

– Va t'amuser avec les autres. Tu le mérites bien.

Tel qu'il l'avait promis à Sierra, le Chevalier lui rendit visite tous les jours durant la trêve. Il apprit ainsi qu'elle levait le nez sur les poupées, mais adorait s'adonner à de simples expériences scientifiques avec les savants au laboratoire. Elle assistait docilement à ses cours avec les autres enfants du palais, mais refusait de participer à leurs jeux. Elle préférait s'isoler pour continuer d'apprendre à lire.

Lorsque les divisions se préparèrent finalement à repartir pour le Nord, Sierra grimpa dans les bras d'Audax et le serra à lui rompre les os.

– Je ne peux pas t'emmener avec moi, petite, car les batailles qui suivent le répit sont beaucoup plus meurtrières que celles qui le précèdent. Les scorpions ne feraient qu'une bouchée de toi. Quand tu seras plus grande et plus forte, je t'apprendrai à te battre. En attendant, continue d'étudier et de te cultiver. Nous nous reverrons au prochain cessez-le-feu.

Audax ne voyait donc sa protégée qu'un mois par année et, chaque fois, il s'émerveillait de la voir grandir aussi rapidement. Non seulement elle se transformait en une belle jeune fille, mais elle était également devenue la meilleure élève de sa classe.

À l'âge de douze ans, tandis que les Chevaliers étaient une fois de plus au loin, Sierra commença à s'entraîner sans relâche dans la grande cour afin de renforcer ses muscles et parvenir à soulever une épée. Elle impressionna les gardes du corps d'Aciari au point où ils décidèrent de lui enseigner le maniement des armes. L'adolescente ne mentionna pas cette nouvelle activité à Audax à son retour à la forteresse, car elle ne se considérait pas encore prête à combattre. Toutefois, le Chevalier remarqua que le corps de l'adolescente se fortifiait.

L'année suivante, Sierra avait fait des progrès si considérables qu'elle se décida enfin à poser sa candidature afin d'aller combattre elle aussi les hommes-scorpions.

Elle se précipita dans la cour lorsque l'armée rentra au château, mais s'arrêta net en constatant qu'Audax, à la tête de ses hommes, serrait un bébé emmailloté contre sa poitrine. «A-t-il décidé de me remplacer maintenant que j'ai treize ans ?» se demanda-t-elle. Lorsque le Chevalier mit pied à terre, il trouva l'adolescente devant lui.

– Une autre orpheline ? demanda-t-elle sur un ton cassant.

– Pas tout à fait.

Sa réponse étonna Sierra. Audax découvrit alors le visage de l'enfant. Malgré des traits humains, sa chevelure tricolore fit tout de suite comprendre à Sierra qu'il s'agissait d'une bambine scorpion qui ne devait pas avoir plus de trois ans.

– Nous ignorons si les adultes l'ont jetée de la falaise ou si elle est tombée en s'aventurant trop près du bord, mais nous l'avons trouvée dans les rochers.

– Est-ce qu'elle a un dard et des pinces ? s'inquiéta Sierra.

– Plus maintenant. J'ai dû les amputer puisque déjà, à cet âge, elle nous attaquait. Puisqu'elle a survécu à cette triple amputation, j'ai décidé de la ramener ici pour que nous puissions l'étudier.

Les palefreniers arrivèrent pour s'occuper des chevaux et Sierra suivit Audax jusqu'à sa chambre. Il déposa la petite sur son lit et la découvrit. Les cicatrices fraîches de l'ablation de ses bras d'insecte firent frissonner Sierra.

– Je t'assure que je n'ai pas eu le choix, expliqua Audax.

– Pourquoi ne pas l'avoir tuée ?

– Parce qu'elle pourrait nous en apprendre davantage sur notre ennemi en grandissant. Comme tu n'es pas encore prête à te battre à mes côtés, j'aimerais que tu prennes soin d'elle et que tu en tires tout ce que tu peux.

Sierra accepta cette première mission avec joie et s'occupa de son mieux de la fillette aux cheveux noirs, rouges et blancs. Lorsqu'un lien de confiance commença à s'établir entre la petite scorpionne et l'adolescente, celle-ci parvint à lui arracher ses premiers mots. «Donc, les hommes-scorpions parlent», s'encouragea Sierra. Elle apprit qu'elle s'appelait Chésemteh et que les gens de sa race étaient des Aculéos. Puisque Sierra la traînait partout avec elle, la petite se développa très rapidement. Voyant qu'elle était fascinée par les combats, les gardes lui fabriquèrent une petite épée en bois et s'amusèrent de la voir imiter les gestes de sa protectrice.

Lorsque Sierra eut quinze ans, la petite Chésemteh s'était complètement adaptée à la vie du château. À part sa chevelure étrange, son habitude de dormir sous son lit et son besoin occasionnel de solitude, elle agissait comme tous les autres enfants. Elle fut donc confiée à Orfhlaith, car Sierra avait enfin joint les rangs des Chevaliers. Audax assigna l'adolescente aux Chimères, car elle avait besoin d'expérimenter leur style de combat stratégique.

Désireuse de venger enfin ses parents, la jeune guerrière participa pendant plusieurs années à de multiples affrontements entre les Chevaliers d'Antarès et les Aculéos et elle apprit à mieux connaître son ennemi. Elle fut certes obligée de maîtriser son impulsivité, mais n'en demeura pas moins fonceuse, énergique et tenace.

Mais un jour, à la frontière des Royaumes d'Antarès et d'Altaïr, alors que les Chevaliers s'apprêtaient à rentrer au château, les hommes-scorpions descendirent en grand nombre des falaises et les attaquèrent dans leur campement pendant leur sommeil. La bataille fut féroce et, au moment où les humains allaient terrasser leurs derniers adversaires, un Aculéos, qui n'avait pas encore succombé à toutes les flèches que les archers lui avaient plantées dans le corps, se releva derrière Audax. À la vitesse de l'éclair, il lui planta son dard dans la gorge.

Sierra, qui se trouvait à quelques pas à peine, fonça sur l'homme-scorpion et lui trancha la tête d'un seul coup d'épée. Puis elle se pencha sur son protecteur, mais il était trop tard. Audax avait rendu l'âme. Elle le serra contre sa poitrine un long moment en pleurant. Lorsqu'elle releva finalement la tête, la plus grande partie des Chimères s'étaient rassemblées devant elle, aussi affligées qu'elle.

Les soldats attachèrent les morts sur leurs chevaux, laissant les corps des Aculéos pourrir au soleil. Avant de remonter en selle, le Chevalier Tebaeron, qui dirigeait le groupe, ramassa l'épée d'Audax et la tendit à Sierra.

– Je parle aujourd'hui au nom de tous les Chevaliers d'Antarès, car je sais que les trois autres divisions seront d'accord avec nous. Sierra d'Arcturus, nous désirons que tu deviennes notre nouveau commandant.

La jeune femme, désormais dans la vingtaine, fixa longuement l'arme avant de l'accepter. Elle promena ensuite son regard sur les visages de tous ces braves soldats, puis leva l'épée au-dessus de sa tête en poussant un terrible cri de guerre.

RÉPIT

Les années passèrent. Un grand nombre de Chevaliers tombèrent au combat, d'autres les remplacèrent. La guerre contre les Aculéos se déroulait sans cesse de la même façon, comme si ces implacables créatures n'apprenaient pas de leurs erreurs. Elles continuaient de descendre des falaises qui délimitaient leur territoire et retournaient même dans des villes qu'elles avaient déjà dévastées. Chaque fois qu'elles arrivaient devant les Chevaliers, elles se précipitaient sur eux et se faisaient faucher à tous les coups. Pourtant, Chésemteh, qui appartenait à leur race, était très intelligente. Elle-même ne comprenait pas pourquoi ses congénères agissaient comme des animaux sans cervelle.

Tous les automnes, les Aculéos ayant survécu aux combats remontaient sur leurs hauts plateaux. Chésemteh ne pouvait pas expliquer pourquoi, puisqu'elle avait cessé de vivre parmi les hommes-scorpions en bas âge.

À la tête de toute l'armée, Sierra avait repris le chemin de la maison aux côtés d'Ilo, le commandant des Chimères, en écoutant distraitement les bavardages des soldats qui la suivaient. Blessée au bras lors du dernier affrontement, elle gardait le silence et serrait les dents pour supporter la douleur.

– Je suis certaine que les Aculéos éprouvent un besoin impérieux de se reproduire tous les ans à cette époque, avança Antalya, une femme Chevalier.

– Ou alors les plus forts retournent devant leur roi au bout de quelques mois de féroces combats pour qu'il leur accorde des postes importants dans leur société, supposa Méniox, un de ses compagnons.

– Peut-être qu'ils s'ennuient de leurs parents! plaisanta Antalya.

– Peu importe leur raison de disparaître, intervint Urkesh, grâce à elle, nous pouvons rentrer chez nous quatre semaines par année.

Le retour des guerriers mit toute la forteresse d'Antarès en effervescence. Un serviteur vint les avertir que la Haute-Reine Agafia leur offrait un premier banquet le soir même.

– Allez vous laver! ordonna Sierra, ce qui fit rire ses soldats.

Elle laissa un palefrenier emmener son cheval et se rendit à sa chambre au-dessus du hall, Ilo sur les talons. Elle resta long-temps sous la douche, un luxe dont les Chevaliers devaient se priver une fois qu'ils quittaient Antarès.

Lorsqu'elle sortit enfin de la salle de bain, enroulée dans un drap de ratine, elle trouva Ilo debout près de son lit qu'il avait transformé en table de massage. La lumière était tamisée et le pavillon du gramophone laissait échapper une musique douce et apaisante. Audax lui avait offert cet appareil un an avant son décès, lorsqu'il avait remarqué qu'elle ne manquait aucun des concerts offerts par les souverains lors des trêves.

Sierra laissa glisser sa serviette sur le sol et s'allongea sur le ventre. Non seulement Ilo était le commandant des Chimères, mais il était également un excellent masseur à ses heures. Puisqu'ils savaient qu'ils ne vivraient pas longtemps, la plupart des Chevaliers n'entretenaient aucune relation amoureuse soutenue. Ils préféraient les flirts occasionnels et les liaisons sans lendemain. Les seuls soldats engagés dans une relation exclusive, c'étaient Chésemteh et Urkesh, car il n'avait pas peur d'elle, ainsi que Sierra et Ilo. La commandante était consciente qu'elle se servait d'Ilo pour combler le trou béant que la mort d'Audax avait laissé dans son cœur, mais tant que son amant lui apporterait du réconfort, elle le tolérerait auprès d'elle.

Comme tous les Eltaniens, Ilo portait les cheveux longs. Les siens étaient noirs comme la nuit et doux comme du satin. Il avait les oreilles pointues, une autre particularité de sa race, et de grands yeux bleus sensibles. Dès son arrivée à Antarès, lors du recrutement, il avait attiré l'attention de la commandante. Habile avec un arc et fiable au combat, il avait rapidement gravi les échelons militaires et s'était vu attribuer le poste de commandant des Chimères.

Sierra ferma les yeux pendant qu'Ilo dénouait les muscles de son dos avec une huile odorante. Elle commençait enfin à se relaxer lorsqu'il effleura son bras blessé. La jeune femme sursauta et le ramena aussitôt contre elle.

– Laisse-moi enfin voir cette plaie, exigea Ilo.

– Ce n'est rien.

– Je te connais mieux que ça, Sierra.

– Dans un mois, ce sera guéri.

– Je veux juste examiner ton bras, pas te l'arracher.

– Je m'arrêterai chez les médecins du château, plus tard.

– Tu sais pourtant que je suis bien plus doué qu'eux dans ce domaine.

Il s'apprêtait à déplier le bras de sa maîtresse contre son gré lorsque des coups rapides furent frappés à la porte de la chambre.

– Entrez ! lança Sierra, sabotant l'initiative d'Ilo.

Camryn passa la tête dans l'entrebâillement de la porte. L'adolescente de douze ans aux longs cheveux blonds comme les blés était la fille d'une servante et aspirait à devenir un jour soldat. Sierra, qui l'aimait bien, s'acharnait à trouver tous les prétextes pour lui éviter cette vie de danger et de privations. Elle la voyait plutôt épouser un beau garçon de bonne famille et élever des enfants, un rêve qui échappait à bien des Chevaliers.

– Les sentinelles ont trouvé un espion dans la forêt de l'Est, annonça Camryn sur un ton solennel, comme si elle faisait déjà partie de l'armée.

– Un espion ? répéta Sierra en s'assoyant.

Elle attrapa sa robe noire et l'enfila avant même de descendre du lit.

– C'est ce qu'il semble.

– Où est-il ? s'enquit-elle en mettant ses bottes.

– Dans un cachot. Je peux y aller avec toi ?

– Pas question. C'est peut-être un homme dangereux. J'y vais seule.

– Ça vaut pour moi aussi ? demanda Ilo.

Elle l'embrassa brièvement sur les lèvres.

– Je reviens tout de suite.

Camryn accompagna la commandante dans le couloir et descendit à ses côtés l'escalier qui menait au rez-de-chaussée. Sierra remarqua qu'elle portait un pantalon, une chemise et des bottes d'équitation.

– Tu t'habilles comme un garçon, maintenant ?

– Je n'aime plus les robes.

Elles traversèrent le vestibule et s'immobilisèrent devant les gardes qui surveillaient la porte située sous l'escalier du palais et menant aux souterrains de la forteresse.

– Je te reverrai plus tard, jeune fille, fit Sierra à l'adolescente qui avait espéré qu'elle change d'avis.

Les gardes comprirent que la femme Chevalier ne voulait pas que Camryn l'accompagne, alors ils ne laissèrent passer que la commandante. Sierra descendit dans le cachot, où personne n'avait été enfermé depuis des lustres. Les couloirs et les cellules étaient éclairés par des torchères électriques qui produisaient très peu de lumière. Elle s'arrêta devant les barreaux de fer de la seule porte qui était fermée.

L'homme, couché sur le lit bas, était très grand, blond, musclé et vêtu d'une bien étrange façon. Il portait une tunique vert émeraude, un pantalon noir dont la braguette était lacée plutôt que d'être munie d'une fermeture éclair et des bottes noires. Sur le sol à quelques pas de lui reposait une étrange cuirasse verte sertie d'émeraudes. Il y avait du sang séché dans les longues mèches de l'étranger et aussi sur sa manche gauche.

Sierra préféra ne pas ouvrir tout de suite la grille, au cas où le prisonnier aurait fait semblant d'être inconscient. Elle se contenta de l'examiner de loin, pour le moment. «Si les Aculéos avaient obligé un humain à nous espionner à Antarès, ils n'auraient certainement pas choisi quelqu'un d'aussi voyant», songea-t-elle. Le geôlier s'approcha.

– Était-il seul ? demanda Sierra avant que l'homme puisse ouvrir la bouche.

– Oui, ma commandante.

– Armé ?

– Nous n'avons rien trouvé sur lui.

– Blessé ?

– À la tête, au cou et à l'épaule, mais rien de cassé. La chirurgienne pense qu'il a fait une mauvaise chute de cheval.

– Fais-moi appeler dès qu'il aura repris conscience.

– À vos ordres, ma commandante.

Intriguée par la présence de cet inconnu aussi près de la forteresse, Sierra oublia de retourner à sa chambre. Elle dirigea plutôt ses pas vers le grand hall, où elle entendait déjà le vacarme que faisaient les Chimères, bien décidées à profiter à fond de ce répit. Elle s'arrêta sur le seuil de la vaste salle où près d'un millier de soldats ayant survécu à onze mois de combats s'apprêtaient à se régaler grâce à la générosité des dirigeants du château. Elle alla s'asseoir près de Cercika, que les autres évitaient car ils ne voulaient pas qu'elle ait des visions à leur sujet.

– Tu es la seule qui ose manger avec moi, lui dit l'Einathienne, reconnaissante.

– C'est parce que je ne suis pas superstitieuse. D'ailleurs, ce n'est pas vrai, puisque tu entretiens des relations intimes avec Antalya et Cyréna.

– Qui sont trop occupées à boire ce soir pour passer du temps avec moi…

– Les répits nous permettent de chasser tous nos soucis, Cercika.

– Tu ne crains pas que je voie quelque chose qui te concerne ?

– Je suis la maîtresse de mon destin. Même si tu me prédisais un événement désastreux, je m'arrangerais pour le changer.

– Il est vrai que nous pouvons tous modifier le cours des événements, surtout quand nous le connaissons à l'avance.

Ilo prit place de l'autre côté de Sierra.

– J'ai pensé que je te trouverais ici, murmura-t-il.

– Pardonne-moi de ne pas avoir tenu ma promesse. J'avais la tête ailleurs.

– Je connais cette expression sur ton visage, Sierra.

– N'en parlons pas maintenant, si tu veux bien.

Heureusement, les plats commençaient à arriver, portés par une cohorte de serviteurs.

Utilisant sa main gauche, Sierra se versa du potage aux légumes avec difficulté. Pour ne pas se faire rabrouer, Ilo ne lui vint pas en aide. La commandante avala quelques cuillerées, puis se tourna vers Cercika. L'oracle s'était figée et ses yeux avaient considérablement pâli : elle était en transe.

– Il y a un étranger dans le château… souffla-t-elle sans exprimer la moindre émotion.

Thydrus se leva d'un bond et déclama un de ses poèmes épiques sur les actions héroïques de ses compagnons d'armes durant la dernière année. Son intervention noya les propos de la prophétesse. Seule Sierra, assise près d'elle, put les entendre.

– Il occupera une place importante dans ta vie…

– Du fond de sa cellule? J'en doute, Cercika.

– Il arrive de très, très loin…

– Du monde des hommes-scorpions, tu veux dire?

– Non… du ciel…

– Tu ne vas pas me dire que c'est un dieu?

– Il n'est pas de ce monde…

Les yeux de la femme Chevalier reprirent leur couleur normale et elle se mit à manger comme si rien ne s'était passé. «Grâce au ciel, Ilo n'a pas entendu ses paroles», songea Sierra, car il arrivait à son amant de se montrer jaloux, bien souvent sans raison. La commandante ne s'intéressait à personne d'autre que lui.

Sierra avala un peu de poulet et du pain chaud en s'efforçant d'écouter les conversations autour d'elle sur le retard des autres divisions. Contrairement à ses soldats, Sierra se déplaçait entre les quatre pays que défendaient les Chevaliers d'Antarès. Elle avait donc l'occasion de côtoyer tous les groupes à plusieurs reprises durant l'année. Urkesh déposa une chope de bière devant elle, puis s'assit près d'Ilo.

– Ne souris-tu donc jamais, Sierra? la taquina-t-il.

– Jamais, confirma son amant.

– Pourquoi? voulut savoir Urkesh.

– Je n'ai aucune raison de me réjouir, laissa tomber la femme Chevalier.

– Parce que nous n'avons pas encore découragé les Aculéos de s'aventurer chez nous?

– Nous nous battons depuis des années sans succès.

– Ce n'est tout de même pas notre faute s'il y a des millions de ces bestioles.

– Tu crois vraiment que leurs dirigeants nous les envoient pour que nous les aidions à ralentir leur croissance démographique ?

– Ce n'est pas impossible…

– Et si c'était un effort de conquête de leur part ? suggéra Sierra.

– Alors, ils s'y prennent très mal. Si nous pouvions au moins communiquer avec eux, il serait plus simple d'en venir à un compromis.

Urkesh se pencha au-dessus de la table pour s'approcher de Cercika.

– Comment se fait-il que tes pouvoirs ne te permettent pas de voir jusque dans leur tête ?

– Mes pouvoirs se limitent à prédire l'avenir, Urkesh, et pas nécessairement quand j'en ai besoin, répliqua la prophétesse.

– Pourquoi Chésemteh n'établit-elle pas un contact avec eux ? intervint Ilo. Elle est scorpionne, elle aussi.

– Elle a tout oublié de sa première vie, lui rappela Sierra. Arrêtez de parler des Aculéos et profitez plutôt de ces quelques semaines loin d'eux pour faire autre chose.

– Boire ! s'exclama Antalya en riant.

La jeune femme se mit à proposer une multitude de toasts à ses compagnons, qui y répondirent avec joie.

– Tu devrais suivre ton propre conseil, murmura alors Ilo à Sierra.

Elle le fusilla du regard.

– Essaie de te détendre, toi aussi. Il y a sûrement des activités qui te manquent quand nous sommes en patrouille.

– Oui… de longues douches chaudes…

– C'est tout?

Ilo faisait allusion à leurs moments intimes, inexistants pendant qu'ils se trouvaient sur le front.

– Il y a une foule de choses dont j'ai envie, se reprit-elle, mais nous venons à peine d'arriver.

– Tu as raison.

Elle termina son repas de la main gauche en cachant à ses amis que son bras droit refusait de plus en plus de lui obéir, puis leva son verre pour un autre toast. «L'alcool devrait temporairement engourdir la douleur», espéra-t-elle. Les Chevaliers continuèrent de s'amuser jusqu'à une heure avancée de la nuit, mais Sierra leur faussa compagnie un peu avant minuit. Elle retourna à sa chambre et appliqua sur sa plaie une lotion anesthésiante avant le retour d'Ilo.

Elle s'allongea sur son lit et se rappela tout ce qu'elle avait vécu ces derniers mois, ses compagnons qui avaient péri au combat, les cris de terreur des victimes des Aculéos, l'odeur de la chair brûlée… «Il faut que ça cesse», se dit-elle. Au fil des ans, Sierra avait imaginé plusieurs solutions afin de mettre fin au massacre. Cependant, la plupart étaient irréalisables ou trop coûteuses. La commandante ne tuait ses ennemis que pour défendre les innocents, car en réalité, elle respectait la vie sous toutes ses formes. Malgré tout, il lui arrivait de souhaiter qu'une bombe finisse par annihiler tous les scorpions. «Sauf Chésemteh…»

Lorsque son amant d'Eltanine entra dans la pièce, il fit attention de ne faire aucun bruit afin de ne pas la réveiller. Sa gentillesse fit presque sourire Sierra. Dans toute l'armée d'Antarès, personne n'était plus prévenant qu'Ilo. Il se coucha du côté gauche de la guerrière pour ne pas heurter par inadvertance son bras droit blessé.

– Si tu n'existais pas, il faudrait que je demande aux inventeurs de te créer, murmura Sierra.

– Tu le penses vraiment ?

– Tu sais bien que je ne parle jamais pour ne rien dire.

Il se pencha sur elle et l'embrassa.

– Ce n'est pas une douche chaude, mais je te promets que tu aimeras ça. Et je ferai bien attention à ta blessure.

En se soulevant sur son bras valide, Sierra alla chercher un autre baiser sur les lèvres d'Ilo.

LA PROPHÉTIE

Même l'amour n'apaisa pas le cœur de Sierra. Incapable de trouver le sommeil, elle se défit doucement d'Ilo et enfila sa robe. Sans doute l'air frais de la nuit lui ferait-il du bien. Pour ne pas faire de bruit, elle sortit de la chambre pieds nus. À cette heure, seules quelques ampoules éclairaient encore les couloirs. Ses frères et ses sœurs d'armes avaient enfin quitté le hall pour aller dormir. Elle pouvait les entendre ronfler dans leurs chambres.

Puisque les portes de la muraille étaient refermées au coucher du soleil, les habitants du palais ne croyaient pas utile de verrouiller les autres entrées. Sierra ne rencontra personne dans la grande cour. Elle grimpa l'escalier de la passerelle de guet et respira à pleins poumons l'air qui devenait plus frais à cette époque de l'année. «Qu'il fait bon sortir dans l'obscurité sans risquer qu'un scorpion nous décapite», songea-t-elle. Elle leva les yeux vers les étoiles, regrettant de n'avoir jamais étudié leur interprétation. Elle ne s'en servait que pour se guider lorsqu'elle chevauchait d'un pays à l'autre. Toutes les jeunes années de sa vie, elle les avait consacrées au combat.

Tout comme son prédécesseur, Sierra ne faisait que son devoir. Audax aurait aimé lui aussi mettre fin aux incursions des Aculéos au nord d'Alnilam au lieu de les tuer par milliers, mais il n'y était jamais parvenu. «Devrai-je aussi passer le flambeau à un nouveau chef sans que la situation ait changé?» se demanda Sierra.

Elle entendit le claquement de bottes sur les marches en métal et se retourna, persuadée qu'Ilo l'avait suivie. Elle reconnut plutôt la silhouette du Prince Lavrenti d'Antarès. Tout comme elle, il approchait la trentaine, et ses parents tardaient à lui trouver un bon parti parmi les belles princesses des autres royaumes. Alors, n'ayant rien de mieux à faire, le jeune homme courtisait toutes les femmes du château et surtout Sierra, lorsqu'elle rentrait au bercail.

Le prince s'arrêta devant la guerrière et lui offrit son plus adorable sourire. Seuls les rayons de la lune permirent à Sierra de le distinguer sur son visage encadré par ses cheveux châtains qui retombaient sur ses épaules.

– Tu ne pouvais pas dormir, toi non plus ? fit-il d'une voix qu'il s'efforçait de rendre séductrice.

– Ça fait partie de la vie d'un soldat.

– Tu veux venir m'en parler dans ma chambre ?

– Combien de fois devrai-je vous dire que je ne coucherai pas avec vous ? D'ailleurs, les princes épousent des princesses et les soldats ne vivent pas suffisamment longtemps pour s'attacher à qui que ce soit.

– C'est vrai, mais ils peuvent trouver du réconfort dans les bras de leur maîtresse ou de leur amant.

– J'ai déjà tout ce qu'il me faut.

– Une belle femme comme toi ne devrait pas mener une vie aussi dure. Tu mérites mieux.

– Et comment sauriez-vous ce qui se passe dans le Nord ?

– J'ai des oreilles pour entendre.

– Mon mentor avait donc raison de dire qu'il existe deux classes de gens dans le monde : ceux qui agissent et ceux qui les regardent agir. Nous ne faisons tout simplement pas partie du même groupe, Prince Lavrenti. Sur ce, je vous souhaite de trouver le sommeil par vous-même.

Sierra s'esquiva et dévala l'escalier en se disant qu'elle pourrait sans doute réfléchir en paix dans les jardins intérieurs du palais. Elle traversa le vestibule et se dirigea vers le couloir qui y menait. En tournant un coin, elle heurta une servante et fit tomber la pile de draps propres qu'elle transportait.

– Je suis vraiment désolée, s'excusa Sierra.

Même si elle n'avait qu'un seul bras valide, elle se pencha pour l'aider à tout ramasser. Soudain, elle la reconnut.

– Orfhlaith? On m'a pourtant dit que tu étais retournée dans ta famille après la mort d'Audax…

– C'est ce que j'ai fait, mais je n'étais plus habituée à la vie dans la banlieue, alors je suis revenue au château.

– Et pourquoi es-tu au travail à une heure pareille?

– Ce soir, je ne pouvais pas fermer l'œil, alors j'ai pris un peu d'avance.

– Viens boire un verre avec moi.

– Sans doute que ça me détendrait.

La commandante emmena Orfhlaith dans le hall, déserté depuis quelques heures. Les serviteurs avaient eu le temps de tout nettoyer. Sierra savait qu'ils laissaient toujours de l'alcool sur les tables pour les oiseaux de nuit. Elle trouva des verres et y versa du vin. Les deux femmes les choquèrent.

– À Audax! s'exclama la guerrière.

– À Audax! répéta la servante avec un sanglot dans la voix.

Elles avalèrent une première gorgée. Orfhlaith ne portait plus ses longues tresses comme jadis. Elle avait coupé ses cheveux roux à l'épaule et les maintenait en place grâce à un serre-tête en satin vert.

– Lorsque je suis arrivée au château, je n'étais qu'une gamine, fit Sierra. Je n'ai découvert que des années plus tard que vous entreteniez une liaison, Audax et toi.

– C'est moi qui insistais pour qu'elle demeure secrète. Je ne voulais pas nuire à sa carrière. Je n'étais qu'une domestique et lui, un homme si important.

– Ce qui compte, en amour, c'est ce que nous ressentons, pas ce que les autres en pensent.

– Je l'ai compris trop tard.

Orfhlaith vida son verre d'un seul trait.

– Lorsque j'ai vu le corps d'Audax attaché à sa selle, j'ai failli perdre la raison, avoua-t-elle, les larmes aux yeux. Mon monde a basculé et je me suis refermée sur moi-même. Ce n'est qu'à mon retour à la forteresse que j'ai appris que tu étais près de lui lorsqu'il a perdu la vie.

Le visage de Sierra s'assombrit.

– J'ai en effet vu le dard du scorpion lui transpercer la gorge, soupira-t-elle. Je me suis précipitée à son secours, mais je ne pouvais plus rien faire. Il est mort dans mes bras.

– On m'a aussi raconté que tu avais décapité l'horrible bête qui lui avait fait ça.

– J'étais si ivre de colère que je ne m'en souviens même pas.

La servante éclata en sanglots. Habituellement, Sierra ne savait pas comment réagir devant la peine des autres, mais attendrie par l'alcool, elle attira la pauvre femme dans ses bras et la laissa pleurer sur son épaule.

– Il me manque tellement, hoqueta Orfhlaith.

– À moi aussi…

La nuit avait commencé à céder sa place à l'aube lorsqu'elles se séparèrent. Sierra retourna à sa chambre et se colla contre Ilo sans même le réveiller. «Heureusement que je ne suis pas une scorpionne», se dit-elle en fermant les yeux. Elle ne dormit que quelques heures et se leva en même temps que lui.

– As-tu fait de beaux rêves? demanda-t-il en s'étirant.

– Tu sais bien que je ne rêve jamais, fit-elle avant de disparaître dans la salle de bain.

Une fois qu'ils furent vêtus, ils descendirent dans le hall, où une partie de leurs compagnons, du moins ceux qui n'avaient presque pas bu d'alcool, mangeaient déjà. Ils s'installèrent près d'Assia, une belle guerrière à la peau noire, et se régalèrent de crêpes au jambon et aux asperges. Les Chevaliers arrivèrent par petits groupes et certains d'entre eux se contentèrent de boire de l'eau. En croquant dans une pomme, Sierra leva les yeux sur les portraits accrochés aux murs, en particulier celui d'Audax, dans toute sa gloire. «J'aurais préféré continuer de le servir plutôt que de prendre sa place», soupira-t-elle intérieurement.

Les soldats étaient si occupés à s'amuser qu'ils ne virent pas un curieux personnage entrer dans leur hall. L'homme aux longs cheveux châtains portait un manteau qui lui descendait jusqu'aux chevilles et ne cherchait même pas à dissimuler ses traits. Il marcha entre les tables avec l'aisance d'un soldat ayant toujours fréquenté ces lieux, jusqu'à ce qu'il attire l'attention des convives à l'aide d'une explosion de poussière brillante autour de sa personne. Tout comme ses compagnons d'armes, Sierra se redressa d'un seul coup, regrettant de ne pas être armée.

– Quelle belle assemblée vous faites! lança l'étranger.

– Qui es-tu et que fais-tu ici? tonna Sierra en s'approchant de lui.

– Du calme. Je ne suis pas votre ennemi.

– Tu es visiblement un sorcier.

– Excellent sens de l'observation, ma chère. Je vous en prie, assoyez-vous pour que tout le monde puisse me voir. Je n'ai pas l'habitude de me présenter deux fois. Et vous tout au fond, là-bas, ne craignez rien, vous m'entendrez aussi.

Les Chevaliers ne bougèrent pas.

– Faites ce qu'il dit! ordonna Sierra.

Ils reprirent leur place en grommelant, mais leur commandante resta debout devant l'intrus.

– Braves soldats, je m'appelle Salocin. J'imagine que vos prêtres ne vous parlent pas en bien de nous, les sorciers. Ce n'est pas parce que nous sommes de mauvaises personnes, mais parce qu'ils craignent de perdre la face devant des hommes qui possèdent de réels pouvoirs.

– Tu es venu jusqu'ici pour dénigrer les mystagogues? l'interrompit Sierra.

– Non, mais l'occasion s'y prêtait bien, répliqua Salocin avec un sourire moqueur. En fait, je suis venu vous mettre au courant d'une importante prophétie dont ils ne vous ont certainement jamais parlé.

– Tout le monde sait que les sorciers ne se rendent jamais utiles sans exiger quelque chose en retour.

– C'est juste, mais je ne vous demanderai pas un seul statère, aujourd'hui.

– Alors, quoi?

– Seulement de faire un effort de réflexion sur notre véritable nature et la raison pour laquelle les prêtres s'acharnent à nous faire une si mauvaise réputation.

– Est-ce qu'on peut au moins avoir une piste? demanda innocemment Méniox.

Le regard que lui décocha la commandante lui fit comprendre qu'elle ne voulait pas que ses soldats interviennent dans cet échange.

– Les mystagogues sont les représentants des dieux auprès des hommes et ces mêmes dieux ont tenté d'éliminer les sorciers après les avoir créés.

– Pourquoi? demanda Sierra.

– Parce que, contrairement aux prêtres, nous avons refusé de les flatter servilement. Nous ne servons personne et ainsi, personne ne nous empêche de dire la vérité.

– D'accord, nous y réfléchirons. Quelle est cette prophétie ?

– « Un dieu ailé réussira à anéantir tout le panthéon d'Achéron et à libérer les humains de son joug. »

– Il n'y a pas de dieux ailés. C'est une légende.

Salocin leva lentement la main et fit apparaître au plafond un immense disque, à l'intérieur duquel les Chevaliers virent évoluer des hommes et des femmes pourvus de grandes ailes blanches.

– Je les ai vus de mes propres yeux, ajouta-t-il.

L'illusion disparut.

– Si ces divinités existent vraiment, je doute qu'elles aient plus de succès que Kimaati à se débarrasser d'Achéron, laissa tomber la commandante.

– Les prêtres vous ont au moins relaté cet épisode de la vie de vos dieux… bravo. Vous ont-ils dit que lorsque les mages noirs du rhinocéros ont découvert cette prédiction dans les étoiles, ils se sont empressés de la rapporter à leur maître ?

Sierra se contenta de secouer la tête, car elle n'avait jamais entendu parler de cette histoire.

– Et qu'a fait Achéron, à votre avis ? Il a éclaté de colère et il a lancé ses chauves-souris à l'assaut de la colonie de Gaellans, là où vivaient les dieux ailés. En pleine nuit, ils les ont attaqués sous la direction de Kimaati, qui leur a fourni sa propre essence divine. Seul un dieu peut en tuer un autre. J'imagine que les prêtres ne vous l'ont jamais révélé, non plus.

Le silence de Sierra était éloquent.

– Les noctules ont assassiné tous ceux qui se trouvaient à Gaellans, mais il y a eu des survivants, car les dieux ailés ne s'y trouvaient pas tous.

– Pourquoi nous racontes-tu tout cela ?

– Parce que le monde tel que vous le connaissez va bientôt changer. Préparez-vous.

Salocin s'évapora d'un seul coup.

– C'est quoi, ce délire ? s'exclama Antalya.

– Cercika, où es-tu ? appela Sierra sur un ton agacé.

La prophétesse s'empressa de quitter son siège et de courir jusqu'à la commandante.

– Je ne connais pas cette prophétie et je n'ai jamais eu de visions à ce sujet. Toutefois, je peux t'assurer que cet homme était sincère.

– Il dit la vérité ? s'étonna Ilo. Mais c'est un sorcier !

– Je suis confus, avoua Méniox. On nous a enseigné que les seuls dieux sont Achéron, Viatla et leurs enfants et on ne nous a jamais dit qu'ils avaient des ailes.

– Parce qu'ils n'en ont pas, affirma Cercika.

– Sait-on vraiment ce qui se trouve dans les cieux ? intervint Urkesh.

– Je trouve rafraîchissant d'apprendre que les dieux ont aussi des ennemis, plaisanta Thydrus.

– J'imagine que tu en feras le sujet de tes prochains poèmes ? le taquina Assia.

– C'est une excellente idée.

– Écoutez-moi, tout le monde ! exigea Sierra. En attendant de vérifier les dires de cet homme, je suggère que nous nous en tenions à nos propres problèmes ! Si, tel qu'il le prétend, le monde se met à changer, nous nous y adapterons en temps et lieu !

Pour clore le sujet, elle se rassit et continua de manger.

Elle ne pourrait pas empêcher ses soldats de discuter de cette affaire entre eux, mais elle ne devait pas y accorder d'importance en leur présence, sinon le répit n'en serait plus un. À côté d'elle, Ilo gardait le silence, mais Sierra ressentait son malaise. Elle décida de ne pas en parler devant les autres et lui fit plutôt discrètement signe de la suivre lorsqu'il eut terminé ses œufs.

Pour que leur conversation ne relance pas le débat, ils s'iso-
lèrent dans la salle d'armes du château. Sierra évita sciemment
d'aller du côté où l'armure, l'épée et l'arc d'Audax étaient ex-
posés dans une cage de verre.

– Je t'écoute, fit-elle.

– Tu ne dois pas croire un seul mot qui sort de la bouche
de ce Salocin, l'avertit Ilo. Les sorciers sont prêts à tout pour
arriver à leurs fins.

– Je le sais, mais tu as aussi entendu ce que Cercika nous
a dit.

– Il l'a peut-être envoûtée pour qu'elle plaide en sa
faveur.

– Si Salocin a réussi ce tour de force, alors il est vraiment
doué, parce que les dons de notre prophétesse se manifestent
toujours hors de sa volonté. Je t'en prie, calme-toi. Tu me
connais assez bien maintenant pour savoir que je vérifie toujours ce qu'on me dit avant d'y accorder crédit. Si ce sorcier
prédit que le monde va bientôt changer, nous serons en mesure
de nous en rendre compte par nous-mêmes.

– Je suis content de constater que cette prophétie ne te
perturbe pas outre mesure.

– C'est pour moi que tu t'inquiètes?

– Tu as déjà suffisamment de choses à penser sans te
préoccuper en plus des divagations d'un mage noir qui essaie
de se rendre intéressant.

– Avoue qu'il sait comment s'y prendre.

– C'est un très bon acteur.

– Je suis parfaitement d'accord.

Sierra l'embrassa sur le nez.

– Qu'as-tu l'intention de faire, aujourd'hui? demanda-t-il.

– Me préparer à ma rencontre avec la haute-reine. Je
lui répète toujours la même chose tous les ans, mais j'essaie

de varier un peu. Je vais commencer par aller méditer pour mettre mes idées en ordre.

– Fais ce que tu dois.

Ilo l'embrassa sur les lèvres et tourna les talons. «Il est encore troublé», constata Sierra. Pendant que la commandante se retirait dans les jardins intérieurs du palais, Ilo fila plutôt à la bibliothèque, qui occupait tout un étage. La plupart des Eltaniens étaient des êtres intuitifs qui apprenaient surtout par expérience. Très peu d'entre eux aimaient lire. Ilo était l'exception confirmant la règle. Lorsque l'armée rentrait à Antarès, il en profitait pour dévorer le plus de traités possible sur tous les sujets.

Avant que Sierra ne somme le savant Odranoel de se concentrer sur des inventions susceptibles de les aider à repousser les Aculéos, ce dernier avait conçu plusieurs machines, dont une qui permettait aux gens du château de retrouver facilement tout ouvrage qu'ils désiraient lire. Elle ressemblait à une grosse boîte métallique percée d'un écran et munie d'un micro dans lequel il fallait parler pour la mettre en marche. Ilo s'installa devant le chercheur de livres et annonça ce qu'il voulait en prenant soin de bien articuler.

– Les dieux ailés.

L'ÉTRANGER

D ans les magnifiques jardins d'Antarès, Sierra se retrouva enfin seule. Chaque monarque d'Antarès avait poursuivi le travail du précédent au fil des siècles, ajoutant au parc intérieur du palais des fontaines, des massifs de fleurs, des arbres exotiques et des sentiers de petites pierres colorées. C'était un endroit serein où les oiseaux venaient faire leur nid et se baigner dans les bassins d'eau peu profonde. Sierra aimait la compagnie de ses soldats et la sécurité qu'ils lui procuraient, mais de temps à autre, elle éprouvait le besoin de se recueillir.

La femme Chevalier prit place sur un banc de bois finement travaillé et laissa errer ses pensées. Il faisait vraiment bon de se détendre sans craindre une attaque-surprise. Elle se questionna d'abord sur la relation secrète qu'Audax avait entretenue avec la belle Orfhlaith. À en juger par les larmes de la servante, elle éprouvait encore beaucoup de chagrin d'avoir perdu son amant. « Est-ce que j'aime Ilo de la même façon ? » se demanda Sierra. « Est-ce que je le pleurerais encore dix ans après sa mort ? » Au bout d'un moment, elle dut avouer qu'elle n'en savait rien. « Je vais donc me contenter de ce qu'il m'apporte un jour à la fois sans regarder trop loin dans l'avenir », décida-t-elle.

Les paroles de Salocin retentirent alors dans son esprit. Ses parents lui avaient raconté jadis la légende des dieux ailés. Même si Sierra était très jeune lorsqu'elle avait été recueillie par Audax, cette histoire lui était toujours restée en mémoire.

Elle se concentra intensément afin de se rappeler les mots exacts de sa mère. Celle-ci n'avait jamais mentionné Achéron ni un autre dieu de son panthéon. Elle lui avait plutôt dit que le grand créateur de l'univers avait façonné plusieurs divinités à partir de la poussière des étoiles pour ensuite leur faire cadeau d'un monde dont ils devaient prendre soin. Toutefois, fort occupé, il avait oublié les hommes volants, qui avaient dû se réfugier sur le domaine d'autres dieux.

Un dieu ailé réussira à anéantir tout le panthéon d'Achéron et à libérer les humains de son joug. « Où mes parents ont-ils entendu parler de cette prophétie ? » Un sorcier s'était-il arrêté autrefois dans sa ville natale pour en informer ses habitants ? À quelle contrainte Salocin faisait-il référence ? Si Achéron existait réellement, jamais il n'avait imposé quoi que ce soit aux humains. Au contraire, il n'intervenait jamais dans leurs affaires, même lorsqu'ils avaient désespérément besoin de lui. Les prêtres, qui rendaient un culte à Viatla, prétendaient que cette voluptueuse déesse répandait ses bienfaits sur la terre, que grâce à elle, le soleil se levait et se couchait tous les jours, les plantes poussaient et la vie était possible. « Mais ce sont tous des phénomènes naturels… » réfléchit Sierra.

Si le dieu suprême avait demandé à son fils Kimaati d'anéantir les dieux ailés, c'est qu'ils devaient représenter un danger pour son règne. S'agissait-il de créatures vêtues d'armures brillantes brandissant des épées de feu ? Sinon, pourquoi Achéron les craindrait-il autant ?

– Sierra ! l'appela la voix aiguë de Camryn.

La petite servante arriva en gambadant et prit place sur le banc près de son héroïne.

– Comment arrives-tu toujours à me retrouver ?

– C'est facile ! J'ai demandé à Ilo où tu étais.

– Tu es venue méditer avec moi ?

– Non, pas cette fois. Je voulais t'avertir que le prisonnier est revenu à lui.

– On dirait que tu sais tout ce qui se passe dans ce château, la taquina Sierra.

– Comme un véritable Chevalier se doit de le faire, n'est-ce pas ?

– Pourquoi tiens-tu tant à en devenir un, Camryn ?

– Parce que je veux être exactement comme toi quand je serai grande.

– Combien de fois t'ai-je dit que la vie que je mène est dangereuse et que je mourrai sans doute très jeune ?

– Mais tu protèges tous les royaumes contre l'envahisseur ! C'est tout ce qui compte !

– Je ne me résous pas à te décrire l'horreur de ce que nous vivons dans le Nord, parce que je ne veux pas que tu en fasses des cauchemars. Mais crois-moi, tu ne veux pas vivre cela. J'espère sincèrement nous débarrasser des hommes-scorpions avant que tu saches manier l'épée. Ainsi, tu pourras mener une vie normale, épouser le beau Sandornin et avoir une ribambelle d'enfants.

– Mais je ne l'aime même pas !

La femme Chevalier embrassa Camryn sur le front.

– Je t'en prie, Sierra, laisse-moi au moins assister à l'interrogatoire du prisonnier…

– Non.

– Même si je suis discrète comme une souris ?

– Je suis désolée, Camryn, mais je ne sais pas à quoi m'attendre dans ce cachot, alors il n'est pas question que je t'emmène avec moi. Quand je serai sûre que l'étranger n'est pas dangereux, je me ferai un devoir de te le présenter.

– Promis ?

– Sur mon honneur.

La commandante quitta les jardins et se rendit à la prison. Dans les profondeurs du château, elle s'approcha de la cellule sur la pointe des pieds pour pouvoir observer l'étranger avant de le questionner. Il était assis sur son lit, penché vers l'avant, la tête entre les mains. Quelqu'un avait nettoyé le sang dans ses cheveux blonds. Son repas reposait sur la petite table et il ne semblait pas y avoir touché. Il était plus grand que la majorité des Antaressois et son physique était plutôt impressionnant. «S'il n'était pas à la solde de l'ennemi, je le recruterais sur-le-champ», se surprit-elle à penser.

Le prisonnier se redressa vivement et regarda droit vers la porte de sa cellule, même si Sierra n'avait fait aucun bruit.

– Où suis-je? demanda-t-il.

– C'est moi qui pose les questions.

Elle se rapprocha des barreaux et il vit son visage.

– Comment t'appelles-tu?

– Wellan d'Émeraude.

Cette femme ressemblait tellement à Bridgess qu'il s'en trouva bouleversé.

– Ta blessure à la tête te fait-elle souffrir?

– Il y a comme un gros marteau qui frappe contre mes tempes, en effet.

– Veux-tu de la glace pour te soulager?

– De la glace? Ai-je abouti dans un pays froid?

Sierra ne comprenait pas sa question, alors elle ne jugea pas nécessaire d'y répondre. Elle ordonna plutôt au geôlier d'aller lui chercher ce qu'il fallait pour diminuer les souffrances du captif.

– Où c'est, Émeraude?

– C'est un royaume qui se situe en plein centre du continent d'Enkidiev.

– Aucun continent ne porte ce nom. À moins que tu arrives de l'océan…

– Je crains que ce soit encore plus compliqué que ça. Dites-moi au moins où j'ai atterri.

– Dans la forêt d'Antarès, espion. Mais je suis certaine que tu le sais déjà.

– Espion? Détrompez-vous, je n'en suis pas un. Je suis tombé par accident dans un vortex.

– Un quoi?

– Un tourbillon qui transporte les gens d'un endroit à un autre… et d'un monde à un autre, apparemment.

– Je vais te faire examiner par Leinad, notre psychiatre, parce qu'il est évident que tu n'as plus toute ta tête.

– Nous parlons la même langue et pourtant, nous ne nous comprenons pas. Qu'est-ce qu'un psychiatre?

– Celui qui soigne les maladies mentales.

Le gardien remit à Sierra un sac transparent rempli de cubes de glace. Elle passa le bras entre les barreaux et le lança à Wellan.

– Je suis parfaitement sain d'esprit, se défendit-il, vexé.

– Appuie ceci sur ton crâne, là où ça fait le plus mal, lui recommanda-t-elle. Peut-être que ça remettra tes idées en place.

Il obéit afin de ne pas la contrarier inutilement. S'il voulait sortir de ce cachot, il devait se montrer le plus docile possible.

– Suis-je votre prisonnier?

– Il me semble que c'est évident, non?

– Quel sort faites-vous subir aux étrangers qui pénètrent sur vos terres par inadvertance sans la moindre intention hostile?

– Ils restent en prison jusqu'à ce que nous arrivions à établir leur identité et la raison de leur présence chez nous.

– Et quand ce n'est pas possible parce qu'ils arrivent tout droit d'un autre plan d'existence?

– D'aussi loin que je me souvienne, ça ne s'est jamais produit.

– Alors, je mourrai dans ce cachot, c'est bien ça ?

– Sans doute, à moins que tu te décides à me dire la vérité.

– C'est ce que je fais. Je n'appartiens pas à ce monde. J'y ai été projeté par accident.

– Mais tu ne peux rien prouver de ce que tu avances. Je vais donc commencer par te faire examiner.

Elle pivota sur les talons.

– Attendez !

Sierra se retourna lentement en se demandant ce qu'il allait encore inventer.

– Je ne sais même pas qui vous êtes…

– Je suis Sierra, la commandante des Chevaliers d'Antarès.

– Des Chevaliers ? Il y en a aussi dans votre univers ?

– Nous sommes une troupe de vaillants soldats et nous avons pour mission de protéger les gens contre les envahisseurs et les espions qui racontent n'importe quoi pour sauver leur peau.

– Je vous jure sur mon honneur que je n'en suis pas un.

– C'est ce que nous verrons, Wellan d'Émeraude.

Elle s'éloigna, laissant l'étranger à lui-même. Quand il en aurait assez de sa captivité, il finirait par vider son sac.

Le premier choc passé, Wellan examina l'enveloppe transparente dans laquelle était enfermée la glace. Elle était malléable et ce n'était pas une vessie d'animal. Il ignorait ce que c'était, mais il avait au moins appris, lorsqu'il combattait les Tanieths, que le froid apportait un grand soulagement pour certains types de blessures. Toutefois, dans son monde, on ne soignait pas les lésions à la tête de cette façon. Il déposa la glace sur le sol, s'assura qu'il était seul et utilisa plutôt la lumière calmante de ses mains pour refermer les plaies sur son crâne et sur son cou. La douleur disparut instantanément.

Une fois soulagé, il alla s'asseoir devant le plateau en métal orangé qu'on avait déposé sur la table de son cachot. Au moins, la nourriture d'Antarès ressemblait à celle de son univers : pommes de terre bouillies, cubes de bœuf rôtis, petits pois verts. Il goûta prudemment à tout en se servant du seul couvert qui se trouvait près de l'assiette : une cuillère. Les aliments avaient eu le temps de refroidir depuis qu'on les avait déposés là, mais il était si affamé qu'il engloutit son repas.

Il reprit ensuite place sur son lit en songeant à ce qu'il allait faire. Il pourrait utiliser ses pouvoirs pour se sortir de cette malencontreuse situation, mais il risquait ainsi de se mettre ces Chevaliers d'Antarès à dos et d'être forcé de fuir constamment pendant qu'il cherchait une façon de rentrer chez lui. Wellan était davantage un érudit qu'un soldat, et avant de quitter cet univers, il voulait en apprendre davantage à son sujet. Il devait donc gagner la confiance de Sierra, ce qui ne serait pas facile, puisqu'elle le croyait fou à lier… Il n'eut pas le temps d'y réfléchir davantage, car on ouvrait la porte de son cachot.

Un homme entra, sans doute ce psychiatre qu'avait mentionné la guerrière. Il avait les cheveux poivre et sel et de grands yeux bleus cachés derrière une paire de verres circulaires attachés ensemble par du fil métallique qui s'allongeait jusqu'à ses oreilles. Il portait un pantalon, des bottillons de cuir brillant et une chemise blanche qui s'attachait sur le devant grâce à de petites boules insérées dans des trous. Sur le revers de son collet apparaissait une épinglette qui ressemblait à un soleil miniature. Dans ses mains, l'homme tenait un morceau de métal rectangulaire sur lequel des feuilles blanches étaient maintenues par une pince.

— Bon matin, monsieur Wellan, fit-il avec un sourire rassurant. Je suis le docteur Leinad.

– Docteur?

– C'est le titre qu'on donne aux personnes qui se sont spécialisées dans un domaine de la science. Dans mon cas, c'est la santé.

– Comme les guérisseurs?

– Est-ce ainsi que vous appelez les médecins dans votre pays?

Wellan hocha doucement la tête, préférant ne pas se lancer dans une explication que son interlocuteur n'aurait sans doute pas comprise et qui n'aurait guère amélioré son cas.

– Notre commandante aimerait que j'évalue tes capacités intellectuelles et que je détermine si tu lui as dit la vérité.

– Alors, procédez, car je n'ai rien à cacher.

Leinad lui tendit une feuille blanche parsemée de signes graphiques.

– Peux-tu me lire la première ligne?

– Je regrette, mais il s'agit d'un alphabet que je ne connais pas.

– Pourtant, nous parlons la même langue, en ce moment.

– Ce n'est pas tout à fait exact, docteur. Grâce à un sort d'interprétation, je peux m'exprimer dans toutes les langues et les comprendre, mais à l'oral seulement.

– Je vois… Es-tu un sorcier?

– Non et si ce que vous voulez savoir, c'est si je me suis jeté ce sortilège moi-même, la réponse est également négative. Il s'agit d'un présent de la part d'une amie magicienne.

Il se garda de lui révéler que c'était la fille qu'il avait eue dans sa première vie qui lui avait fait ce don.

– Très bien.

L'homme prit des notes avant de continuer.

– Tu as révélé à la commandante que tu n'es pas de notre monde.

– C'est exact. Jusqu'à ce que je sois catapulté ici par le biais d'un vortex, je vivais dans un univers différent où on ne met pas de glace dans des sacs transparents et où on ne décore pas son visage avec des morceaux de verre.

– Oh, mes lunettes ? Elles me permettent de mieux voir. Es-tu en train de me dire que personne ne souffre de troubles de la vue dans ton pays ?

– Certains enfants naissent avec des anomalies de la vision, mais elles sont corrigées dès que leurs parents s'en aperçoivent.

– Par de bons chirurgiens, j'imagine ?

– J'ignore également la signification de ce mot.

– Ce sont des spécialistes de la médecine qui se servent d'anesthésie et d'instruments tranchants pour opérer les patients.

– Alors, non. Nos guérisseurs ne font rien de tel.

– Est-ce à dire que vous utilisez également des sorts en chirurgie ?

– Si vous ne croyez rien de ce que je vous dis, pourquoi ne pas mettre fin tout de suite à cet entretien ?

– Parce que je n'ai pas encore déterminé si tu es ou non sain d'esprit.

– La vérité est pourtant fort simple. Je suis arrivé dans votre monde par accident et je ne désire en aucune façon interférer avec vos croyances. Je ne suis pas un espion et je ne représente aucune menace pour ce pays que vous appelez Antarès.

– Quelle était ton métier là où tu vivais avant ce plongeon involontaire dans un… vortex ?

Constatant que le psychiatre ne le lâcherait pas avant qu'il ait répondu à toutes ses questions, Wellan décida de faire preuve de bonne volonté.

– J'ai d'abord été soldat, puis ethnologue.

– Là, c'est moi qui ne comprends pas ce dernier mot.

– L'ethnologie est l'étude descriptive des divers groupes humains qui forment une société. Je parcourais un nouveau continent en consignant dans un journal tout ce que j'apprenais sur les peuples qui y vivaient.

– Journal qui ne t'a apparemment pas suivi jusqu'ici.

– Hélas, non.

– À la solde de quelle armée étais-tu avant d'être fasciné par les autres cultures ?

– J'étais le commandant des Chevaliers d'Émeraude.

– Un Chevalier… comme c'est intéressant. As-tu souvent mené tes soldats au combat ?

– Trop souvent, oui.

– Contre quel ennemi ?

– Les armées de l'Empereur d'Irianeth.

– On dirait que tu détestes la guerre.

– J'ai accepté de défendre mon roi et ses alliés afin que nous puissions vivre en paix. Je ne suis pas un homme qui s'attaque aux autres sans raison.

– Donc, tu n'es pas dangereux ?

– Pas du tout. Je préfère la plume à l'épée et je possède une curiosité sans bornes.

– Oui, bien sûr… la facette ethnologue de ta personnalité. J'aime bien ce mot.

Leinad prit d'autres notes sur sa tablette.

– Puis-je espérer être un jour libéré afin de rentrer chez moi ?

– Saurais-tu retrouver ce vortex qui t'a emmené jusqu'ici ?

– Je doute que ce soit une entreprise facile, mais je suis prêt à le chercher pendant des années, s'il le faut.

– On m'a dit que tu étais inconscient lorsque tu as été trouvé dans un bosquet.

– Dans ce cas, il faudrait me ramener à cet endroit précis, car c'est probablement là que je découvrirai comment repartir dans mon monde.

– Ce sera tout pour l'instant. Je te souhaite une agréable journée.

Le Chevalier se contenta d'arquer un sourcil, car il était bien difficile d'avoir du plaisir dans un endroit aussi petit où il n'y avait rien à faire. Le geôlier ouvrit la porte au psychiatre et la referma durement derrière lui. «Patience», s'encouragea Wellan.

Leinad gravit l'escalier sans se presser et aboutit finalement dans le grand vestibule. Justement, Sierra venait à sa rencontre, le bras droit replié contre elle.

– Et alors? demanda-t-elle sans détour.

– Ce qu'il raconte est plutôt invraisemblable, mais, à mon avis, ton prisonnier est sain d'esprit et plutôt intelligent.

– Il existe vraiment d'autres univers, alors?

– Nous avons eu la même réaction incrédule lorsque des villageois nous ont décrit les Aculéos pour la première fois, rappelle-toi. Mais ce qui est plus intéressant encore, c'est qu'il te ressemble sous certains aspects, Sierra.

– Ah oui? s'étonna-t-elle.

– Il a été le commandant d'une troupe de Chevaliers, lui aussi, et il ne s'est battu que pour défendre sa patrie. Il n'aime pas la violence.

– Et sous quel autre aspect est-il différent de moi?

– Il est ethnologue.

– Qu'est-ce que ça veut dire?

– Sa principale préoccupation dans la vie, c'est d'étudier les gens et les peuples. Il a cessé de combattre pour s'adonner à cette passion.

– Pourrait-il être venu jusqu'ici pour nous observer?

– Je me suis posé exactement la même question, mais j'en ignore la réponse.

– Ce n'est pas du tout le type d'espion auquel je m'attendais, avoua Sierra.

– Je ne crois pas qu'il représente un danger pour Antarès, mais cela, c'est ton domaine d'expertise. À toi de prendre cette décision.

– Merci, Leinad. Ton intervention éclaircit plusieurs de mes interrogations.

– Je suis heureux d'avoir pu te rendre service.

Le psychiatre la salua et poursuivit son chemin vers le bâtiment où il logeait dans la forteresse. Sierra marcha distraitement en direction du hall. « Il a été Chevalier ? » se répéta-t-elle mentalement. Mais puisque Wellan provenait d'un monde différent, ce mot voulait-il dire la même chose pour lui ? Finalement, les révélations de Leinad faisaient naître encore plus de questions dans l'esprit de la commandante.

« Au moins, ce n'est pas un dieu ailé », se dit-elle avec un léger amusement.

LA SCIENCE

Après avoir partagé un autre repas avec les Chimères, Sierra se rendit jusqu'à la partie la plus retirée de la forteresse, où les chercheurs menaient leurs expériences depuis toujours. Les premiers souverains d'Antarès avaient exigé que les murs des laboratoires soient renforcés afin que le reste des bâtiments ne fasse pas les frais des maladresses commises par les apprentis. Lorsque Sierra était jeune, il y avait plus d'une vingtaine d'inventeurs qui s'évertuaient à créer toutes sortes de mécanismes complexes pour leur simplifier la vie. Grâce à eux, Alnilam possédait des centrales électriques alimentées par ses cours d'eau et des machines à vapeur qui servaient au chauffage, à la réfrigération et à l'exploitation des mines. Toutefois, pendant qu'ils perfectionnaient leurs découvertes, des moteurs ou des tuyaux avaient trop souvent explosé, tuant les opérateurs et même les inventeurs.

Le seul qui avait survécu à ce carnage technologique, c'était Odranoel, qui, contrairement à ses confrères, avait toujours utilisé des apprentis pour procéder à ses expériences. Puisqu'ils aspiraient tous à devenir de grands savants, ces jeunes gens acceptaient de l'assister, au péril de leur vie.

Originaire de Markab, une île isolée au nord-est d'Alnilam, Odranoel était un bel homme dans la quarantaine, aux cheveux noirs légèrement ondulés, qu'il portait courts, et aux yeux très sombres. Il était toujours vêtu de façon impeccable et se tenait le dos droit, comme un aristocrate. Une rumeur voulait qu'il soit le fils bâtard du Roi Ludomir de Markab, mais Odranoel l'avait niée à maintes reprises depuis qu'il travaillait pour les souverains d'Antarès.

– Je ne suis que l'un des grands esprits de ce siècle, répétait-il à qui voulait l'entendre.

Il était en effet très brillant, mais pas toujours pragmatique. Un de ses défunts collègues avait inventé le moteur à vapeur, qu'il avait modifié par la suite. Il était parvenu à l'adapter pour faire avancer les puissants locomotivus qui rapportaient les matières premières extraites des mines jusqu'aux usines. Toutefois, depuis cet avancement scientifique, il ne travaillait que sur des prototypes de machines qui n'étaient d'aucune utilité aux Chevaliers d'Antarès.

Sierra poussa la lourde porte du local aménagé pour la recherche. Elle aimait bien cette pièce extraordinaire au plancher carrelé noir et bronze et aux murs couverts d'écrans ronds, de machines, de tablettes et de tuyaux tant horizontaux que verticaux. Le plafond en forme d'arche se composait de centaines d'épais panneaux de verre qui laissaient passer la lumière du soleil le jour et permettaient d'observer les étoiles la nuit. À l'une des extrémités de cette grande salle rectangulaire se dressait une table de travail en demi-cercle. Grâce à un tabouret à roulettes, l'inventeur pouvait se propulser d'un projet à un autre en quelques secondes.

Justement, Odranoel était assis devant le dessin qu'il venait de compléter sur un large bloc de papier. Sierra s'approcha et regarda par-dessus son épaule.

– Qu'en penses-tu ? demanda le savant, qui avait flairé le parfum de la commandante.

– Je ne sais même pas de quoi il s'agit.

– C'est un moteur qui fonctionnera grâce à la lumière du soleil.

– Sur quelle machine comptes-tu l'installer ?

– Sur ma plus grande réalisation, bien sûr.

Odranoel roula jusqu'à l'autre bout de la table, où reposait un modèle réduit de ce qui ressemblait à la coque d'un bateau surmontée d'un ballon en forme de melon. Deux ailes de chauve-souris en papier et en métal sortaient de la quille.

– Mon vaisseau volant pourra transporter des centaines de passagers d'un royaume à l'autre en toute sécurité. Aimerais-tu voir à quoi ressemblera l'intérieur?

– Non. Dis-moi plutôt comment je pourrais m'en servir pour attaquer les hommes-scorpions.

L'inventeur tourna la tête vers la guerrière sans cacher son déplaisir, mais demeura muet.

– Si je me souviens bien, Odranoel, la dernière fois que nous nous sommes rencontrés, il a été question d'armes capables d'effrayer suffisamment les Aculéos pour qu'ils retournent chez eux à tout jamais, ce qui nous permettrait de réduire le nombre des victimes parmi les humains.

– L'inspiration est une maîtresse capricieuse, Sierra.

– Pourquoi ne pas produire plutôt des maskilas?

– Nous avons cessé de fabriquer ces petites bombes de cristal parce que neuf sur dix nous explosaient dans les mains. Il me semble te l'avoir déjà dit.

– Si nous n'arrivons pas à contrer les avancées des hommes-scorpions, ils nous anéantiront.

– Je vois.

– Ton comportement indique plutôt le contraire. Peut-être que si je t'emmenais au front, tu comprendrais davantage à quoi nous devons faire face.

– Je suis un scientifique. Je ne sais pas me battre.

– Je m'assurerais que tu ne sois qu'un observateur, à moins que les Aculéos parviennent à tous nous tuer. Alors, tu serais forcé de te défendre… avec ton vaisseau volant et ton moteur solaire.

Odranoel inspira profondément pour ne pas se fâcher.

– De quoi as-tu besoin, Sierra ?

– Comme je te le répète constamment depuis plusieurs années, de quelque chose qui nous permettra de mettre nos ennemis en déroute et de nous garder hors de leur portée.

– Un arc puissant qui ne manque jamais sa cible ?

– Je pensais à une arme plus spectaculaire.

– Explosive, donc.

– À condition qu'elle ne nous explose pas dans les mains.

– Voyons voir…

Le savant trottina jusqu'à la plus grande de ses étagères et en retira un volumineux cahier qu'il déposa sur la table. Il le feuilleta rapidement sous le regard intéressé de la guerrière.

– J'ai commencé à travailler sur ce que j'appelle le parabellum. C'est une arme relativement légère que l'on peut tenir dans une seule main et, lorsque je l'aurai terminée, elle lancera des projectiles grâce à une explosion interne en émettant un son qui devrait faire très peur à ces scorpions.

– Quand sera-t-elle prête ? Pourrai-je en avoir un nombre suffisant pour tous mes Chevaliers ?

– Une fois les schémas complétés, nos équipes de fabrication ne mettront que quelques mois à en produire des milliers.

– Quelques mois ? Si tu avais travaillé là-dessus toute l'année, j'aurais pu les utiliser lors de la prochaine campagne, lui reprocha Sierra. Y a-t-il d'autres créations aussi prometteuses dans ton cahier ?

– Prépare-toi à être éblouie !

Il se rendit à l'autre bout du laboratoire et se mit à jouer avec des boutons et des leviers sur le côté d'une boîte métallique surmontée d'une antenne. Un bourdonnement inquiétant s'en échappa.

– Qu'est-ce que c'est ?

– Un parafoudre inversé. Je te conseille de reculer de quelques pas.

La guerrière lui obéit, tous ses sens en alerte. Avec un sourire moqueur, l'inventeur releva enfin le dernier levier. L'antenne devint incandescente, obligeant Sierra à plisser les yeux. Elle se mit ensuite à crépiter en faisant jaillir de petits éclairs dans tous les sens.

– Est-ce que ça peut brûler la chair? voulut savoir la commandante.

– En fait, ça la transperce.

– Peux-tu construire des parafoudres inversés géants et les relier entre eux pour former une barrière d'un bout à l'autre de la frontière nord d'Alnilam?

– Tout est possible, bien sûr, mais nos centrales électriques ne pourraient pas les alimenter de façon continue.

– Alors, à quoi sert cette invention, au juste?

– Je n'en sais rien encore.

Les traits de Sierra se durcirent.

– Odranoel, tu es l'homme le plus ingénieux que je connaisse, mais il est grand temps que tu mettes tes priorités au bon endroit. Nous nous faisons massacrer, dans le Nord. Ton devoir, c'est de trouver un moyen de nous protéger tout en décourageant l'ennemi de descendre de ses falaises. Est-ce que tu comprends ce que je te dis?

– Je ferai de mon mieux…

– Ce n'est pas suffisant. Je veux que tu me fasses une démonstration de ton parabellum avant mon départ.

– Je m'y mets immédiatement, chef.

L'inventeur était furieux, mais trop orgueilleux pour le laisser paraître. Sierra tourna les talons et quitta le laboratoire en espérant qu'il avait bien compris ses ordres, cette fois. Elle déboucha dans la grande cour et remplit ses poumons d'air frais. Elle aperçut alors ses compagnes Antalya et Cercika qui croisaient amicalement le fer près des enclos. «Pourquoi éprouvent-elles le besoin de se battre pendant le répit?» s'étonna la commandante. Un peu plus loin, au pied de la muraille, Thydrus, assis sur un bout de pelouse, était en train d'écrire de nouveaux poèmes dans son petit cahier en cuir brun.

Sierra ne les importuna pas et poursuivit sa route jusqu'à la passerelle. Elle s'appuya contre le haut des remparts et promena son regard sur les nombreuses fermes qui entouraient la forteresse. Au loin, près des rivières, s'élevaient de petites villes de plus en plus prospères. Quant aux usines, elles se situaient surtout dans le Nord, qui avait l'avantage d'être constamment balayé par le vent. Ainsi, la fumée qui s'échappait des hautes cheminées incommodait moins de gens. Ces installations se trouvaient toutefois sur la route de conquête des Aculéos. Mais comme ce n'étaient pas des créatures particulièrement intelligentes, il y avait fort à parier qu'elles les saccageraient au lieu de les mettre à profit.

La femme Chevalier tenta une fois de plus de ramener son bras droit devant elle sans l'aide de son bras gauche, mais ses muscles refusèrent de lui obéir. La lenteur de sa guérison commençait à la troubler. «À quoi sert un chef qui n'arrive plus à soulever son épée?» se découragea-t-elle. Ilo avait raison : elle devait cesser de sauver les apparences devant ses Chevaliers et se faire soigner avant qu'il ne soit trop tard. Elle se rendit donc à l'hôpital du palais, dirigé par le docteur Eaodhin, une femme d'une cinquantaine d'années aussi exigeante qu'elle. Lorsque Sierra arriva au bureau de l'infirmière en chef, celle-ci s'étonna de la voir.

— C'est pour une consultation? demanda la jeune femme avec un sourire rassurant.

— Oui. Je me suis blessée au bras.

La jeune femme décrocha le récepteur métallique de l'appareil de communication qui reposait devant elle et l'approcha de ses lèvres. Sa voix retentit alors dans tout l'immeuble.

– Docteur Eaodhin, vous êtes attendue à l'accueil.

Quelques minutes plus tard, la chirurgienne arriva, vêtue d'une longue chemise marron clair, un stéthoscope autour du cou.

– Sierra ? Est-ce une visite de courtoisie ?

– Je crains que non.

Eaodhin l'emmena dans une petite salle et procéda d'abord à un examen général, puisque la commandante évitait sciemment de se présenter à ses contrôles depuis des années. Quand elle aperçut l'entaille encore enflée sur le bras de Sierra, elle fronça les sourcils avec inquiétude.

– C'est récent ?

– Une semaine, peut-être un peu plus.

La chirurgienne aida sa patiente à glisser le bras dans une machine qui lui permettait de voir à l'intérieur de la peau, puis étudia les résultats à l'écran.

– J'ai une bien mauvaise nouvelle, soupira-t-elle.

– Il est cassé ?

– Des muscles ont été sectionnés. Comment est-ce arrivé ?

– Une pince d'Aculéos.

– Je mourrais de peur si un de ces monstres devait s'approcher à ce point de moi, avoua la femme médecin. Je peux tenter un traitement, si tu veux.

– Si quelqu'un peut recoudre tout ça, c'est bien toi.

– Il est vrai que je pourrais recoudre la plupart de ces muscles, mais ton bras ne serait plus comme avant. Il te faudrait réapprendre à t'en servir.

– Combien de temps cela nécessiterait-il ?

– Un an, peut-être deux.

– Autrement dit, il aurait été préférable que ce scorpion me tue au lieu de me rendre invalide, grommela la guerrière.

– Je ne ressuscite malheureusement pas les morts. Je sais que c'est une dure épreuve pour toi, Sierra, mais tu pourrais au moins poursuivre une vie normale.

– Sauf que ce n'est pas ce que je veux.

– Prends le temps d'y penser, d'accord ?

Sierra se rhabilla, incapable de chasser la terreur qui venait de s'emparer de son cœur. La guerre était toute sa vie. Elle ne savait rien faire d'autre. En quittant l'hôpital, elle se dirigea instinctivement vers les écuries. « À qui confierais-je le commandement des Chevaliers ? » se demanda-t-elle tristement. Elle avait toujours cru qu'elle mourrait au combat, comme Audax, et qu'il incomberait à ses soldats de nommer leur prochain chef. Elle n'avait jamais pensé à sa relève.

Tout en marchant, elle passa mentalement en revue ses quatre divisions. Plusieurs de ses soldats se démarquaient par leur intelligence, leur bravoure et leur leadership, mais la seule guerrière qui, à son avis, saurait mener les Chevaliers d'une main de fer, c'était Chésemteh. La petite scorpionne élevée chez les humains n'avait plus rien en commun avec les représentants de sa race. En grandissant, elle avait exprimé le vœu de suivre l'exemple de Sierra et elle était finalement devenue soldat. Son sens du devoir et sa fiabilité lui avaient fait rapidement gravir les échelons jusqu'au poste de commandante des Basilics. « Oui… si j'avais à choisir, ce serait elle. » Mais avant d'en arriver là, elle voulait explorer d'autres façons de soigner son bras.

Mackenzie, le grand frère de Camryn, vint à sa rencontre. Il était aussi blond et souriant que sa sœur. Depuis peu, il avait commencé à travailler comme palefrenier.

– Veux-tu que je selle ton cheval ?

– Oui, s'il te plaît.

«De toute façon, je n'y arriverais pas par moi-même», se désola-t-elle. L'adolescent se précipita dans l'écurie et revint quelques minutes plus tard avec une jument alezane.

– Comment vas-tu, ma jolie? la cajola Sierra en caressant ses naseaux.

Elle posa sa main gauche sur le pommeau, glissa le pied dans l'étrier et se hissa en selle en gardant son bras droit collé sur sa poitrine.

– Merci, Mackenzie.

– Profite du beau temps.

Sierra talonna sa monture et galopa en direction des grandes portes de cuivre. Des larmes coulaient abondamment sur ses joues. Elle fonça vers la campagne afin de laisser libre cours à son chagrin loin de ses compagnons qu'elle ne voulait pas inquiéter inutilement.

LA HAUTE-REINE

Sierra chevaucha toute la journée. Elle longea d'abord les grands champs cultivés, puis elle suivit un sentier dans la forêt où Audax l'emmenait galoper lorsqu'elle était enfant. Peu importe comment elle retournait le problème dans sa tête, elle n'entrevoyait plus que la chirurgie pour rendre son bras mobile. Elle pourrait sans doute continuer de commander ses troupes sans se battre, mais comment arriverait-elle à se défendre si elle tombait dans une embuscade ? « J'aurais dû apprendre à manier l'épée des deux mains », se reprocha-t-elle.

Tout en traversant la rivière à gué, Sierra se mit à penser à sa rencontre avec Odranoel. La possibilité de se servir du parabellum pour se protéger des attaques des Aculéos était intéressante, à condition que le savant parvienne à le faire fonctionner rapidement.

La guerrière revint au château à la fin de l'après-midi. Elle confia son cheval à Mackenzie et monta à sa chambre pour prendre une douche et se faire une beauté avant d'aller rencontrer la reine. Ses compagnons s'étaient une fois de plus réunis dans le hall, mais Sierra ne se joignit pas à eux. Elle n'avait tout simplement pas faim. D'une seule main, elle parvint à laver ses cheveux blonds et à les coiffer, ce qu'elle n'avait jamais l'occasion de faire en patrouille, puis elle appliqua sur ses yeux un maquillage discret. Elle enfila une robe en voile blanc plus longue derrière que devant, mais dut demander l'aide d'une servante pour la cintrer avec un corset en satin vert émeraude.

Plantée devant le grand miroir de la chambre, Sierra trouva sa métamorphose assez rafraîchissante. Elle glissa les pieds dans ses chaussures et se mit en route.

Sans se presser, la femme Chevalier se rendit aux quartiers du couple royal. Les serviteurs lui ouvrirent la porte blindée et la conduisirent jusqu'au petit salon où Agafia la recevait tous les ans. Ils lui offrirent une coupe de vin et la laissèrent seule. Sierra ne se lassait pas d'admirer la décoration de cette pièce : les boiseries surmontées de papier peint aux rayures verticales, les épais rideaux noirs, les tableaux représentant les reines et les rois qui avaient précédé Agafia et son époux, les meubles de style romantique, les bibelots en cuivre et en étain sur les tablettes de la bibliothèque murale. «Si un jour j'achète une maison, je la meublerai de cette façon», se dit-elle, même si elle savait que cela n'arriverait jamais.

La haute-reine entra dans le boudoir quelques minutes plus tard. Elle n'attachait jamais ses cheveux blond clair maintenant striés de mèches blanches. Fins comme de la soie, ils balayaient ses épaules en un mouvement perpétuel. Agafia posa ses yeux bleus perçants sur le chef de ses Chevaliers.

– Je suis heureuse de te revoir, Sierra.

La souveraine portait sa traditionnelle robe en velours bordeaux qui touchait à terre et cachait ses chaussures. Elle prit place dans son fauteuil préféré et joignit ses mains sur ses genoux.

– Moi de même, Votre Majesté.

Quelques siècles plus tôt, afin de mieux gérer les ressources d'Alnilam, ses dirigeants avaient convenu d'accorder à l'un d'eux une autorité centrale. Puis, après la mort du Haut-Roi Aciari, ils avaient décidé que ce serait une femme qui régnerait sur Antarès avec le titre de haute-reine.

– L'armée a-t-elle eu plus de succès, cette fois ?

– J'aimerais vous annoncer que oui, mais je vous mentirais. Les Aculéos pénètrent de plus en plus profondément dans nos terres et nous continuons de perdre de bons soldats.

– As-tu besoin que j'en recrute davantage?

– Ce ne serait pas de refus, mais des armes plus performantes nous seraient encore plus utiles.

– En as-tu fait la demande à Odranoel?

– À plusieurs reprises, mais il continue de créer des machines pour faciliter la vie des Alnilamiens au lieu d'utiliser ses talents pour sauver celle de vos guerriers. On dirait qu'il ne comprend pas que nous serons tous morts avant d'avoir pu les utiliser.

– Les savants sont des créatures timorées, Sierra. Plus on les presse, moins ils arrivent à terminer quoi que ce soit. Aussi, si nous demandons à Odranoel de fabriquer des armes, il craindra certainement de perdre un grand nombre d'apprentis dans des accidents.

– Vous n'avez pas tort, mais je pense que ce sacrifice est devenu nécessaire, madame.

La reine goûta le vin et en apprécia la finesse avec un léger hochement de tête.

– Alors, les scorpions sont allés pondre d'autres œufs? fit-elle pour changer de sujet.

– Nous ignorons ce qu'ils font à ce temps-ci de l'année. Tout ce que nous savons, c'est qu'ils disparaissent pendant trente-trois jours.

– Admettons que notre inventeur ne parvienne pas à te fournir ce que tu demandes, dans combien de temps ces monstres seront-ils aux portes de mon château?

– Un an, peut-être deux…

– Mes murailles suffiront-elles à les arrêter?

– Malheureusement non. S'ils sont capables d'escalader les hautes falaises sur lesquelles ils vivent, ils franchiront les remparts de votre forteresse sans la moindre difficulté. Je cherche toujours le moyen de leur faire comprendre que nous ne voulons pas d'eux ici, mais ils sont obtus.

– Et tu crois que d'autres armes parviendront à les décourager ?

– Une frontière qu'ils ne peuvent pas franchir ferait davantage l'affaire, mais Odranoel doute que nous possédions suffisamment d'énergie pour électrifier une barrière d'un océan à l'autre.

– Je suis de son avis, mais je me pencherai aussi sur cette question.

Agafia termina sa coupe et la déposa délicatement sur la table basse qui la séparait de sa visiteuse.

– J'ai entendu dire que mon fils te fait des avances ?

– Tous les ans, Votre Majesté, l'informa Sierra en gardant la tête haute, mais soyez sans crainte, je les repousse chaque fois.

– D'une certaine façon, je comprends les sentiments qu'il entretient à ton égard, car tu es une très belle femme. Mais son destin est d'épouser une princesse.

– C'est ce que je me tue à lui répéter.

– J'admire ton honnêteté, Sierra.

– Sans vouloir nuire au prince Lavrenti, il serait bon que vous sachiez qu'il agit de la même façon avec à peu près toutes les femmes du château. À mon avis, une muselière s'impose si vous voulez en faire un bon mari.

Agafia éclata de rire.

– C'est la faute de son père, le Roi Dobromir. Il est trop permissif, expliqua-t-elle finalement. Mais je verrai ce que je peux faire pour rappeler les bonnes manières à mon fils trop entreprenant.

– Il a l'âge de prendre épouse, vous savez.

– Et tu crois qu'un mariage le rendra moins acharné auprès des femmes ?

– Tout dépend du caractère de la princesse que vous choisirez.

– Alors, je réfléchirai à cela également. Et tandis que nous discutons de ce qui se passe dans mon château, j'ai eu vent de la visite d'un certain sorcier.

– C'était le prochain sujet que je voulais aborder avec vous. Puisque vous possédez des connaissances grandement supérieures aux miennes, sans doute pourrez-vous m'éclairer sur ses propos. Cet homme, qui dit s'appeler Salocin, est arrivé je ne sais comment dans le hall des Chevaliers.

– Mon expérience auprès de ces renégats m'a enseigné qu'ils peuvent se déplacer instantanément d'un endroit à un autre sans avoir à parcourir physiquement la distance qui les sépare.

Sierra avait du mal à concevoir que ce soit possible et pensait plutôt qu'il s'agissait d'habiles illusions. Toutefois, elle jugea préférable de ne pas contredire la haute-reine.

– Qu'a-t-il dit ? s'inquiéta Agafia.

– Il prétend que le monde tel que nous le connaissons va changer.

– Celui dans lequel je vis présentement est déjà différent de celui de mon enfance.

– Salocin n'a malheureusement pas donné plus de détails. Cependant, il nous a parlé d'une étrange prophétie. Il a dit qu'un dieu ailé réussira à anéantir tout le panthéon d'Achéron et à libérer les humains de son joug.

– Je l'ai déjà entendue, lorsque je vivais encore chez mon père, de la bouche d'un autre sorcier qui s'appelait Shanzerr.

– Un autre sorcier ? Combien y en a-t-il ?

– Je n'en sais rien, mais je ne crois pas qu'ils soient très nombreux. Mon précepteur, qui était un homme fort instruit, m'a raconté que, lorsque ces créatures mi-humaines, mi-animales ont fui la colère d'Achéron, elles se sont réfugiées dans notre monde et se sont fait la guerre afin de s'approprier des territoires aussi grands que possible.

– Donc, Antarès fait partie du territoire de Salocin, déduisit Sierra.

– Sans doute.

– Ma mère me racontait des histoires sur des dieux ailés quand j'étais enfant, mais jamais je n'ai pensé qu'ils existaient vraiment.

– Il y a tellement de choses que nous ne pouvons pas vérifier, Sierra, déplora la haute-reine.

– Vous n'écartez donc pas la possibilité qu'ils existent ?

– J'ai l'esprit ouvert et si ce sorcier dit vrai, nous devrions être témoins de cette grande bataille céleste de notre vivant.

– Oui, vous avez raison.

– En ce qui concerne ce joug dont il parle, je ne sais pas à quoi il fait référence, mais souvent, c'est après s'être enlevé une épine du pied qu'on s'aperçoit qu'elle nous causait de la douleur.

– C'est une excellente analogie.

– De toute façon, si les dieux ont décidé de s'affronter, que pourrions-nous y changer ? Concentrons-nous plutôt sur les scorpions qui nous empoisonnent la vie. Je suivrai de près les progrès d'Odranoel en ton absence et je te promets de le talonner aussi férocement que tu le ferais toi-même.

– Toute l'armée vous en est reconnaissante, madame.

– Et ne crains plus les tentatives de séduction de Lavrenti. Je vais lui lier solidement les mains. Maintenant, retourne t'amuser avec tes compagnons et oublie la guerre pendant les prochaines semaines.

– C'est bien mon intention, merci.

Lorsque Sierra eut quitté les appartements royaux, elle se rendit compte qu'elle n'avait fait aucune mention de Wellan d'Émeraude! «Agafia doit déjà être au courant... Pourquoi ne m'en a-t-elle pas parlé?» La commandante sentit un frisson d'horreur lui parcourir le dos à l'idée que la haute-reine avait peut-être déjà ordonné son exécution. Pour en avoir le cœur net, elle courut jusqu'aux quartiers de la garde royale, où le capitaine l'assura qu'aucune décision n'avait encore été prise au sujet du prisonnier. Toutefois, si elle voulait lui faire subir un tel sort, elle devait s'adresser à la haute-reine plutôt qu'à lui.

Le cœur plus léger, Sierra emprunta le long couloir qui aboutissait dans le hall des Chevaliers. Elle tenta de s'y faufiler discrètement, mais fut aussitôt remarquée par ses soldats, qui levèrent leur verre à sa santé. Ne voyant Ilo nulle part, la commandante choisit de s'asseoir sur le premier siège libre et se retrouva à côté de Thydrus.

– La femme de ma vie! s'exclama-t-il.

– Tu sais bien que mon cœur est déjà pris, Thydrus.

– Mais c'est la malédiction des poètes de désirer ce qu'ils ne pourront jamais avoir.

– Ce sont donc des hommes bien malheureux.

Affamée, la jeune femme remplit son assiette.

– J'ai écrit des poèmes sur les dieux ailés, poursuivit Thydrus.

– Tu veux me les réciter?

– Pas tout de suite. Ils ne sont pas tout à fait au point.

– Où as-tu trouvé ton inspiration?

– Au début, je me suis surtout fié à mon imagination, puis Ilo m'a révélé bien des choses sur ces divinités dont personne ne nous a jamais parlé.

– Ilo?

– Cet Eltanien est une véritable mine de renseignements. Mais ça, tu dois déjà le savoir, non ?

– Apparemment, il y a encore bien des choses que j'ignore sur son compte.

Sierra regarda autour d'elle.

– Si c'est lui que tu cherches, il n'est pas ici.

– Sais-tu où il se cache ?

– Tout de suite après avoir mangé, il est retourné à la bibliothèque.

La commandante se rassasia, puis se promena entre les tables pour bavarder avec plusieurs de ses soldats. Elle ne voulait pas qu'ils la voient s'élancer vers la porte à la recherche de son amant. Elle resta donc dans le hall un peu plus d'une heure, puis s'esquiva discrètement.

Une des qualités d'Ilo qui plaisait le plus à Sierra, c'était son intarissable curiosité. Il suffisait de lui parler de quelque chose qu'il ne connaissait pas pour qu'il en fasse une obsession jusqu'à ce qu'il trouve un traité sur le sujet. Tout comme l'avait annoncé Thydrus, elle trouva l'Eltanien assis dans un recoin de la vaste pièce, profondément concentré sur la lecture d'un vieux livre, à la lumière d'une lampe basse. Sans faire de bruit, elle s'approcha de lui en essayant de déchiffrer le titre de l'ouvrage. Ilo leva vivement les yeux sur elle.

– Je ne croyais pas te revoir avant cette nuit, fit-il, surpris de l'apercevoir devant lui.

– Tu n'étais pas dans le hall, alors…

À l'aide de son bras valide, elle fit glisser une chaise de l'autre côté de sa table.

– Que lis-tu ?

– Un récit historique écrit par un vieillard on ne peut moins crédible.

– Ce n'est pourtant pas ton genre de perdre ton temps avec des fables.

– Je n'ai rien trouvé d'autre sur les dieux ailés.

– Depuis le passage du sorcier à Antarès, tout le monde se passionne pour cette légende, on dirait.

– N'essaie pas de me faire croire que tu n'y as pas songé toi-même après son départ!

– J'avoue que ça m'a rappelé les histoires que ma mère me racontait pour m'endormir, mais ce n'étaient que des contes.

– Bien souvent, la mythologie a un fondement de vérité.

– Tu es donc en train de te persuader de leur existence…

– J'aimerais bien y croire.

– Pourquoi?

– Parce que, selon le vieillard, ce sont des créatures plus attentionnées qu'Achéron et sa famille.

– Si je comprends bien, elles nous assisteraient dans notre combat contre les scorpions au lieu de nous regarder nous débattre du haut des cieux comme le font Viatla et sa cour, si ces derniers existent vraiment.

Il referma le livre et se leva.

– Laisse-moi t'en faire la lecture dans l'intimité de notre chambre, proposa-t-il.

– J'avais plutôt envie d'autre chose, mais ça ira.

– L'un n'exclut pas l'autre…

Ils marchèrent côte à côte dans le couloir.

– Quel est le verdict du docteur Eaodhin? demanda alors Ilo, à brûle-pourpoint.

– Comment sais-tu que je l'ai consultée? s'étonna Sierra.

– Le sixième sens des Eltaniens.

– Cette fois, je n'y crois pas. Tu m'as suivie?

– Sierra, quand on sait tendre l'oreille, on arrive à tout savoir, surtout à Antarès. Qu'a-t-elle dit au sujet de ton bras?

– Elle me promet une guérison complète, mentit-elle.

Une fois dans leur chambre, la femme Chevalier alluma la lampe de chevet avant de s'allonger sur le lit, invitant son amant à l'y rejoindre. Il s'assit près d'elle et ouvrit une fois de plus l'ouvrage.

– Instruis-moi, exigea Sierra.

– D'accord, mais garde à l'esprit que nous n'avons aucune façon de savoir si cet auteur dit la vérité ou s'il a tout inventé.

– Entendu. Résume-moi ce que tu as découvert jusqu'à présent.

– Cet homme, qui s'appelle Yusteg d'Aludra, prétend s'être lié d'amitié avec un jeune homme ailé qu'il avait rencontré un beau matin sur la plage en train de se dorer au soleil. La divinité en question lui a révélé que son peuple vivait en paix dans des nids sur une île au milieu de l'océan, se nourrissant principalement de fruits et de poisson et transmettant son savoir aux enfants au moyen de glyphes gravés dans le roc des falaises.

– Tu salives déjà, le taquina Sierra.

– Je donnerais cher en effet pour me mettre à la recherche de cet endroit.

– Alors, mettons fin à cette guerre insensée et partons.

– J'aimerais bien que ce soit aussi simple que ça…

Sierra lui enleva son livre et le déposa sur la table de chevet. Elle alla chercher sur les lèvres de son amant un baiser qu'il ne lui refusa pas.

– Tu feras encore attention à mon bras?

– Je serai doux comme un agneau…

Ilo l'embrassa dans le cou en descendant vers sa poitrine. Sierra ferma les yeux, bien décidée à oublier tous ses soucis jusqu'au lendemain.

L'AUTRE MONDE

Au matin, lorsqu'elle ouvrit les yeux, Sierra vit Ilo assis dans la bergère près de la fenêtre, absorbé par la lecture du traité de Yusteg. Elle fila sous la douche, s'habilla et vint embrasser son amant sur l'oreille.

– J'ai presque terminé… murmura-t-il.

– Ne te presse pas. J'ai une foule de choses à faire, aujourd'hui.

Il ne leva même pas les yeux de son livre. Sierra descendit au hall, où il n'y avait encore personne. Alors, elle poursuivit son chemin jusqu'aux cuisines, où elle fureta sur les nombreuses tables. Attirée par l'odeur appétissante de pommes chaudes, elle s'arrêta devant un grand plateau chargé de chaussons qui sortaient du four. Incapable de résister, Sierra croqua dans une des pâtisseries.

– C'est délicieux…

Les cuisinières échangèrent un regard attendri : elles se doutaient bien que la commandante n'en mangeait pas souvent sur le front.

– Prenez-en autant que vous en voulez, lui offrit une des femmes en lui tendant une assiette.

La femme Chevalier ne se fit pas prier. Elle y déposa une dizaine de chaussons et repartit avec son trésor. Sans se presser, elle se rendit au cachot de Wellan. À sa demande, le geôlier lui en ouvrit la porte. Allongé sur le dos, le prisonnier se redressa, intrigué. La belle guerrière, en robe noire, déposa l'assiette sur la table.

– Le rapport de votre psychiatre a dû m'être favorable pour que vous vous décidiez à entrer dans ma cellule, laissa tomber Wellan, amusé.

– Ses révélations ont été particulièrement édifiantes. Je t'en prie, sers-toi.

Le captif hésita.

– Je n'ai aucune intention de t'empoisonner.

Il n'était pas amateur de mets sucrés, mais il prit une bouchée pour lui faire plaisir. Sierra s'assit sur la chaise en continuant de grignoter son propre chausson. Soudain, elle remarqua le sac de plastique rempli d'eau aux pieds de Wellan.

– Je ne sais pas comment vous faites pour enfermer de la glace là-dedans, fit-il, ayant suivi son regard. Je n'y vois pourtant aucune ouverture.

– Le sac est scellé avec de la chaleur.

– Scellé?

– Grâce à une machine.

Sierra se rendit compte qu'une fois de plus, il ne comprenait rien de ce qu'elle lui disait.

– Il semble au moins que la glace t'ait soulagé, observa-t-elle pour ne pas l'embarrasser davantage.

– Je n'ai plus mal à la tête, confirma-t-il sans lui avouer qu'il s'était soigné lui-même.

– Leinad me dit que tu es Chevalier.

– Je l'ai été, il y a longtemps, lorsque des invasions menaçaient mon monde.

– Commandant, en plus?

– C'est exact.

– Si tu as cessé de te battre pour aller étudier d'autres peuples, c'est donc que vous avez vaincu votre ennemi?

– Au bout de longues années de combat, nous avons réussi à l'éliminer, même si nous aurions préféré un traité de paix.

– Vous l'avez éliminé ? répéta Sierra, impressionnée.

– Un petit groupe de Chevaliers a réussi à couper la tête du serpent et ses idées de conquête se sont évanouies avec lui.

La jeune femme avait cessé de manger et le fixait avec ébahissement.

– Vous n'avez donc pas encore réussi à vous débarrasser du vôtre, n'est-ce pas ?

– Nous finirons par y arriver, affirma fièrement Sierra. Mais pour l'instant, j'aimerais savoir si tu es ici pour ajouter mon monde à la liste de ceux que tu désires observer.

– Si on m'en donnait l'occasion, c'est certain que j'aimerais l'étudier, car je suis un ethnologue assoiffé de connaissances, mais la vérité, c'est que j'ai abouti dans cet univers par accident.

– À quoi te sert-il de prendre toutes ces notes sur des étrangers ?

– Je ne le fais pas pour moi, mais pour ceux qui me suivront et qui n'auront pas eu le bonheur de vivre à notre époque. Tout est en constante évolution : les gens, les coutumes, les langues et même la géographie et le climat. Dans mille ans, tout ce qui nous entoure pourrait avoir disparu. Alors, je trouve important que les prochaines générations disposent d'une image aussi précise que possible du passé.

Sierra n'avait jamais pensé à cela et Wellan pouvait le lire sur son visage.

– Bien sûr, c'est tout à fait naturel de vivre au jour le jour lorsqu'on est en guerre, ajouta-t-il avec un sourire compréhensif.

– J'aimerais savoir en quoi nos mondes sont différents.

– Je peux difficilement vous éclairer à ce sujet, étant donné que je suis enfermé dans un cachot où il n'y a même pas une seule fenêtre.

– Je veux d'abord déterminer si tu es dangereux avant de te laisser circuler à Antarès.

– Je comprends et, de mon côté, je n'ai pas non plus envie de me faire tuer.

– Nous ne sommes pas dangereux, seulement prudents.

– Je vous jure que je ne fais pas partie de vos ennemis.

– Je commence à te croire, laissa tomber Sierra.

De toute façon, il ne ressemblait en rien aux hommes-scorpions et le geôlier avait vérifié qu'il n'avait aucune cicatrice sous les bras, comme Chésemteh.

– Parle-moi de ton monde, exigea-t-elle

Elle recommença à manger en l'écoutant.

– Je suis né sur le continent d'Enkidiev, séparé de celui d'Enlilkisar par une immense chaîne de volcans qui porte désormais le nom d'An-Anshar. Depuis que nous sommes en paix, la vie est redevenue sereine dans la plupart des royaumes. Certains ont été éprouvés par une inondation, il n'y a pas longtemps, mais leurs voisins se sont empressés de leur venir en aide.

– Et dans les volcans?

– Pour l'instant, il n'y a qu'une forteresse qui appartient à mon ami, l'Empereur Onyx, mais je suis certain qu'il emploiera son temps libre à transformer le paysage de ce pays rocheux pour en faire un paradis. De l'autre côté d'An-Anshar s'étendent les terres d'Enlilkisar. J'étais en train de les étudier lorsque nous avons appris que Kimaati s'était emparé de la forteresse d'Onyx.

– Kimaati? C'est un de nos dieux! Comment se fait-il que tu le connaisses?

– À ce qu'on raconte, après s'être attiré les foudres de son père, il s'est enfui et il s'est réfugié dans mon univers avec l'intention d'en devenir le maître absolu.

– Vous l'en avez empêché?

– Avec l'aide des Chevaliers d'Émeraude, nous avons foncé sur la forteresse d'Onyx, mais je ne sais pas comment s'est terminé l'affrontement entre Onyx et Kimaati, puisque je suis tombé dans le vortex que ce dernier venait de faire apparaître à ses pieds.

– Le traître voulait donc revenir ici... fit Sierra, mécontente.

– Qui sait? On peut aussi utiliser les vortex en cascade pour se rendre ailleurs.

– Alors, il se peut qu'il ait tué votre ami l'empereur?

– Tout est possible, mais à mon avis, personne ne peut venir à bout d'Onyx. Si quelqu'un a gagné ce duel, c'est certainement lui.

– On m'a informée que seul un dieu pouvait en tuer un autre...

– Onyx est le fils d'Abussos, qui est du même niveau qu'Achéron. Alors Kimaati et Onyx possédaient en effet le pouvoir de se détruire l'un l'autre.

– Tu as donc des amis parmi les dieux? murmura Sierra, frappée d'étonnement et d'admiration.

– Si vous saviez...

– Ici, personne n'en a jamais vu, sauf les prêtres. Mais ils ne peuvent pas le prouver.

– Vous ne leur faites pas confiance?

– Le peuple, si, mais pas moi. Nous reparlerons d'eux une autre fois. Raconte-moi plutôt comment vous vous êtes débarrassés du serpent qui vous menaçait.

– C'est une façon de parler. En réalité, il s'agissait d'un gigantesque homme-scarabée. Nous avons d'abord cru que nous avions affaire à un sorcier, mais nous savons maintenant que c'était Amecareth.

– Le frère de Kimaati ?

– Ou son descendant. Nous n'en sommes pas certains.

– Pourquoi nos dieux sont-ils tous allés chez toi ?

– Je l'ignore, fit Wellan en haussant les épaules.

– Et les Chevaliers d'Émeraude sont parvenus à tuer cet autre dieu également ?

– Laissez-moi revenir un peu en arrière, si vous voulez bien. Au moment de la seconde invasion, car il y en a eu une première que les Chevaliers ont réussi à repousser, nos dieux nous ont donné un petit coup de pouce. Ils ont fait apparaître une prophétie dans les étoiles : « Un Chevalier naîtra et portera en lui la lumière qui anéantira Amecareth, mais seulement avec l'aide de la princesse sans royaume. »

– Vous avez donc dû attendre que ce Chevalier naisse et qu'il ait l'âge de tuer votre ennemi ?

– Exactement.

– Mais au moins, il s'est acquitté de sa mission. C'est ce qui compte.

« Les guerres contre des monstres peuvent être gagnées », se réjouit intérieurement Sierra.

– A-t-il eu recours à des armes puissantes ou des machines de guerre ? poursuivit-elle.

– Pas du tout. Il n'a utilisé que sa force divine, car il était lui aussi le fils des dieux fondateurs.

– C'est une histoire incroyable…

– Mais vraie.

De plus en plus fascinée par le prisonnier, Sierra voulut en apprendre davantage.

– Y a-t-il des hommes ailés parmi tes dieux ?

– La déesse-louve Lessien Idril a des ailes. Son fils-dauphin Nahélé également, ainsi que le dieu-condor Lycaon et ses descendants, mais j'ai aussi entendu parler d'un certain Sappheiros qui, je crois, est un dieu-cougar ailé originaire de votre monde.

– Ceux qui osent nous parler de ces créatures volantes ne nous ont jamais révélé leurs noms.

– Pourquoi vous intéressent-elles ?

– Un sorcier nous a fait part d'une prophétie qui les concerne.

– J'espère qu'elle vous est favorable.

– Moi aussi, mais nous ne comprenons pas encore de quelle façon, puisqu'elle semble ne viser que les cieux.

– Qu'avez-vous l'intention de faire de moi, maintenant que vous avez déterminé que je ne suis pas dangereux ? se risqua Wellan.

– Peut-être que je t'accorderai un peu plus de liberté, si tu me promets de ne t'en prendre à personne et de ne pas tenter de t'échapper.

Une terrible explosion secoua alors toute la forteresse.

– Qu'est-ce que c'était ? s'étonna Wellan.

– Sans doute une expérience menée par notre inventeur. Je reviens tout de suite.

Abandonnant ses chaussons aux pommes dans la cellule, Sierra se fit ouvrir la porte par le geôlier et remonta quatre à quatre l'escalier qui menait au vestibule.

– Ça provenait du bâtiment scientifique, indiqua l'un des gardiens.

– Je m'en doutais.

Sierra courut jusqu'au laboratoire. Les serviteurs s'étaient rassemblés devant la grosse porte blindée et n'osaient pas l'ouvrir.

– Écartez-vous ! ordonna la commandante.

Elle tourna la grosse poignée circulaire et tira sur l'écoutille. De la fumée s'échappa aussitôt de la pièce. Instinctivement, tous reculèrent en se bouchant le nez. La femme Chevalier se protégea le visage de sa manche et se précipita à l'intérieur. Elle tomba aussitôt sur Odranoel, qui portait un masque en cuir muni de lunettes épaisses et d'un respirateur. Elle n'eut pas le temps de lui demander ce qui s'était passé qu'il lui plaquait le même type d'appareil sur le visage afin qu'elle ne soit pas incommodée par la fumée. Il lui prit ensuite le bras et l'entraîna dans la section suivante, où ses apprentis venaient de mettre en marche les ventilateurs. Heureusement, le plafond en verre des locaux de recherche ne s'étendait pas jusqu'aux salles où étaient menées les expériences.

– Y a-t-il des morts ? s'enquit Sierra.

– Aucun ! affirma l'inventeur. Mieux encore, nous avons fait une importante percée !

– Ou un grand trou dans un mur ?

À travers les verres qui lui protégeaient les yeux, la femme Chevalier ne voyait pas grand-chose. Elle dut donc attendre quelques minutes avant de découvrir ce qui était arrivé.

– C'était quoi, cette explosion ? demanda-t-elle en enlevant le masque.

– J'ai découvert l'élément qui manquait pour faire fonctionner mon parabellum !

– S'il réagit de cette façon quand on l'actionne, je pense que nous continuerons d'utiliser nos épées et nos poignards.

– Ce n'est qu'une question de dosage, Sierra. Je suis certain qu'il finira par vous être utile.

Elle suivit Odranoel jusqu'au milieu de la petite salle aux murs renforcés. En plein centre se dressait une table en acier indestructible sur laquelle le savant procédait à ses expériences. Entre les mâchoires d'un étau pendaient les restes de l'arme.

– Heureusement que tu n'as pas demandé à un de tes assistants de le tenir à la main, laissa tomber Sierra, découragée.

– J'ai utilisé trop de poudre, mais la bonne nouvelle, c'est que nous n'en aurons finalement besoin que d'une très petite quantité. La haute-reine se réjouira de l'économie que cela représentera.

– Sans doute…

– J'ai aussi eu une idée de génie, tout de suite après la déflagration. Pour éviter que le parabellum soit endommagé chaque fois qu'on l'utilise, je vais tenter d'introduire la poudre dans une capsule métallique, un peu comme les médecins concentrent leurs médicaments dans des gélules.

– Et tu es bien certain que cela empêchera l'arme de s'autodétruire ?

– Presque certain, mais je devrai procéder à plusieurs tests pour le vérifier.

– En d'autres mots, d'autres explosions vont continuer de secouer la forteresse pendant tout le répit.

– C'est le prix à payer pour faire avancer la science, ma chère.

– Tu me jures que personne n'est mort dans cette explosion ? insista Sierra.

– J'avais fait sortir tout le monde de la pièce.

Elle se retourna et vit les apprentis inquiets, qui jetaient un coup d'œil dans cette section dangereuse du laboratoire. Elle ignorait combien en employait Odranoel, mais au moins, il n'y avait de sang nulle part. Alors, le compte devait être bon.

– Sierra ? appela une petite voix aiguë.

Camryn se faufila entre les adultes.

– Mais qu'est-ce que tu fais ici ?

– Je suis venue t'avertir que les Basilics arrivent.

– Je te remercie. Maintenant, sors du laboratoire avant de respirer quelque chose qui pourrait te rendre malade.

– Oui, chef !

Camryn tourna les talons en riant.

– Je veux voir cette arme à l'œuvre avant mon départ d'Antarès, répéta alors Sierra à l'inventeur.

Avant de quitter le bâtiment, la guerrière s'arrêta devant les hautes étagères où Odranoel conservait tout son matériel. Elle y prit un grand cahier vierge comme ceux qu'il utilisait pour noter les progrès de ses expériences, puis fouilla dans le tiroir pour y prendre des stylos à plume. Elle écrivit une petite note sur la première page du journal et le remit à un serviteur en lui ordonnant d'aller le porter au prisonnier dans son cachot.

Wellan en était à son deuxième chausson aux pommes, regrettant de ne pas pouvoir l'accompagner d'un bon thé chaud, lorsqu'un homme lui tendit des objets à travers les barreaux de sa cellule.

– Qu'est-ce que c'est ?

– Un cahier et des stylos de la part de la commandante.

Intrigué, Wellan les accepta. En ouvrant le cahier, il aperçut une rangée de lettres étranges.

– Qu'est-il écrit, ici ?

– Vous ne savez pas lire ?

– Pas votre langue.

– Cela dit : « Voici un cadeau dont tu feras certainement bon usage ».

– Avec quoi pourrai-je y écrire quoi que ce soit ? déplora Wellan.

– Je viens de vous remettre des stylos.

– Mais je n'ai pas d'encre.

– Elle est à l'intérieur. Laissez-moi vous montrer.

Wellan redonna l'un des minces cylindres au serviteur. Ce dernier appuya sur l'extrémité du stylo, ce qui révéla une pointe triangulaire en métal à l'autre bout.

– L'encre sort par là quand vous pressez la plume sur le papier.

– Merveilleux… Je vous en prie, remerciez la commandante de ma part.

Wellan emporta son trésor jusqu'à son lit. Il ouvrit le cahier et y trouva des pages aussi blanches que la neige et aussi douces que de la soie. Dans son monde, on utilisait du papyrus de couleur écrue dont la surface était plus rugueuse. Habituellement, il commençait toutes ses entrées par la date du jour, mais il avait perdu le compte depuis son atterrissage à Alnilam. Il inscrivit donc «Jour 1» et se mit à écrire, prudemment d'abord, puis de façon plus fluide à mesure qu'il comprenait mieux le mécanisme du stylo.

Après être plongé accidentellement dans le vortex créé par le dieu Kimaati, je me suis réveillé dans une cellule de la prison d'Antarès…

CHÉSEMTEH

Lorsque Sierra sortit dans la grande cour, elle aperçut les Chevaliers qui faisaient partie de la division des Basilics. Ils étaient moins nombreux que les Chimères, les Salamandres et les Manticores, mais leur style de combat se prêtait mieux à un groupe plus réduit. Les furtifs Basilics, commandés par Chésemteh, gagnaient surtout leurs escarmouches en tombant en silence sur les Aculéos. Même en ce premier jour de répit, ils ne faisaient pas plus de bruit que pendant leurs batailles.

Nullement pressés, les soldats mettaient pied à terre et détachaient leurs affaires de leur selle, pour ensuite laisser les palefreniers emmener leurs chevaux. Sierra marcha entre eux en leur serrant la main ou en leur tapotant affectueusement le dos, disant aux uns et aux autres qu'elle était contente de les revoir vivants. Elle s'immobilisa finalement devant Chésemteh.

— Habituellement, les Chimères et les Basilics arrivent le même jour au château, laissa tomber la commandante.

— C'est vrai, mais cette fois-ci, nous avons pourchassé les Aculéos jusqu'au pied de la montagne pour en éliminer le plus possible. Ça nous en fera moins quand ils reviendront dans un mois.

La scorpionne suspendit ses sacoches de selle à son épaule. Elle était un peu plus petite que Sierra, mais beaucoup plus musclée. Pourtant, les hommes de sa race étaient des géants.

— Tu as perdu beaucoup de soldats? demanda Sierra.

– Aucun.

– C'est incroyable…

– Je leur enseigne un type de combat différent qui les expose moins aux pinces de l'ennemi.

– Peut-être devrais-je trouver un autre commandant pour les Basilics et te dépêcher auprès des autres divisions afin que tu leur enseignes cette façon de faire, la taquina la commandante.

– Ce n'est pas tout le monde qui peut se battre ainsi, Sierra. Les Basilics qui n'ont pas compris ma méthode ou qui n'ont pas voulu l'utiliser sont morts les années précédentes. Et puis, je n'arriverai jamais à rien avec les délirantes Salamandres ou les Manticores tapageuses.

– Et les Chimères ?

– Sans doute qu'elles y parviendraient, car elles ont l'esprit plus stratégique, mais je préfère rester avec mon groupe et continuer de décimer les rangs des Aculéos.

– Va te reposer. Nous ferons le point plus tard.

Même si Chésemteh ne souriait pas souvent, cela ne voulait pas dire qu'elle était taciturne. L'air sérieux, elle se contenta de hocher vivement la tête et poursuivit sa route vers le bâtiment des Chevaliers. Tous les soldats occupaient les dix étages au-dessus du hall. Il y avait une petite cabine qui servait à monter ou descendre entre les paliers, mais personne ne s'en servait. Les guerriers préféraient utiliser les escaliers pour se garder en forme. Au début, les dirigeants de l'Ordre avaient tenté de regrouper les membres de chaque division au même étage, mais il s'était rajouté un si grand nombre de recrues que les soldats s'étaient finalement dispersés partout.

Chésemteh grimpa jusqu'à sa chambre. Tous les soldats en possédaient une et ils pouvaient y faire tout ce qu'ils désiraient. Les servantes les nettoyaient sans poser de questions et respectaient les exigences de chacun des locataires. Celle de la scorpionne était la plus étrange…

Même si elle avait été élevée par les habitants de la forteresse et que son apparence physique s'apparentait à celle des humains, Chésemteh avait tout de même conservé certaines habitudes des Aculéos, profondément enfouies dans ses gènes. Si elle n'avait peur ni de l'eau ni du feu, elle craignait par contre la lumière vive des éclairs durant les orages et celle des feux d'artifice. Elle avait donc fait poser des battants en acier à sa fenêtre, qu'elle n'ouvrait que lorsque le temps était clément et qu'il n'y avait pas de fête au château.

Incapable depuis toujours de dormir dans un lit, elle s'était fabriqué une tente basse dans un coin, sans savoir qu'elle répondait ainsi au besoin des scorpions de se réfugier dans une crevasse étroite pour se reposer. Elle y avait déposé son matelas et avait demandé qu'on la débarrasse du châlit. Des crochets au mur lui permettaient de suspendre toutes ses armes. Elle ne supportait pas qu'elles touchent le sol. Sur la longue commode en ébène reposaient une lampe, une brosse à cheveux en nacre et la pince qu'elle avait tranchée à un Aculéos, afin de se rappeler ses origines. Sierra l'avait découragée d'en faire une collection.

Chésemteh se débarrassa de ses affaires, enleva ses vêtements et se rendit sous la douche. L'eau chaude sur sa peau parvenait toujours à la calmer après ces longs mois de guérillas sanglantes. Dès que les images de la guerre seraient effacées de son esprit, elle pourrait profiter de la quiétude du château. Comme la plupart des Chevaliers d'Antarès, la scorpionne ne s'était attachée à personne, mais elle aimait bien la compagnie d'Urkesh des Chimères. Il était le seul homme qui ne se souciait pas des cicatrices sur ses côtes et dans le bas de son dos. Chésemteh avait toutefois dû apprendre à maîtriser son envie de l'étrangler après l'amour, trait sans doute hérité de ses racines aculéos. «Un peu d'intimité me plairait, ce soir», se dit-elle en se séchant.

Elle se coucha en boule dans sa tente et dormit quelques heures pour se remettre du long voyage qu'elle venait de faire. À son réveil, elle enfila une robe noire décolletée, mais n'y ajouta pas le corset argenté qu'elle avait l'habitude de porter par-dessus. Elle avait besoin de se sentir libre.

Chésemteh descendit jusqu'au hall, où sa troupe avait commencé à se mêler à celle d'Ilo. Les furtifs Basilics ne faisaient pas plus de bruit quand ils fêtaient que lorsqu'ils se battaient, sauf parfois la jeune Trébréka, mais pour l'instant, celle-ci était calme. La scorpionne s'arrêta sur le seuil et repéra la plupart de ses soldats, satisfaite de constater qu'ils ne restaient pas regroupés entre eux, mais qu'ils s'étaient éparpillés dans l'immense salle. Elle vit aussi Urkesh près du mur avec certains de ses guerriers, dont Locrès et Samos, mais décida plutôt d'aller manger près de Sierra. Comme les commandants des autres divisions, elle ne voyait son grand chef que quelques semaines par année, lorsque cette dernière visitait son territoire de patrouille. Puisque Sierra arrivait toujours en plein combat, les deux femmes n'avaient jamais le temps de bavarder.

Sans le bandeau noir qu'elle se peignait sur les yeux lorsqu'elle faisait la guerre aux hommes-scorpions, Chésemteh avait l'air moins terrible. Ses longues mèches raides, noires autour du visage, rouges sur son crâne et blanches sur son cou, étaient encore trempées. Elle chargea son assiette de viandes diverses, choisissant les morceaux les moins cuits.

– Êtes-vous bien ravitaillés, à Hadar? lui demanda Sierra.

– Plus ou moins. Les caravanes n'osent plus remonter au nord. À plusieurs reprises, j'ai dû envoyer des hommes à leur rencontre pour rapporter les vivres, alors que j'avais davantage besoin d'eux sur le front.

– La même chose est arrivée aux Chimères et aux Manticores. Je vais suggérer à la haute-reine de communiquer avec les autres royaumes pour rectifier cette situation.

– Ce n'est pas tout, Sierra. Les habitants du Nord fuient de plus en plus vers le sud.

– Je le sais, mais rien ne semble pouvoir les convaincre de rester.

– Ils ont raison d'avoir peur. Nous ne pouvons pas être partout à la fois.

– Je continue de chercher une façon d'établir une frontière infranchissable entre les Aculéos et nous.

Chésemteh lui jeta un regard incrédule.

– Je sais bien qu'ils escaladent n'importe quoi, mais une barrière électrifiée pourrait certainement les persuader de rester chez eux.

– Ce serait la solution idéale, en effet, mais Alnilam tout entier ne produit pas suffisamment d'électricité pour maintenir une telle barrière en fonction jusqu'à la fin des temps.

– C'est ce que tout le monde me dit. Alors, nous devrons inventer une source d'énergie plus facile à alimenter.

– Depuis que je vis à Antarès, rien d'extraordinaire n'est sorti des laboratoires.

– Odranoel est surtout un rêveur. Ses machines sont géniales, mais elles ne nous aident en rien.

– C'est qu'il ne saisit pas l'ampleur de la menace. Fais-lui passer quelques mois dans le Nord avec toi.

– J'y ai déjà pensé.

La scorpionne avalait son repas avec beaucoup de satisfaction.

– Rien d'autre à rapporter ? se renseigna Sierra.

– Rien d'important. Je règle moi-même les petits problèmes qui surviennent en cours de route.

– Je n'arrête pas de m'émerveiller devant la femme que tu es devenue, Ché.

– Depuis que tu es certaine que mon dard ne repoussera pas, tu veux dire?

Chésemteh ne souriait pas, mais Sierra la connaissait suffisamment bien pour deviner que c'était une plaisanterie.

– Tu sais pourquoi Audax a dû te l'enlever, lui rappela la commandante. Tu étais à peine haute comme trois pommes et tu as tout de même tenté de le tuer.

– Franchement, je ne m'en souviens plus du tout, mais j'imagine que les humains me terrifiaient, à l'époque.

– Je suis contente que tu te sois habituée à nous.

– Et vice-versa.

Chésemteh leva les yeux sur le portrait du grand chef, accroché au milieu de ceux de tous les commandants qui l'avaient précédé.

– Je l'ai beaucoup admiré malgré ce qu'il m'a fait, avoua la scorpionne. C'était un homme courageux, juste, intelligent et indulgent… un peu comme toi.

Elle avala quelques gorgées d'eau.

– Ces compliments me touchent beaucoup, Ché.

– Ce ne sont pas des compliments, ce sont des constatations.

– Alors, pendant que nous y sommes, je veux aussi que tu saches que j'ai une confiance aveugle en toi. Si je devais tomber au combat, j'aimerais que ce soit toi qui prennes ma place.

– Je ne veux pas de ton poste.

Sierra n'arriva pas à dissimuler sa surprise devant sa réaction.

– Je t'ai dit pourquoi tout à l'heure: je ne peux pas supporter les Salamandres et les Manticores.

Trébréka, une jeune Eltanienne aux longs cheveux roux et aux oreilles pointues, sauta sur la table et s'accroupit devant les deux femmes en leur offrant son sourire le plus espiègle.

– Moi non plus ! affirma-t-elle.

Chésemteh ne sembla pas se formaliser de l'effronterie de cette guerrière qui se trouvait sous ses ordres.

– Ils ne savent pas vivre ! ajouta Trébréka.

Sierra arqua un sourcil, car sauter sur une table pendant un repas constituait une fameuse entorse aux règles de la bienséance.

– Assieds-toi sur une chaise, Éka, exigea la commandante.

– Je l'ai fait pendant de longues minutes, mais maintenant j'ai besoin de me délier les jambes.

Ses grands yeux verts fixaient Sierra sans la moindre provocation. Trébréka était la plus turbulente des Basilics, mais lorsqu'elle était à la guerre, elle changeait complètement de personnalité et se montrait soumise et efficace. Chésemteh lui pardonnait donc ses petits écarts de conduite pendant les répits, mais Sierra, qui avait fait partie d'une division plus disciplinée, était moins compréhensive.

– Je t'ai demandé de t'asseoir, répéta-t-elle.

– Bon, d'accord.

L'Eltanienne bondit sur le siège derrière elle. « Elle est née dans le même pays qu'Ilo, mais ils sont le jour et la nuit », songea Sierra.

– Moi, je pense qu'il faut négocier avec les Aculéos avant qu'ils aient tué tout le monde, laissa tomber Trébréka.

– Tu sais bien que ce n'est pas possible, lui rappela la commandante.

Locrès, qui passait derrière elle, une chope de bière à la main, entendit leurs commentaires.

– Il faudrait commencer par comprendre pourquoi, après des milliers d'années, ils ont éprouvé le besoin de quitter leurs terres pour descendre sur les nôtres, fit-il.

– Qui dit qu'ils y sont depuis aussi longtemps ? répliqua Trébréka.

– Justement, nous ne savons absolument rien d'eux.

– Parce que Ché ne les comprend plus…

– Je te ferai remarquer, Éka, qu'il ne sort jamais un seul son de ces machines à tuer.

– À mon avis, ils ont seulement besoin de tendresse et de compréhension.

Tous les Chevaliers qui se trouvaient autour de Trébréka lui décochèrent un regard sceptique. N'y tenant plus, l'Eltanienne éclata de rire.

– Et tu trouves les Salamandres et les Manticores insupportables ? murmura Sierra à Chésemteh.

– Éka n'est pas toujours comme ça.

– Il y a toujours quelqu'un qui sait quelque chose, déclara la commandante à ceux qui pouvaient l'entendre dans cette pièce aux dimensions démesurées. Un jour, nous saurons ce que veulent les Aculéos et alors nous pourrons transiger avec eux. Pour l'instant, mangez et amusez-vous !

– Avec plaisir ! s'exclama Locrès.

Il poursuivit sa route jusqu'à un groupe de Chimères attablées plus loin. Sierra tapota affectueusement la scorpionne dans le dos et alla bavarder avec d'autres membres des Basilics. Écouter tout ce que les soldats avaient à lui dire et régler les conflits avant qu'ils ne deviennent incontrôlables faisaient partie de son rôle de chef des Chevaliers.

Chésemteh termina son repas et quitta le hall sans saluer qui que ce soit. Elle répondait sans doute à un comportement instinctif de sa race lorsqu'elle ressentait ainsi le besoin de s'isoler après les repas. Les Basilics avaient appris à ne pas lui en tenir rancune. La scorpionne grimpa jusqu'à sa chambre et jeta un œil dehors pour s'assurer qu'aucune tempête n'approchait de l'est. Elle n'aurait pas pu se reposer autrement. Elle entendit grincer la porte, mais ne se retourna pas. Elle savait qui venait d'entrer.

Son amant se colla dans son dos et passa les mains autour de sa taille. Il embrassa ses cheveux, puis ses oreilles.

– Tu es décidément le plus brave du lot, commenta Chésemteh.

– Le plus perspicace, tu veux dire, répliqua Urkesh en faisant pivoter la scorpionne face à lui. Personne n'a ta vigueur au lit.

– Moi, je ne connais pas d'autres hommes que toi, alors comment pourrais-je comparer ?

– Ne perds pas ton temps avec eux. Ils ne m'arrivent pas à la cheville.

– Je n'ai donc pas d'autre choix que de te croire…

Urkesh et sa maîtresse échangèrent de langoureux baisers.

– Et puis, je trouve ça excitant de te séduire dans ton antre.

– Tu sais bien que je ne coucherai jamais dans ton lit, répliqua Chésemteh.

Elle lui enleva tous ses vêtements avant de se débarrasser des siens et le tira sous la tente. Ils firent l'amour, puis la scorpionne se blottit dans les bras d'Urkesh.

– Est-ce que ça se passe ainsi chez les Aculéos, selon toi ? murmura-t-il à son oreille.

– À mon avis, non, parce que chaque fois, après nos ébats, j'éprouve une irrésistible envie de t'arracher la tête, ce qui me porte à croire que le sexe chez les scorpions est plus violent que chez les humains.

– Mais tu arrives à maîtriser cet instinct, n'est-ce pas ? demanda-t-il, inquiet.

– Je me dis que si je te tuais, je ne pourrais plus coucher avec toi, alors je résiste.

– C'est rassurant à entendre… j'imagine.

– Mais tu ne m'as jamais dit pourquoi, parmi les milliers de belles guerrières d'Antarès, c'est moi que tu as choisie.

– Peut-on vraiment expliquer l'attirance sexuelle?

– Les humains arrivent toujours à tout expliquer. Es-tu venu vers moi parce que les autres ne voulaient pas de toi?

– Certainement pas! s'exclama le jeune homme en riant. Elles ont commencé à me faire les yeux doux dès que j'ai été recruté. Mais je dois avouer que depuis qu'elles savent que je suis avec toi, elles s'efforcent de m'éviter pour ne pas s'attirer tes foudres. Pour tout te dire, j'ignore ce qui m'a poussé vers toi et surtout pourquoi j'ai persisté, parce que, avoue-le, tu ne m'as pas rendu la vie facile. Combien de fois m'as-tu repoussé?

– Plusieurs répits d'affilée, se rappela la scorpionne.

– Je suis content que tu aies fini par abaisser ta garde.

– Ce n'était peut-être pas encore le moment de m'accoupler selon mon horloge interne d'Aculéos.

– Laisse-moi mes illusions, Ché. Je veux continuer de croire que j'ai réussi à te séduire.

– Alors, ne me pose plus cette question.

Elle se pressa davantage contre lui et ferma les yeux.

ALÉSIA

Les vents frais de l'automne fouettaient implacablement la forteresse lorsque les Salamandres y firent enfin leur entrée. Habituellement, les Chevaliers arrivaient à Antarès au lever du soleil, mais en raison de la mauvaise température, la division d'Alésia mit plus de temps à rentrer du Royaume d'Altaïr.

Les Salamandres faisaient preuve d'une hardiesse impudente qui effrayait parfois Sierra. Elles se battaient de façon inhabituelle, mais elles connaissaient tout de même beaucoup de succès dans leurs combats contre les Aculéos. Pour elles, ce n'était pas la méthode qui importait, mais le résultat. La plupart de leurs membres affichaient des comportements étranges et ceux qui n'avaient pas encore été contaminés par l'audace des plus vieux le seraient tôt ou tard.

Alésia, qui commandait les Salamandres, était une très belle femme aux longs cheveux blonds qui retombaient en boucles fines et serrées dans son dos. Ses doux yeux bruns pouvaient charmer n'importe qui. En fait, on l'aurait davantage imaginée sur une scène à chanter des chansons enjôleuses que sur un champ de bataille à trancher des pinces et des dards d'hommes-scorpions. Lorsqu'elle rentrait finalement au château, Alésia n'avait qu'un seul désir: enfiler ses robes vaporeuses et ses corsets serrés qui mettaient ses charmes en valeur. Comme tous ses compagnons d'armes, elle n'était pas mariée, mais rêvait secrètement que la guerre finisse un jour pour pouvoir partager la vie d'un homme qui la vénérerait jusqu'à son dernier souffle.

Dès que les palefreniers commencèrent à conduire les chevaux à l'écurie, les Chevaliers se dirigèrent vers leur hall. Non pas pour échapper aux éléments, car ils en avaient l'habitude, mais pour rejoindre leurs amis qu'ils n'avaient pas vus depuis de longs mois.

Ils se défirent de leur cuirasse dans leur chambre, ainsi que de leurs armes, se lavèrent et enfilèrent leurs vêtements civils. Les hommes portaient des pantalons, pour la plupart retenus par des bretelles, des chemises noires, blanches ou marron, des chaussures ou des bottes. Quant aux femmes, certaines préféraient les robes longues ou même courtes, les talons hauts et les bijoux, tandis que d'autres portaient des pantalons moulants et des corsets serrés.

Pour sa part, Alésia enfila une robe rose dont la jupe bouffante lui descendait jusqu'aux genoux. Puisque l'encolure était échancrée, elle agrémenta sa tenue d'un collier scintillant. Elle choisit des bottes courtes recouvertes de dentelle qu'elle laça sur ses bas de nylon noirs à motifs floraux.

«Me voilà beaucoup plus présentable», jugea-t-elle en s'observant dans sa psyché. Elle secoua ses boucles une dernière fois et quitta sa chambre.

Les membres de sa troupe étaient presque tous redescendus dans le hall, qui était devenu beaucoup plus bruyant tout à coup.

La dirigeante des Salamandres s'arrêta sur le seuil pour respirer ce familier mélange de parfum et de vapeurs d'alcool qui lui avait tant manqué. Elle ne fréquentait aucun de ses compagnons de façon assidue, comme le faisaient Sierra et Chésemteh. En fait, dès qu'un homme s'intéressait trop à elle, Alésia l'envoyait promener. Elle préférait séduire ceux qui ne lui tournaient pas autour.

– Comment se fait-il que les Manticores ne soient pas encore là? demanda-t-elle en s'avançant vers la belle Cyréna des Chimères.

– J'imagine qu'elles sont retardées par les orages, répondit-elle en haussant les épaules. Le Royaume d'Arcturus est le plus éloigné d'Antarès.

– *Elle* devra attendre pour boire du dholoblood, soupira Massilia.

Cette jeune femme des Salamandres ne parlait jamais d'elle-même au «je», mais utilisait plutôt la troisième personne du singulier. Ses compagnons étaient habitués à sa façon bizarre de s'exprimer, mais les étrangers avaient souvent de la difficulté à s'y retrouver. En plus de ne pas avoir les yeux de la même couleur, le gauche étant bleu et le droit étant vert, Massilia alternait continuellement entre plusieurs personnalités différentes. Malgré tout, Alésia la gardait parmi ses soldats, car elle se transformait en véritable chat sauvage lorsqu'elle affrontait les hommes-scorpions.

– Tu sais bien que tu ne peux pas en boire, ma chérie, lui rappela Cyréna. Le dholoblood a déjà eu des effets catastrophiques sur ta santé.

– *Elle* ne s'en rappelle pas…

– Il serait peut-être temps que nous préparions cette boisson nous-mêmes, proposa Iakim.

Courtois et conciliant, le Markabois offrait toujours des compromis. S'il avait pu communiquer avec les Aculéos, il aurait été le premier à tenter de les convaincre de signer un traité de paix.

– Et priver les Manticores de ce plaisir? répliqua Alésia. C'est leur invention, donnons-leur encore un peu de temps.

Sans le dire ouvertement, tous les chefs de division craignaient qu'un jour, l'une des troupes ne rentre pas et que tous ses membres soient retrouvés massacrés par l'ennemi.

– En attendant, contente-toi de la bonne bière d'Antarès, lui dit Locrès en déposant un bock en métal tout froid dans les mains de Massilia.

Alésia observa le cynique membre des Basilics en le trouvant très intéressant, tout à coup. Elle s'apprêtait à le suivre jusqu'à l'endroit où il mangeait lorsque Sierra fit son apparition dans le hall. Comme ses camarades, elle se tourna vers la grande commandante, vêtue de noir et de vert, et se mit à applaudir. Soulagée d'apercevoir Alésia et sa compagnie, Sierra se dirigea tout droit vers elle. Les deux femmes se serrèrent la main et appuyèrent leur front l'un contre l'autre avec amitié.

– Assieds-toi avec moi, la convia le chef des Salamandres.

Sierra se joignit volontiers à elle, mais ne se servit pas dans les nombreux plats. Elle accepta cependant une bière froide.

– On dirait que tu es songeuse, toi, remarqua Alésia. Habituellement, quand nous arrivons, c'est toi qui nous reçois en portant des toasts à n'en plus finir.

– Peut-être que j'en ai assez de retourner me battre.

– Mais si nous restons à Antarès à nous la couler douce, les Aculéos se rendront jusqu'ici et nous dévoreront sur nos chaises. Nous avons juré de protéger le continent et tous ses habitants, Sierra. Rappelle-toi le serment que t'a fait prononcer Audax.

– J'y pense tous les jours, mais lui aussi aurait aimé résoudre le conflit avant sa mort.

Sierra avala sa bière d'un seul trait.

– Tu as perdu beaucoup de soldats ? demanda-t-elle à son lieutenant pour changer de sujet.

– Surtout des recrues. Certaines affrontent bravement les Aculéos, mais les autres figent lorsqu'elles les voient pour la première fois. Alors, je me retrouve toujours avec les mêmes guerriers plus âgés à la fin de chaque campagne. Et les autres divisions ?

– Pas plus que l'an dernier et, parmi eux, certains vétérans, malheureusement.

– Est-ce que c'est Ilo qui te déçoit au lit ? tenta de deviner Alésia.

– Ciel, non. Il est plein d'attentions pour moi.

– Donc, c'est ton bras qui te fait souffrir ?

Sierra planta un regard chargé d'avertissement dans celui de sa camarade.

– C'est grave ?

– Sans doute, mais ça guérira.

La commandante se leva.

– Tu ne manges rien ?

– Je n'ai pas faim.

– Puis-je te faire une suggestion ? Va dormir un peu. Tu as besoin de repos. Mais promets-moi de revenir pour la fête de ce soir.

– Je verrai ce que je peux faire.

Sierra quitta le hall en adressant des sourires forcés à tous ceux qui la saluaient, puis erra dans les couloirs tel un fantôme. Alésia avait raison : la seule pensée de ne plus pouvoir combattre commençait à lui faire vraiment peur. Ses pas la conduisirent instinctivement jusqu'à la grande cour, où les palefreniers s'affairaient à laver les chevaux avant de les conduire chez le forgeron, malgré les violentes rafales qui leur hérissaient le poil. Pendant le prochain mois, ces pauvres garçons n'auraient pas une seule minute de répit.

Sierra grimpa sur la passerelle tout en haut des remparts, non pas pour observer les alentours, mais pour laisser libre cours à ses pensées. Avec le jardin intérieur, c'était un de ses endroits préférés de la forteresse. Elle s'accrocha au bord du mur pour ne pas être propulsée en bas par le vent et tenta de faire le point. « La première chose que je dois faire, c'est laisser le docteur Eaodhin traiter ma blessure», décida-t-elle. «Ensuite, je percerai le mystère de ce Wellan d'Émeraude.»

– Est-ce que ça va? fit la voix familière d'Ilo.

– On dirait que tu sais toujours où je vais.

– Quand je t'ai vue quitter la table sans manger, je t'ai suivie.

– Pourquoi?

– Parce que tu es pâle comme la lune en ce moment et que ça m'inquiète.

– J'ai pris la décision de me faire soigner, alors ne mentionne pas mon bras.

– D'accord. Parlons plutôt de ce prisonnier dont tu ne dis rien à personne. T'a-t-il révélé des choses qui te démoralisent?

– Pas du tout. Il est fascinant, bien que singulier. C'est davantage la situation du continent qui me désespère.

– Nous avons pourtant réussi à contenir l'ennemi dans le Nord cette fois encore.

– Ils sont toujours plus nombreux à descendre des falaises, Ilo. Tu le sais aussi bien que moi. Nous avons besoin d'un atout majeur pour mettre fin à cette invasion.

– Et puisque tu n'as pas une seule once de spiritualité dans le corps, tu ne prieras pas tes dieux afin qu'ils te l'accordent.

– Depuis quand es-tu devenu religieux, toi? s'étonna Sierra en se tournant vers son amant.

– Je te taquinais.

– Ce n'est vraiment pas le moment de faire des plaisanteries.

– Pardonne-moi.

Il voulut se rapprocher davantage, mais elle recula pour conserver la même distance entre eux. Ilo savait depuis longtemps que ce n'était jamais une bonne idée de bousculer Sierra.

– Peut-être devrions-nous tous quitter Alnilam? suggéra-t-il.

– Pour aller où?

– Les marins de Girtab parlent d'autres continents au milieu de l'océan.

L'image du vaisseau volant d'Odranoel apparut dans les pensées de Sierra.

– Je ne veux pas quitter ces terres où je suis née, Ilo. Et il est hors de question que nous envahissions ces continents comme les Aculéos qui essaient de s'emparer du nôtre.

– Nous pourrions cohabiter avec ces gens puisque, contrairement aux hommes-scorpions, nous sommes pacifiques.

– Mais eux le seront-ils? Ce que je veux, c'est reprendre ce qui nous appartient de droit et assurer à notre peuple une vie sereine et prospère, à l'abri du danger.

– Dans ce cas, tu as raison: nous avons besoin de moyens différents pour décourager les Aculéos une fois pour toutes.

– Ou tous les pulvériser… grommela-t-elle entre ses dents.

– Tu ne seras vraiment satisfaite que lorsqu'ils auront disparu, n'est-ce pas?

– Jusqu'au dernier.

– Tu ne me donnes plus le choix. Suis-moi.

– Tu veux me faire boire jusqu'à l'ivresse?

– Je suis une Chimère, pas une Manticore. J'ai plutôt l'intention de te donner un massage revigorant qui te remettra sur pied et qui te redonnera même le goût de fêter avec les autres.

– Ça n'existe pas.

– Tu me mets au défi?

– Je te parie un statère que tu n'y arriveras pas.

Ilo n'avait pas l'intention de lui réclamer cet argent. Tout ce qu'il voulait, c'était lui rendre sa bonne humeur avant le retour de la dernière garnison. Il lui tendit la main et Sierra la prit en feignant la soumission.

Tandis que l'Eltanien ramenait sa maîtresse à leur chambre, une jeune personne du palais mettait son plan à exécution. Puisque Sierra refusait de lui montrer son prisonnier, Camryn avait décidé d'aller faire sa connaissance par elle-même. Elle se rendit donc aux cuisines pour annoncer aux femmes que la commandante leur ordonnait de lui remettre un plateau de nourriture pour le détenu. Sierra lui avait souvent répété que pour devenir Chevalier, une recrue devait toujours dire la vérité. «Ce n'est pas un vrai mensonge, car elle a déjà indiqué au personnel que cet homme devait manger tous les jours à sa faim», se dit l'adolescente. Dès que le plateau fut bien rempli, Camryn le transporta jusqu'à l'entrée de la prison.

– Bonsoir, messieurs. Étant donné que tout le monde est occupé à servir les Chevaliers dans le hall, on m'a demandé de nourrir moi-même le captif. Ouvrez-moi la porte, je vous prie.

Les gardiens échangèrent un regard hésitant.

– Dois-je aller avertir Sierra que vous refusez de me laisser passer?

Camryn fit semblant d'être indignée par leur indécision, si bien que les hommes lui cédèrent le passage.

– Merci, mes braves.

Elle s'engagea prudemment dans l'escalier. Elle ne savait pas où le prisonnier avait été enfermé, alors elle regarda dans toutes les cellules jusqu'à ce qu'elle l'aperçoive enfin à travers les barreaux. «Il ressemble à Audax sur son grand portrait dans le hall...» s'étonna-t-elle.

– Geôlier, ouvre-moi, fit-elle en imitant Sierra.

L'homme s'approcha, surpris de voir l'enfant.

– Je suis la protégée de la commandante et elle me fait confiance, s'empressa de lui expliquer Camryn en relevant fièrement la tête.

– Je vais remettre ce repas au prisonnier, fit le gardien.

– Non. Les ordres de Sierra sont de me laisser le lui donner moi-même.

L'adolescente soutint bravement le regard du geôlier. Il se doutait bien qu'elle mentait, mais il ne comprenait pas pourquoi. Puisque le captif n'était pas un homme agressif, il décida de lui ouvrir la porte et resta toutefois à proximité pour s'assurer qu'elle ne courait aucun danger. Camryn entra dans le cachot. Elle déposa le plateau sur la table, sous les yeux étonnés de Wellan. Au lieu de repartir, l'adolescente se tourna vers lui et l'examina sans la moindre gêne.

– Comment t'appelles-tu ? fit Camryn en se donnant un air d'autorité.

– Sierra t'a-t-elle envoyée pour me faire subir un second interrogatoire ? répliqua-t-il, amusé.

– Non. Je suis venue me renseigner de mon propre chef puisqu'elle ne veut pas répondre à mes questions à ton sujet.

– Elle doit avoir une bonne raison de ne rien te dire.

– En fait, elle ne parle de toi à personne.

– Pourquoi, à ton avis ?

– Ou bien elle est incapable de se faire une idée sur toi, ou bien elle considère que tu représentes un grand danger pour nous tous.

– Avant de te livrer tous mes secrets, j'aimerais au moins connaître l'identité de mon inquisitrice.

– Je m'appelle Camryn et je deviendrai bientôt Chevalier.

– Tu es apprentie, si je comprends bien.

– Si on veut. Maintenant, réponds-moi.

Wellan réprima un sourire en remarquant qu'elle imitait les mimiques de Sierra.

– Je m'appelle Wellan.

– De quel royaume viens-tu ?

– Émeraude.

– Je suis une élève assidue, étranger, alors je sais fort bien qu'aucun pays ne porte ce nom.

– Je ne suis pas originaire de ce continent, Camryn, et je m'y suis retrouvé contre mon gré.

– Tu n'es donc pas un espion, comme on le prétend ?

– Non. Cela irait à l'encontre de mes valeurs.

– Même si ton commandant te l'ordonnait ?

– Je ne le ferais pas.

– Je croyais qu'un Chevalier devait toujours obéir à ses supérieurs.

– En théorie, mais il doit aussi agir selon les principes moraux de son Ordre. J'imagine que les Chevaliers d'Antarès en ont, eux aussi.

– Évidemment. Ils font tout ce que Sierra leur demande.

– Comme porter un repas à un prisonnier à sa place.

Les joues de Camryn devinrent cramoisies.

– Tu lui as désobéi, n'est-ce pas ?

– Juste un peu…

Elle était toute menue, mais il brûlait dans son cœur le même courage que dans celui de sa fille Jenifael.

– Si tu veux devenir Chevalier, tu dois commencer par apprendre à faire confiance à ton chef.

– Je voulais juste voir ton visage…

– Satisfaite, maintenant ?

– Oui… mais c'est fou à quel point tu ressembles au commandant Audax.

– Qui est-ce ?

– Le prédécesseur de Sierra. Il a été tué par les Aculéos. Il y a une grande toile qui le représente dans le hall.

Le visage de l'adolescente s'illumina.

– Ma mère m'a déjà raconté que les grands hommes revenaient parfois à la vie dans un autre corps lorsqu'ils n'avaient

pas pu achever leur mission! Es-tu la réincarnation d'Audax?
Es-tu de retour pour aider Sierra à éliminer l'ennemi?

– Je t'en prie, ne t'emballe pas. Je ne suis pas cet homme.
Mais si je pouvais vous rendre service, ça me ferait grandement plaisir.

– Je t'aime déjà, Wellan d'Émeraude!

Camryn marcha jusqu'à la porte que le geôlier s'empressa
d'ouvrir.

– Mange tandis que c'est encore chaud, recommanda-
t-elle au prisonnier en reprenant son air sérieux.

«Je suis sûre que c'est Audax et qu'il ne peut pas nous
l'avouer», se dit-elle en gambadant vers le bâtiment où rési-
daient les servantes. «Il va nous sauver!»

APOLLONIA

L e soleil se levait à peine lorsque de grands coups retentirent dans les portes de la muraille du Château d'Antarès, faisant sursauter les sentinelles qui s'étaient endormies sur la passerelle.

– Qui va là ? cria l'un des hommes en se redressant.

– À votre avis ? répliqua une voix féminine.

En se penchant au-dessus du mur, il aperçut la garnison des Manticores, qui formait un long ruban de cavaliers sur la route.

– Est-ce que vous nous reconnaissez ou devons-nous vous réciter tous nos noms ? lança Apollonia, le chef de cette division.

La sentinelle se tourna vers le mur à sa droite et abaissa le gros levier en métal, ce qui actionna le mécanisme d'ouverture des portes.

Les Chevaliers envahirent alors la cour en poussant des cris de victoire comme s'ils avaient gagné la guerre. Avant de confier leurs chevaux aux palefreniers, ils décrochèrent leurs sacoches ainsi que les petits tonneaux attachés de chaque côté de leur selle. Comme ils le faisaient tous les ans, ils transportèrent leur trésor dans une pièce attenante aux cuisines. Dholovirah, une guerrière qui n'était pas très grande mais qui possédait une étonnante force musculaire, supervisa l'empilement des barils miniatures qui contenaient du sang d'hommes-scorpions. Cette femme Chevalier avait découvert, en trempant le bout de son doigt souillé de ce précieux liquide dans de l'alcool, qu'elle obtenait une boisson explosive qui faisait oublier tous les soucis de la guerre.

Une partie des Manticores grimpèrent à leur chambre en riant, tandis que les autres se rendaient directement au bâtiment qui contenait une dizaine de grandes piscines chauffées afin de se délasser après la longue chevauchée. Les bassins étaient divisés entre hommes et femmes, mais il arrivait souvent que ce règlement ne soit pas respecté. À cette heure matinale, aucun masseur n'était disponible, alors les Chevaliers quittèrent les installations enroulés dans des draps de bain, leurs vêtements militaires sur les bras. Une heure plus tard, ils s'étaient endormis dans leur lit, mais ils avaient réveillé tous les autres habitants de la forteresse.

Ce ne fut qu'en fin d'après-midi que les Manticores commencèrent à arriver dans le hall, vêtues de leur tenue civile. Même lorsque les choses allaient mal, les membres de cette division étaient toujours de bonne humeur. Impatients de revoir leurs compagnons, ils s'installèrent sur toutes les chaises libres autour des innombrables tables et se mirent à bavarder avec eux. En peu de temps, le bourdonnement qui emplit l'immense salle la fit ressembler à une ruche d'abeilles.

Sierra arriva la dernière, vêtue d'une robe noire décolletée, serrée à la taille par un corset marron et or décoré de nombreuses chaînes.

Elle prit le temps d'observer la belle assemblée, puis accepta le micro en métal cuivré que lui tendait un serviteur. Il était relié par un long fil à des haut-parleurs géants placés de chaque côté de la porte d'entrée du hall.

– Chevaliers, soyez les bienvenus! fit-elle.

Sa voix amplifiée par les puissants appareils se répercuta sur les murs. Graduellement, les soldats se turent et se tournèrent vers elle.

– Avant de vous laisser profiter de ce repos bien mérité, j'aimerais vous adresser quelques mots.

– Encore! Encore! s'écria Trébréka en se redressant, avant même que la commandante se soit exprimée.

Au milieu des éclats de rire, Locrès saisit sa camarade des Basilics par le bras et la ramena sur son siège.

– Une autre année se termine et je suis heureuse de voir que beaucoup d'entre vous sont de retour. Nous avons tous perdu des compagnes et des compagnons d'armes durant cette dernière campagne, alors observons quelques secondes de silence pour leur rendre hommage.

Cette tradition avait été instaurée par les premiers commandants de l'Ordre et, tout comme ses prédécesseurs, Sierra y tenait beaucoup.

– Les recrues commenceront à arriver cette semaine, poursuivit ensuite la jeune femme. Je vous promets d'en fournir autant que je le pourrai à chaque division. Mais cessons de parler de la guerre et profitons du répit.

Les soldats se mirent à chahuter pour lui montrer qu'ils étaient bien d'accord. Sierra comprit qu'elle ne pourrait plus placer un seul mot. Elle remit donc le micro au serviteur pour aller marcher entre les tables et saluer ceux qui venaient d'arriver. Finalement, elle se glissa près d'Apollonia.

– Moi, ce que j'aime le plus quand je rentre à Antarès, fit la femme lieutenant aux longs cheveux blond vénitien et aux yeux profondément verts, ce n'est pas la bonne nourriture, l'alcool et les longues heures de sommeil paisibles. C'est l'eau chaude! Odranoel devrait trouver une façon de réchauffer l'eau de nos rivières.

– Ce serait désastreux de modifier ces écosystèmes, rétorqua Sierra. Tu le sais aussi bien que moi.

– Tout ce que je veux, c'est un peu plus de confort sur le front.

– Comme si c'était possible.

Les serviteurs commencèrent à déposer les plats sur les tables.

– Comment ça se passe à Arcturus ?

Sierra posait cette question tous les ans à Apollonia, car celle-ci patrouillait le pays où elle était née.

– Tu le saurais si nous possédions une autre façon de communiquer entre nous que les coursiers qui finissent toujours par se faire tuer, grommela la Manticore.

– Odranoel travaille là-dessus depuis longtemps, mais il a beaucoup de pain sur la planche, car je veux aussi de nouvelles armes plus efficaces que nos épées, nos lances et nos poignards.

– Ce ne sont pas des soldats que tu devrais recruter, Sierra, mais des inventeurs. Au fil des ans, nous en avons bien trop perdu.

– La science est aussi une entreprise dangereuse. J'en parlerai tout de même à la haute-reine.

– Du bœuf ! hurla Baenrhée à l'autre bout du hall.

Heureusement que tous les guerriers n'étaient pas aussi carnivores qu'elles, car ils auraient décimé les troupeaux de bovins d'Antarès. Certains d'entre eux préféraient les légumes et le poisson, qu'on trouvait d'ailleurs en abondance dans tous les cours d'eau d'Alnilam, ou la volaille, autant domestique que sauvage.

– Toujours avec Ilo ? demanda Apollonia.

– Je ne pourrais pas me passer de lui, répondit Sierra. Il a des mains magiques.

– Dommage qu'il y ait si peu d'Eltaniens dans nos rangs…

– Moi, je trouve étonnant qu'il s'en soit présenté à Antarès pour servir l'Ordre, car ils détestent la guerre. Et puis, il y en a quelques-uns parmi les Manticores, non ?

– Pas aussi beaux que ton Ilo et nullement intéressés à masser qui que ce soit.

En réalité, les compatriotes d'Ilo, qui vivaient autrefois dans les arbres de leur pays chaud en bordure de la mer, préféraient la compagnie de leurs semblables à celle des humains. Lorsque les quatre garnisons rentraient à la forteresse, les Eltaniens se faisaient un devoir de festoyer à la même table, même Ilo. «Je me demande de quoi ils parlent», songea Sierra en se promettant de le demander à son amant.

Dès que les estomacs furent bien remplis, les Manticores allèrent chercher quelques barils de sang de scorpion, car il était toujours préférable d'avoir mangé avant d'absorber ce poison.

– Du dholoblood pour tout le monde! s'exclama Priène.

Les Manticores en versèrent une goutte dans tous les bocks qu'on leur tendait et en peu de temps, l'atmosphère devint festive. Dholovirah grimpa sur une table et se mit à imiter sa camarade Baenrhée avec ses manières bourrues et son mauvais caractère. Au lieu de se fâcher, celle-ci éclata de rire.

– Cette boisson fait vraiment tomber toutes les inhibitions, constata encore une fois Apollonia. Tu en veux, Sierra?

– Je passe mon tour, ce soir.

– C'est nouveau, ça? D'habitude, c'est toi qui fêtes le plus fort.

– Demain, peut-être…

– Tu as d'autres plans ou est-ce que je me trompe?

Le silence de Sierra inquiéta Apollonia.

– Est-ce que tu refuses de boire parce que tu prends des médicaments pour ton bras?

– Mon bras?

– Tu es droitière, mais depuis que tu es assise près de moi, tu n'utilises que la main gauche. Est-ce une blessure grave?

– Non, ne t'inquiète pas. Je m'en remettrai, mais je ne veux pas que tout le monde le sache. Je t'en prie, n'en parle pas aux autres.

– Nous sommes pourtant toujours franches entre nous.

– Cette fois, il s'agit de ma crédibilité en tant que commandante des troupes, Apollonia.

– Je comprends et je garderai ton secret. Toutefois, je t'aurai à l'œil.

Sierra prit une dernière bouchée de pain au miel et quitta la fête. L'alcool aidant, les commentaires devinrent plus bruyants dans le hall.

– De la musique ! réclama Napoldée.

– Où sont nos musiciens ? l'appuya Alésia.

– Avraam est ici ! les informa Méniox.

Des Chimères poussèrent le batteur vers le fond de la salle où s'élevait une scène. Les instruments s'y trouvaient déjà.

– Ian ! Ian ! réclamèrent les Basilics.

Le bassiste mit fin aux baisers qu'il échangeait avec Sybariss et se leva, déclenchant un tonnerre d'applaudissements.

– Il manque Lirick ! intervint Samara.

Ses compagnons interceptèrent le guitariste qui tentait de s'éclipser du hall.

– Je n'ai pas joué depuis des mois ! protesta Lirick.

– Tu dis ça tous les ans, le taquina Urkesh.

– Léokadia, où es-tu ? appela Alésia.

– Ici !

En jupe courte et bustier argenté, des rubans multicolores dans ses cheveux blonds attachés sur le dessus de sa tête et retombant en longs boudins, la jeune Salamandre gambada entre les tables, son violon à la main.

Assise dans un coin, Chésemteh se demanda si elle désirait assister à ce concert. À chaque répit, elle réussissait à supporter une chanson de plus, mais ses oreilles sensibles d'Aculéos la faisaient terriblement souffrir. Elle écouta la première pièce endiablée crachée par les haut-parleurs, puis déposa son bock dans lequel il n'y avait aucune goutte de sang de ses congénères. Elle en avait fait l'expérience une fois et le résultat avait été désastreux tant pour elle que pour ses compagnons. Toute la colère qu'elle avait refoulée depuis qu'on lui avait arraché ses pinces et son dard avait explosé d'un seul coup dans le hall et il avait fallu bien des soldats pour la maîtriser. Chésemteh s'était donc juré de ne plus jamais recommencer.

Elle se faufila entre les Chevaliers qui repoussaient les tables pour danser, et franchit les portes du hall. Elle entra en collision avec Apollonia qui revenait des toilettes.

– Heureuse de te revoir, Ché.

– Pareillement, répondit la scorpionne.

– Détiens-tu toujours le record du minimum de Chevaliers tombés au combat?

– Toujours.

– Comment y arrives-tu?

– En faisant le moins de bruit possible, ce que vous êtes incapables de faire.

– Il est vrai que nos styles de combat sont différents.

– Et n'ont pas tous le même degré d'efficacité, ajouta Chésemteh.

Apollonia ne se formalisa pas du ton plutôt incisif de la scorpionne. Elle avait toujours été ainsi. Personne dans l'Ordre n'était plus direct qu'elle.

– Bonne soirée, lui souhaita Chésemteh avant de poursuivre sa route.

La dirigeante des Manticores la regarda s'éloigner. Tout à coup, elle remarqua Massilia, les mains et l'oreille gauche collées sur le mur du couloir. «La guerre va tous nous rendre fous», se dit-elle en s'approchant de la jeune Salamandre.

– Qu'est-ce que tu entends, Massilia? lui demanda Apollonia.

– *Elle* entend des voix…

– Tu les reconnais?

– Non… *Elle* pense que ce sont des hommes qui discutent…

– Que se disent-ils?

– Ils veulent tous nous tuer…

– Puisqu'ils n'y arriveront jamais, ne perds pas ton temps à les écouter.

Apollonia saisit Massilia par le bras, la ramena dans la salle et la planta devant un groupe de Chevaliers pour qu'elle danse avec eux. D'abord déboussolée, l'Einathienne, qui souffrait de troubles bipolaires, regarda ce qui se passait autour d'elle, puis se mit à imiter ses amis en souriant.

Les réjouissances se poursuivirent jusqu'au milieu de la nuit. Lorsqu'elle sentit la fatigue s'emparer d'elle, Apollonia remonta à sa chambre, où elle détacha son corset avec soulagement avant même d'allumer les lampes torchères accrochées aux murs. Elle n'eut pas le temps d'enlever son short noir et son chemisier rayé noir et brun qu'on frappait à sa porte. Se demandant si c'était Massilia qui avait d'autres fausses informations à partager avec elle, la commandante alla ouvrir avec l'intention de reconduire la Salamandre à sa chambre. C'est plutôt le visage souriant de Locrès qu'elle trouva devant elle.

– Bonjour, charmante guerrière, la salua-t-il.

– Il est plutôt tard pour faire des visites, beau guerrier, répliqua-t-elle.

– On m'a pourtant dit que c'était au milieu de la nuit que les facultés des cartomanciennes étaient les plus aiguisées.

– Depuis quand les Basilics croient-ils aux arts divinatoires?

– Je ne suis pas comme les autres.

L'éclat moqueur dans les yeux de Locrès convainquit Apollonia de le laisser entrer.

– Il y a donc quelque chose qui te tourmente, fit-elle en refermant la porte.

– Mon espérance de vie, entre autres, répondit le Chevalier en se laissant tomber sur le lit.

– Je n'ai pas besoin de mes cartes pour t'affirmer que nous allons tous mourir jeunes.

Elle retira son jeu de tarot de sa pochette en satin noir et prit place à la table ronde près de la fenêtre.

– Ne m'épargne pas, l'avertit Locrès.

– Ce n'est pas dans mes habitudes.

Elle battit les cartes pendant quelques minutes, puis en étala une dizaine en formant une croix.

– Alors ? s'impatienta le Basilic.

– Me croiras-tu si je te dis que tu seras un vieillard quand tu mourras dans ton lit ?

– Non.

– C'est pourtant ce que je vois.

– Tu ne dis pas ça pour me rassurer ?

– J'avertis toujours mes clients que je ne dis que la vérité.

– Et où se trouvera-t-il, ce lit ?

Apollonia remit les cartes dans le paquet, qu'elle battit une seconde fois.

– Dans ton pays natal.

– Je retournerai chez moi ? s'émut-il.

– Cela fait en effet partie de ton avenir.

– Quel est celui de l'Ordre d'Antarès ?

– Parce que tu t'imagines que je peux faire ce genre de prédiction ?

– Je suis sûr que oui et que tu l'as déjà demandé à tes cartes.

La tristesse voila le visage d'Apollonia.

– Nous perdrons la guerre? s'enquit Locrès.

– Le cours des événements peut encore changer. Pour l'instant, les cartes disent que les Chevaliers l'emporteront sur les Aculéos, mais qu'il n'en restera alors qu'une poignée.

– En feras-tu partie?

Elle secoua la tête, résignée, et tira d'autres cartes.

– Que demandes-tu? s'inquiéta Locrès.

– Ton avenir rapproché. C'est plus intéressant…

– Ne me fais pas languir, sorcière.

– Je vois une belle femme blonde pour laquelle tu ressens une irrésistible attirance, mais qui ne se doute de rien.

– Ne t'arrête pas.

– Elle possède le don de voir l'avenir quand les grandes forces de l'univers le lui permettent.

– Ce n'est certainement pas Massilia, plaisanta-t-il.

«Les hommes ont l'esprit si obtus par moment», se désespéra Apollonia.

– Celle-là ne parle pas aux murs. Elle se sert plutôt d'un tarot.

– Oh! comprit enfin Locrès.

Il souleva la voyante de sa chaise et s'empara de sa bouche sans aucun autre préambule avant de la jeter sur le lit.

– Tu utilises tes cartes pour appâter tes amants, n'est-ce pas?

– Mais pas du tout! s'offusqua Apollonia. Je ne suis pas aussi fourbe. Et n'essaie pas de me faire croire que ce n'est pas pour ça que tu es venu frapper à ma porte. Mon tarot ne ment jamais.

– Ça fait longtemps que je te trouve belle.

– Pourquoi n'as-tu pas eu le courage de m'approcher avant cette nuit?

– J'imagine que je n'avais pas bu suffisamment de dholoblood.

– Ce qui veut dire que demain matin, tu ne te souviendras de rien, soupira la Manticore.

– Je n'en ai pas bu à ce point. Juste assez pour tenter ma chance.

– Dans ce cas, laisse-moi récompenser ta témérité.

Apollonia enleva son chemisier et se mit à déboutonner la chemise de Locrès en l'embrassant entre chaque bouton.

LE CORYBANTE

Sierra ouvrit l'œil un peu avant neuf heures. Jamais le château n'avait été aussi silencieux depuis son retour à Antarès. Ayant fêté toute la nuit, les Chevaliers ne se lèveraient sans doute que pour le repas du soir. Elle s'étira et constata que la place d'Ilo dans leur lit était froide. Il avait donc dormi ailleurs. « Il est libre de coucher avec qui il veut », se dit-elle. « Il ne m'appartient pas. » D'ailleurs, il arrivait souvent que son amant la délaisse lorsque tous ses amis d'Eltanine rentraient au bercail. Il existait entre eux un lien très puissant qui ne disparaissait pas même quand ils combattaient dans des divisions séparées.

La commandante resta allongée un long moment afin de mettre ses idées en ordre. Elle ne pouvait pas se permettre de faire constamment la fête durant le répit comme ses soldats. Elle avait plusieurs obligations et, cette fois-ci, elle devait aussi faire soigner son bras. Après avoir rencontré la haute-reine pour lui faire son rapport et l'inventeur pour voir où il en était dans son travail, elle décida d'avoir une discussion à cœur ouvert avec Antos, le grand prêtre de Viatla. Depuis son plus jeune âge, Sierra ne faisait pas confiance à ces personnages sournois qui retenaient sciemment de l'information afin de s'assurer le contrôle de la population.

Sur le front, la guerrière avait maintes fois eu la preuve que les dieux n'intervenaient jamais dans les affaires des humains, même lorsque ces derniers avaient désespérément besoin d'eux. Alors, les sermons d'Antos et des autres prêtres d'Alnilam au sujet de la bienveillance divine l'irritaient de plus en plus. À son avis, ce n'étaient que des hommes assoiffés de pouvoir qui abusaient de la crédulité des gens.

Après avoir fait sa toilette, elle enfila un débardeur noir, un pantalon de toile brun et ses bottes préférées, car le temple se trouvait à l'extérieur des murs de la forteresse et que la seule façon de s'y rendre, c'était à cheval. Elle descendit au hall, que les serviteurs s'affairaient à nettoyer. Voyant qu'elle n'y trouverait rien à manger, elle poursuivit sa route jusqu'aux cuisines. Contentes de la revoir, les femmes lui offrirent des œufs brouillés, du pain rôti et un café odorant. Sierra déjeuna sur le coin d'une table en écoutant leurs bavardages. «Comme il est bon d'être chez soi», se surprit-elle à penser.

Une fois rassasiée, elle remercia ses bienfaitrices et sortit dans la cour. Parmi les habitants du château qui y circulaient déjà, Sierra fut surprise d'apercevoir un autre Chevalier d'Antarès. À plusieurs mètres d'une grosse cible ronde bourrée de paille, Olbia s'exerçait au tir à l'arc. «Comme si elle en avait besoin», s'amusa intérieurement la commandante. Tous les Eltaniens étaient d'excellents chasseurs qui ne manquaient jamais leur proie…

– Que fais-tu debout à cette heure?

– Je ne me suis pas encore couchée, répondit Olbia. Et toi?

– Moi, je suis allée au lit à une heure raisonnable. Où est ta chauve-souris?

– Elle est accrochée au plafond de ma chambre.

– Pourquoi ne vas-tu pas te reposer toi aussi, Olbia?

– Parce que même si nous sommes à des lieues des terres convoitées par les Aculéos, mon esprit ne trouve pas le repos.

– Si nous étions restées dans le Nord, nous n'aurions eu aucun ennemi à affronter avant des semaines, tu le sais bien.

– Mais si c'était une ruse, Sierra ?

– Une ruse ?

– Si les hommes-scorpions n'étaient disparus toutes ces années à cette période-ci uniquement pour endormir notre vigilance ? Y as-tu déjà pensé ? Maintenant que nous avons pris l'habitude de rentrer à la maison pendant quelques semaines, ils pourraient en profiter pour redescendre des falaises et massacrer des milliers d'innocents.

– C'est une possibilité, mais je crois que leur disparition des champs de bataille est un phénomène cyclique, même si nous ne le comprenons pas encore.

– Dommage que Chésemteh ne se souvienne de rien. Tu devrais la faire hypnotiser. Nous apprendrions beaucoup de choses intéressantes.

Sierra n'y avait jamais songé.

– Mais elle n'était qu'un bébé quand elle est arrivée ici.

– Et, selon toi, les bébés n'enregistrent rien de ce qu'ils voient ?

– Tu as raison : c'est une bonne idée. J'en parlerai à Ché.

Olbia retira une autre flèche de son carquois, l'encocha sur son arc et la planta en plein cœur de la cible d'un seul mouvement fluide.

– Va dormir avant le repas de ce soir, lui recommanda la commandante. Tu ne pourras pas faire mieux que ça.

Sierra lui tapota amicalement le dos et marcha vers l'écurie. En la voyant approcher, Mackenzie s'était précipité dans le bâtiment pour aller chercher sa jument. Lorsqu'elle atteignit finalement l'entrée, la guerrière arriva nez à nez avec le jeune palefrenier.

– La voilà, Sierra.

– Merci, Mackenzie. Tu es vraiment un garçon prévenant.

– Puis-je savoir où tu vas sans escorte ?

– J'ai envie de me retrouver un peu seule pour réfléchir. Il n'y a rien de tel que les champs et la forêt.

– Oui, tu as raison. Moi aussi, j'aime ça. Sois quand même prudente, d'accord ?

Elle grimpa en selle, touchée par sa bienveillance, et galopa jusqu'aux grandes portes ouvertes depuis le lever du soleil. Profitant de sa liberté, elle longea la rivière Astilbe sur les rives de laquelle il n'y avait aucun village, car ces terres appartenaient au clergé. Puis elle s'enfonça dans la forêt et suivit le sentier qui menait au temple. Il n'était pas difficile à trouver. Dans les royaumes d'Alnilam, les maisons du culte étaient immenses, même si elles n'abritaient presque personne.

Elle franchit l'ouverture arrondie pratiquée dans la muraille rouge qui entourait tout le temple et laissa son cheval à la fontaine, sachant très bien qu'il n'irait nulle part sans elle. Elle gravit les marches et pénétra dans l'immeuble de trois étages en pierre blanche dont les fenêtres étaient rondes. Les entrées de ces édifices n'étaient jamais gardées et les prêtres se plaisaient à dire que les temples étaient ouverts à quiconque avait besoin de leurs conseils.

Sierra traversa le vaste vestibule richement décoré de miroirs qui partaient du plancher et montaient jusqu'au plafond, entre lesquels on trouvait en séquence des fenêtres et des murs pleins où étaient accrochées des toiles géantes représentant tous les corybantes de Viatla dans leurs différentes fonctions. Du plafond pendaient une vingtaine de lustres en cristal qui, le soir, étaient illuminés de petites ampoules. Le jour, les rayons du soleil pénétraient par les nombreux puits de lumière, leur donnant tout autant d'éclat.

Les bottes de la femme Chevalier résonnèrent sur le plancher en lattes de bois verni. Elle s'arrêta devant deux magnifiques portes sculptées et les poussa sans même frapper. Tout au fond de la pièce rectangulaire meublée de rangées de chaises capitonnées, s'élevait un autel devant une statue géante de la déesse-hippopotame. Sierra aperçut enfin le corybante, entouré de jeunes vestales vêtues de robes blanches plutôt transparentes. Il portait un pantalon qui s'arrêtait juste au-dessous de ses genoux, de longs bas, des chaussures décorées de la même boucle que celle qui retenait sa ceinture et un long manteau brun par-dessus une chemise beige.

– Sierra ? s'étonna le grand prêtre en la voyant approcher. La dernière fois que tu es venue jusqu'ici, tu n'étais qu'une enfant.

– Tu sais pourquoi j'ai évité de revenir au temple, rétorqua-t-elle en remarquant que sa longue barbe grise compensait maintenant la chute de ses cheveux.

– Parce que tu n'as pas la foi.

– Ce n'est nullement une question de foi, mais de discernement. J'ai cessé de croire aux paroles des prêtres quand j'ai compris qu'ils disaient n'importe quoi.

– C'est une grave accusation, commandante.

– C'est un fait, Antos. Tout ce que vous racontez au sujet des dieux est de la pure invention.

D'un geste, le corybante chassa les vestales.

– Entre tous les hommes, c'est nous que Viatla a choisis pour…

– Ne perds pas ton temps à essayer de m'endoctriner. Vous ne savez rien du tout, parce que la déesse n'a jamais parlé à qui que ce soit. Vous avez tout imaginé pour asseoir votre domination sur les pauvres gens.

– Si je comprends bien, tu as eu envie d'insulter quelqu'un aujourd'hui et tu as décidé que ce serait moi.

– En fait, je suis à la recherche de la vérité.

– Tu me traites de menteur, puis tu me demandes de t'instruire ?

– C'est le moment de mettre cartes sur table, Antos.

– Que désires-tu savoir que je ne t'ai pas déjà dit?

– On m'a enseigné l'histoire du monde céleste quand j'étais jeune, mais je pense qu'on ne m'a pas tout dit.

– Qu'est-ce qui te fait croire une chose pareille? Nos manuels contiennent toute la connaissance divine.

– Le sorcier Salocin nous a parlé d'une obscure prophétie dont ils ne font aucune mention.

– C'est donc ça… Combien de fois avons-nous mis la population en garde contre tout ce qui sort de la bouche des mages noirs? Ils mentent aux humains uniquement pour s'amuser. Ils n'ont que leur propre profit à cœur.

– On pourrait dire la même chose des prêtres, Antos. Au lieu de déclamer contre les sorciers, concentre-toi plutôt sur ma question.

Contrarié, le corybante invita tout de même la guerrière à s'asseoir sur l'une des chaises de la première rangée. Sierra n'en avait pas particulièrement envie, mais elle le fit pour accélérer les choses.

– Que sais-tu sur la prophétie qui prétend qu'un dieu ailé anéantira le panthéon actuel?

– C'est une vieille histoire sans fondement qui a inutilement fait paniquer les dieux. Nous ne savons même pas si ces créatures volantes ont vraiment existé.

– Si elles existent encore, tu veux dire, car Kimaati a déployé d'immenses efforts pour les éliminer.

– Ce n'est qu'une légende, une histoire pour faire peur aux enfants.

– Si tu ne veux pas m'éclairer, j'irai me renseigner ailleurs.

– Tu perdrais ton temps, Sierra.

– C'est ce que nous verrons. Merci pour rien, Antos.

La femme Chevalier quitta le temple en se disant qu'à la place de la haute-reine, elle abolirait ce culte ridicule qui coûtait une fortune à tous les royaumes et qui ne servait qu'à empoisonner l'esprit de ses sujets.

Elle remonta à cheval et traversa la forêt sans se presser. Il faisait froid, mais il ne pleuvait pas. Aussi bien en profiter.

Elle suivait le sentier sur le bord de la rivière lorsqu'elle aperçut un homme assis sur une grosse pierre, enveloppé dans un manteau noir. Que faisait-il sur les terres des mystagogues, aussi loin des villages? Il n'avait ni canne à pêche ni javelot pour prendre du poisson. En s'approchant, elle le reconnut.

– Salocin...

– Je suis flatté que tu te rappelles mon nom.

– Certaines personnes sont plus marquantes que d'autres. Que fais-tu si près du temple?

– Je profite des bienfaits de cette immense propriété que les monarques d'Antarès ont donnée aux prêtres. Leurs arbres produisent tellement de fruits qu'ils n'arrivent pas à tous les récolter et que la plupart finissent par pourrir sur le sol. Contrairement aux paysans superstitieux, je ne crains pas de venir jusqu'ici pour assurer ma subsistance.

– Les sorciers ne peuvent donc pas faire apparaître ce dont ils ont besoin?

– Parfois... pas toujours.

– Et tu te trouves par hasard sur ma route?

– Le hasard n'existe pas, ma chère.

– Donc, selon toi, il fallait que nous nous rencontrions aujourd'hui?

– L'univers agit de façon mystérieuse et ceux qui résistent à ses judicieux conseils ne vivent pas longtemps.

– Que veux-tu?

– Te réconforter, car il y a beaucoup de questions dans ton esprit.

– Me réconforter ? répéta Sierra, amusée. En fait, ces questions n'y seraient pas si tu n'avais pas osé t'aventurer dans le hall des Chevaliers pour nous parler de la prophétie.

– Ah… la prophétie. Laisse-moi deviner : le vieux hibou ne t'a pas du tout éclairée à son sujet.

– Ou bien il ne la connaît pas, ou bien il a choisi de se taire.

– Les mystagogues sont d'excellents acteurs, Sierra, mais c'est, à mon avis, leur seule qualité. Les premiers d'entre eux ont inventé les dogmes de leur religion, puis leurs successeurs n'ont eu qu'à les faire respecter. Aucun n'a jamais communiqué avec les dieux.

– Et les sorciers ?

– Bien sûr que oui, car ils nous ont créés.

La commandante plissa le front, songeuse.

– Tu erres dans la région depuis de longues années, fit-elle. Pourquoi nous apparaître maintenant ?

– J'aurais pu rester caché dans la forêt pendant plusieurs siècles encore sans jamais vous importuner, mais le monde va bientôt changer et si les sorciers n'interviennent pas, les horribles monstres des falaises envahiront ce continent. Ils le saccageront et rendront notre vie infernale.

– Mais la prophétie parle plutôt d'une bataille entre les dieux, pas entre les humains et les Aculéos.

– Tu as raison. Toutefois, ce conflit finira par vous atteindre et s'il en vient à vous distraire de votre véritable rôle, les hommes-scorpions en profiteront.

– Sais-tu d'où viennent ces monstres et pourquoi ils s'entêtent à descendre de leurs falaises depuis des années ?

– Ce sont de pauvres créatures déchues que les dieux ont rejetées dans la neige. Il est normal qu'elles cherchent à améliorer leur sort.

– Elles tuent les humains !

– Nous suivons tous notre propre instinct…

Sierra fit un effort pour contenir sa colère.

– Je ne vois toujours pas comment nous pourrions être impliqués dans les affaires des panthéons, laissa-t-elle tomber.

– S'il est vrai que les hommes n'ont pas accès à la cité divine, le contraire n'est pas vrai.

– Les dieux pourraient donc semer la destruction à Alnilam ?

– Achéron et ses brutes bovines ne reculeront devant rien pour éliminer leurs rivaux.

– Et nous ne pourrons rien faire pour les en empêcher ?

– L'avenir est encore nébuleux, mais il semble contenir une lueur d'espoir.

– J'ai besoin d'en savoir davantage.

– Dès que la brume se dissipera devant les étoiles, je reviendrai.

Salocin inclina respectueusement la tête et disparut. Sierra continua en direction de la forteresse en faisant rejouer cette conversation dans sa tête. «Nous arrivons à peine à nous protéger des Aculéos», songea-t-elle. «Comment pourrions-nous échapper à la puissance des dieux? Peut-être qu'Ilo a raison, après tout. Nous devrions partir à la recherche de nouvelles terres.»

Mackenzie remarqua son humeur chagrine lorsqu'elle revint finalement à l'écurie.

– S'est-il produit un malheur ? s'inquiéta le garçon.

– Pas encore, petit, mais ne crains rien. Nous sommes là pour protéger le continent.

Elle lui ébouriffa les cheveux en s'efforçant de sourire et lui abandonna sa jument. Elle venait à peine de mettre le pied dans le vestibule du palais qu'Ilo venait à sa rencontre.

– Où étais-tu ?

– Je pourrais te poser la même question, répliqua Sierra en lui opposant un air de défi.

– J'ai joué à des jeux de table avec mes amis toute la nuit.

– Pour ma part, j'ai eu besoin de galoper dans la campagne.

– As-tu faim?

– Je mangerais un bœuf, fit-elle en imitant Baenrhée.

Ilo lui prit la main et l'entraîna jusqu'au hall, où les Chevaliers commençaient à arriver par petits groupes, les yeux encore à moitié fermés. L'Eltanien isola sa maîtresse des autres et fit signe aux serviteurs de leur apporter quelques plats.

– Alors, je ne suis pas la seule à qui tu fais des confidences? laissa-t-elle tomber en étalant du beurre sur une tranche de pain. Thydrus m'a dit que tes révélations sur les dieux ailés l'avaient aidé à écrire de nouveaux poèmes.

– Je ne lui ai rien dit que tu ne sais déjà. Non seulement il existe bel et bien une prophétie annonçant la fin des dieux animaux, mais apparemment, ce monde aurait dû être gouverné par ces dieux ailés.

– Cela aurait-il changé quelque chose pour nous?

– On dit que ces créatures volantes se soucient de leurs semblables et qu'elles ont toujours vécu en paix, même après le terrible massacre qui les a presque toutes fait disparaître.

– C'est trop beau pour être vrai. Es-tu certain que ce n'était pas un livre de contes pour enfants?

– Je sais faire la différence entre un conteur et un historien, tout de même! s'offusqua Ilo.

– Je te taquine, bel Eltanien. Tu sais bien que je suis de nature sceptique.

– Oh que oui.

– Si Salocin dit vrai, nous saurons bien assez vite de quoi il en retourne, car ces dieux vont bientôt se manifester.

– Il me tarde de voir ça.

Rassérénée, Sierra l'embrassa sur les lèvres pour l'apaiser et attaqua son repas avec appétit.

LE NAUFRAGÉ

Allongé sur son lit, Wellan n'arrêtait pas de refaire jouer dans son esprit les moments qui avaient précédé sa chute dans le monde parallèle. Il revoyait sans cesse le visage effrayé de Nemeroff tandis qu'il était aspiré par le vortex. «Il venait de sauver la petite Obsidia...» Convaincu qu'ils auraient dû atterrir dans les mêmes parages, Wellan n'avait cessé d'appeler le Roi d'Émeraude par télépathie depuis qu'il s'était réveillé dans son cachot. Jusqu'à présent, il n'avait reçu aucune réponse de sa part.

« Étant donné que je suis tombé dans le tourbillon quelques secondes après lui, il s'est peut-être retrouvé plus loin», conclut Wellan. Le déclic métallique de la clé dans la serrure mit fin à ses pensées. Il se redressa lorsque Sierra entra dans la cellule. Elle portait un pantalon, des bottes et un chemisier noir qui donnait de l'éclat à ses cheveux blonds.

– Tes origines m'obsèdent, déclara-t-elle sans même le saluer. Ton monde parallèle, pourquoi existe-t-il ?

– C'est une excellente question et malheureusement, seuls les dieux fondateurs en connaissent la réponse. Nous ne pouvons que faire des spéculations sur le sujet. En passant, merci pour le cahier. C'est un cadeau précieux.

– J'ai pensé que ça t'aiderait à passer le temps.

Elle prit place sur la chaise, songeuse.

– Il est donc possible qu'il existe une multitude de mondes…

– Et autant de panthéons et d'humains pour les servir.

Sierra retroussa mécaniquement sa manche droite et Wellan aperçut le bandage sur son bras.

– Me permettriez-vous d'examiner cette blessure ?

– Tu es médecin en plus d'être commandant de guerre ?

– Je suis bien des choses.

La jeune femme hésita un moment, puis se dit qu'elle n'avait rien à perdre. Elle hocha la tête pour lui donner la permission d'approcher et le laissa défaire le pansement. À son grand étonnement, au lieu d'utiliser ses yeux pour la regarder, l'étranger passa plutôt sa main au-dessus de la plaie.

– On dirait que les muscles ont été sectionnés, diagnostiqua-t-il.

– Tu le devines à l'œil nu ?

– Il s'agit plutôt d'intuition. Comment est-ce arrivé ?

– Une pince d'Aculéos. Je me suis montrée trop téméraire.

– Une pince de quoi ?

– Nos ennemis sont des hommes-scorpions.

– Charmant... Tout compte fait, je préférais les hommes-scarabées qui n'avaient que des griffes. Puis-je vous traiter ?

– Je pourrais sans doute me procurer quelques instruments chirurgicaux, mais avant, j'aimerais voir tes diplômes de médecine.

– Ça n'existe pas, dans mon monde.

De la lumière jaillit de la paume de Wellan et réchauffa instantanément le bras de la guerrière. Effrayée, elle repoussa violemment le prisonnier de sa main valide et bondit de sa chaise.

– Tu n'es qu'un sorcier ! hurla-t-elle en reculant vers la porte de la cellule.

– Non. Je suis un magicien et ce n'est pas du tout la même chose. Contrairement aux mages noirs, j'utilise mes pouvoirs pour faire le bien. Je vous en prie, revenez vous asseoir. Je n'ai pas terminé.

Sierra jeta un œil à son bras et constata avec stupeur qu'il était beaucoup moins enflé.

– Faites-moi confiance, insista Wellan.

– Pourquoi fais-tu ça pour moi ?

– Pour vous montrer ma bonne volonté… et parce que je ne veux pas passer le reste de mon existence dans ce cachot. Je suis bourré de talents qui pourraient vous être utiles.

La femme Chevalier se redonna une contenance et revint bravement vers lui.

– Vous ne sentirez rien, assura-t-il.

– Je n'ai pas peur de la douleur.

– Je n'en doute pas une seconde, parce que ce bras doit vous faire très mal et que vous ne le laissez pas paraître.

Sierra surveilla attentivement le travail de l'étranger. Il plaça doucement sa main au-dessus de la plaie et l'inonda une fois de plus d'une lumière blanche qui produisait une bienfaisante chaleur.

– Qu'est-ce que ça fait et d'où ça vient ?

– Cette puissante énergie existe en chacun de nous, au milieu de notre corps. C'est notre volonté qui la fait remonter jusque dans nos paumes lorsque nous en avons besoin. Tout à l'heure, j'ai utilisé ma main pour sonder votre bras, et maintenant, j'utilise mon énergie pour réunir les muscles, relier les vaisseaux sanguins et réparer la peau.

– Vraiment ? lança-t-elle, incrédule.

– Je ne suis pas médecin, mais j'ai des talents de guérisseur.

– Ça n'existe pas, dans mon monde, répliqua-t-elle en l'imitant.

– Dans le mien, tous mes soldats possédaient des pouvoirs magiques.

– Je devrais faire preuve de prudence et ne pas croire un seul mot qui sort de ta bouche, mais je ne m'y résous pas.

– Parce que je suis digne de confiance. Voilà, votre bras est guéri.

À sa grande surprise, Sierra parvint à mouvoir son bras droit sans aucune difficulté.

– Je reviens tout de suite, annonça-t-elle en se précipitant vers la porte de la cellule, que le geôlier s'empressa de lui ouvrir.

Elle grimpa l'escalier quatre à quatre et courut jusqu'au bâtiment médical. Lorsqu'elle s'arrêta à l'accueil, elle était à bout de souffle.

– J'ai besoin d'une scanographie.

– Laisse-moi voir si c'est possible aujourd'hui.

– Trouve-moi un technicien immédiatement. C'est un ordre.

Impressionnée par le regard autoritaire de Sierra, l'infirmière consulta son écran et finit par appeler un jeune interne, même s'il était en pause. Puis elle conduisit la guerrière dans la salle où se trouvait l'imposante machine qui permettait aux médecins de voir à l'intérieur du corps. Le jeune homme arriva quelques secondes plus tard. Sierra avait déjà placé son bras dans l'ouverture.

– Qu'est-ce que tu attends ? s'impatienta Sierra.

– Surtout, ne bouge pas.

Il alla se cacher derrière un paravent en plomb et fit une photo en trois dimensions.

– Le médecin te fera appeler demain pour discuter des résultats de son analyse.

– Montre-moi la photo.

– Je ne possède pas suffisamment de compétences pour l'interpréter.

L'expression de la femme Chevalier lui fit comprendre qu'elle ne partirait pas sans avoir obtenu ce qu'elle voulait. Il alla donc développer l'épreuve et revint quelques minutes plus tard avec un petit cube qu'il inséra dans la fente d'une autre machine. La scanographie apparut à l'écran.

– Je n'y vois pourtant rien d'anormal… murmura-t-il.

Il se retourna, mais Sierra n'était déjà plus là. Elle n'avait jamais cru aux miracles, mais ce qu'elle venait de constater sur la photo n'avait aucun sens. Elle sortit dans la grande cour et trouva exactement ce qu'elle cherchait : certains de ses compagnons qui n'avaient pas abusé de l'alcool s'affrontaient en combats amicaux. Elle sortit l'épée du fourreau d'Innokenti et la mania pendant plusieurs secondes sans éprouver la moindre douleur. Sans mot dire, elle redonna l'arme au jeune homme et repartit en direction du palais.

Les gardes eurent tout juste le temps de se ranger sur le côté pour la laisser passer. Sierra dévala l'escalier et retourna dans la cellule de Wellan.

– Si tu me trahis, je n'hésiterai pas à te tuer, l'avertit-elle.

– Je ne suis pas un homme dangereux.

– Après ce que tu viens d'accomplir, laisse-moi en douter.

– C'est ce que n'importe quel Chevalier d'Émeraude ferait pour un compagnon d'armes blessé. C'est un réflexe, chez moi.

– Je vais te libérer de cette cellule, mais tu n'en demeureras pas moins mon prisonnier. Je te ferai installer dans une chambre confortable, mais tu ne seras pas libre d'aller où tu veux. Enfin, pas tant que je n'aurai pas décidé que tu ne représentes pas un danger pour Alnilam.

– Je vous donne ma parole, sur mon honneur de Chevalier, que je me comporterai de façon exemplaire.

– Une dernière chose, avant que nous sortions d'ici : les adultes ne vouvoient que les souverains, compris ?

– Compris.

Elle fit signe au geôlier d'ouvrir la porte et conduisit Wellan jusqu'à l'escalier. Il le grimpa en se demandant pourquoi il lui semblait si familier… Ce n'est qu'une fois dans le vestibule, lorsqu'il constata que l'entrée de la prison se trouvait sous le grand escalier, qu'il comprit pourquoi. « À Émeraude, il donnait dans les cryptes », se rappela-t-il. Il marcha aux côtés de Sierra dans un interminable couloir éclairé par des lampes torchères, sauf qu'au lieu de contenir des flammes, elles renfermaient des filaments incandescents qui projetaient de la lumière.

– Tu n'as jamais vu d'ampoules ? s'étonna Sierra.

– Non, jamais.

– De quelle façon vous éclairez-vous ?

– À l'aide de flambeaux et de bougies.

– C'est primitif, salissant et toxique pour les poumons.

– Comment fonctionnent ces ampoules ?

– Je ne suis pas ingénieur, alors tu devras attendre d'en rencontrer un pour contenter ta curiosité. Tout ce que je peux te montrer, c'est comment les allumer.

Sierra s'arrêta entre deux tableaux agrémentés de rouages et de morceaux de métal collés dans la peinture. Ceux-ci ne représentaient rien que Wellan pouvait reconnaître. La guerrière lui pointa une petite plaque murale au milieu de laquelle ressortait un petit cube. Elle appuya dessus et toutes les ampoules d'une section du couloir s'éteignirent en même temps. Elle pressa de nouveau sur l'interrupteur et elles se rallumèrent.

– Si ce n'est pas de la magie, alors je ne sais pas ce que c'est, fit Wellan, décontenancé.

– C'est de l'électricité, une autre invention que tu découvriras plus tard.

Elle se remit à marcher, sans cacher son amusement devant le trouble de Wellan. Elle n'arrivait tout simplement pas à comprendre comment il avait pu vivre sans ampoules ni appareils électriques.

– Suis-je le seul étranger que vous avez capturé récemment ? demanda soudain Wellan.

– Oui. Pourquoi ?

– Je suis tombé dans le vortex en tentant de sauver le roi d'Émeraude. Il s'y est engouffré quelques secondes avant moi.

– Nous n'avons trouvé que toi.

– Pourrai-je partir à sa recherche quand vous me ferez suffisamment confiance ?

– Je viens de te dire que nous ne vouvoyons que les membres de la famille royale.

– Pardonne-moi.

– Je préfère que tu ne te déplaces pas seul. Tu ne connais pas la géographie de mon pays et encore moins nos mœurs.

– J'apprends très vite.

– Ton compatriote a pu tomber n'importe où, autant à l'autre bout du continent que, pire encore, chez les Aculéos.

– Peu importe où il s'est écrasé, mes pouvoirs m'aideront à le retrouver.

– Laisse-moi d'abord envoyer des missives à tous les royaumes pour m'en informer. D'ici là, tu devras me promettre de ne pas quitter cette forteresse.

– Je n'en ferai rien sans ta permission.

Ils aboutirent enfin au hall des Chevaliers. Sierra se demanda comment son prisonnier réagirait en présence de milliers de soldats de son monde à elle.

Une force étonnante émanait de ce géant blond qui marchait près d'elle. Ses guerriers la ressentiraient-ils aussi ? « S'il a vraiment mené sa propre armée, il devrait bien s'en tirer », se rassura-t-elle.

En franchissant le seuil de la salle, Wellan s'immobilisa en écarquillant les yeux : elle était cent fois plus grande que le hall qu'il avait toujours connu ! « Cette salle est aussi vaste que tout le Château d'Émeraude ! » s'étonna-t-il.

– Que se passe-t-il ? s'inquiéta Sierra.

– Tout est démesuré, dans ton monde… souffla-t-il.

– N'avais-tu pas à peu près le même nombre d'hommes sous tes ordres ?

– Certainement pas. Nous n'étions que deux cents.

Sierra n'en revenait pas. Comment aussi peu de soldats avaient-ils pu vaincre Amecareth ? Elle n'eut cependant pas le temps de lui exprimer sa stupéfaction.

– Tu as déjà commencé le recrutement ? s'exclama Alésia, qui ne reconnaissait pas celui qui se tenait près de la commandante.

Pour se faire entendre de toute l'assemblée, Sierra fit signe à un serviteur de lui apporter un micro. Wellan observa l'objet cylindrique qu'on tendit à la jeune femme en se demandant à quoi il pouvait bien servir, jusqu'à ce qu'elle l'approche de ses lèvres.

– Chevaliers, j'ai quelque chose à vous dire.

Wellan sursauta et se retourna pour voir d'où venait la voix amplifiée de Sierra. Dans le hall, le silence se fit petit à petit.

– Cet homme s'appelle Wellan d'Émeraude. Il a été trouvé par des patrouilleurs sur nos terres. C'est un naufragé en provenance d'un autre monde.

– Est-ce qu'on peut le garder ? se réjouit Trébréka en sautillant sur place.

– Pour l'instant, son statut est celui d'un prisonnier et il est sous ma surveillance.

Ilo déposa violemment son bock sur la table, mais Sierra ne vit pas qui avait fait ce geste de protestation.

– Où dormira-t-il ? s'informa Sybariss, la belle séductrice des Salamandres.

– Dans une chambre du palais dont je conserverai la clé. Il mangera près de moi, ce soir, et comme vous pouvez l'imaginer, il ne pourra pas répondre à toutes vos questions en une seule journée. Alors, ménagez-le un peu. Merci.

Sierra se débarrassa du micro et entraîna Wellan jusqu'à la première table où elle aperçut deux places libres côte à côte. Le prisonnier se retrouva donc assis près de Pavlek et devant Nienna et Cyréna. Les jeunes femmes ne se gênèrent pas pour examiner le nouveau venu avec intérêt.

– Si tu es un naufragé, comme le prétend Sierra, fit Pavlek, ça veut dire que tu es arrivé ici par accident ?

– Exactement, affirma Wellan en imitant la commandante, qui se servait dans les plats. Je suis tombé dans un tourbillon d'énergie qui m'a rejeté ici.

– Est-ce que tu es marié ? voulut savoir Nienna.

– Non.

– Ton cœur appartient sûrement à une femme, fit Cyréna, qui ne pouvait pas comprendre qu'un aussi bel homme soit célibataire.

– Mon travail m'a empêché de faire des racines.

– Quel était-il ? s'enquit Pavlek.

Sierra mangea en supervisant discrètement l'interrogatoire. Elle ne viendrait en aide à Wellan que si ses soldats dépassaient les bornes.

– Je parcourais des terres inconnues pour en étudier la géographie, l'histoire et la façon de vivre des peuples qui les habitent.

– Tu feras la même chose avec nous ? s'enthousiasma Nienna.

– Nous avons des foules de choses à t'apprendre, ajouta Cyréna.

Le visage d'une autre jeune femme se glissa entre les deux Chevaliers. Elle avait de longs cheveux blond vénitien, un visage de poupée de porcelaine et de grands yeux qui n'étaient pas de la même couleur.

– *Elle* veut savoir si tu as peur, chuchota-t-elle.

– Elle ? répéta Wellan, car il ne comprenait pas de qui elle parlait.

– C'est ainsi que Massilia fait référence à elle-même, expliqua Sierra. C'est une de mes plus redoutables guerrières, mais elle n'est pas toute là mentalement, si tu vois ce que je veux dire.

– La guerre finit par rendre fous même les plus forts d'entre nous, précisa Pavlek.

– *Elle* veut savoir, insista Massilia, qui ne semblait pas se rendre compte de ce qu'on disait d'elle.

– Non, je n'ai pas peur. Je sais qu'on ne me veut pas de mal, ici.

– C'est bien. *Elle* est rassurée.

Massilia disparut aussi abruptement qu'elle était arrivée.

– Ils ont tous un petit côté très intéressant, chuchota Sierra à l'oreille de Wellan.

Les assiettes étaient encore à moitié pleines que la fête commença. Les Manticores se mirent à verser des gouttes d'un alcool rouge plutôt gluant dans les verres à partir de petits tonneaux.

– N'en bois pas, fit la commandante à l'intention de son prisonnier. C'est du sang d'homme-scorpion, une puissante drogue qui rend euphorique pendant quelques heures. Mais puisque tu viens d'ailleurs, il est impossible de dire l'effet qu'il aurait sur toi.

Lorsque la musique éclata dans le hall, Wellan tressaillit.

– Mais qu'est-ce que c'est que ça ? paniqua-t-il.

– Viens. Je vais te montrer.

Elle prit Wellan par la main et le conduisit à l'autre bout du hall. C'est alors qu'il aperçut les musiciens sur la scène. L'un d'eux frappait comme un déchaîné sur une série de tambours de tailles variées, tandis que les trois autres grattaient les cordes d'instruments qui se rapprochaient de la harpe, mais qui se jouaient d'une façon totalement différente. Étourdi par la force des haut-parleurs qui propageaient le fruit de leurs efforts, Wellan se boucha les oreilles. Sierra comprit qu'il en avait assez vu et entendu pour l'instant. Elle le saisit par le bras et le ramena dans le couloir.

– Ne me dis pas qu'il n'y a pas de musique dans ton monde, se découragea-t-elle.

– Bien sûr qu'il y en a, mais jamais aussi assourdissante.

– C'est vraiment fascinant.

Elle le fit entrer dans une pièce exiguë et appuya sur un bouton. La nouvelle prison de Wellan se trouvait au huitième étage. À cette hauteur, même si elle possédait un balcon, il ne pourrait pas l'utiliser pour s'échapper.

– Le plancher bouge…

– C'est un ascensum, lui dit Sierra. Il nous permet de nous déplacer plus rapidement vers les étages supérieurs.

Émerveillé, Wellan n'arrivait plus à prononcer un seul mot. Sa nouvelle geôlière le mena à sa chambre, dont elle lui ouvrit la porte. Il y entra sans la moindre appréhension.

– À toi d'en découvrir toutes les commodités.

Il y avait en effet plusieurs appareils étranges encastrés dans les murs, mais le lit lui sembla normal. Ce qui retint le plus son attention, ce fut le secrétaire près de la fenêtre.

– Je te conseille de prendre une douche et de te reposer. Je vais te faire apporter ton cahier et tes plumes.

– Une douche?

– Vous ne vous lavez pas, dans ton monde? le taquina Sierra.

– Nous possédons des thermes et des rivières.

– Viens, je vais te montrer.

Elle le fit entrer dans la salle de bain équipée d'une toilette, d'un lavabo et d'un espace derrière un panneau de matière transparente et dure où pendait du plafond un pommeau percé d'une multitude de petits trous.

– Commençons par les robinets.

Elle lui en fit une démonstration d'abord dans le lavabo.

– À droite, c'est l'eau froide et à gauche, l'eau chaude. L'eau sort par le bec. Tu n'as qu'à tourner lentement les poignées. C'est la même chose dans la douche. Amuse-toi bien.

Incapable de se retenir plus longtemps, Sierra s'empressa de quitter la chambre et éclata de rire dès qu'elle en eut refermé la porte. Elle tourna la clé dans la serrure et la glissa dans son bustier.

UN NOUVEL APPRENTI

Après s'être assurée que les gardiens qui patrouillaient les étages du palais disposaient d'une clé supplémentaire de la chambre de Wellan, Sierra se dirigea vers la sienne. Elle n'avait pas du tout l'énergie de danser et de s'éclater jusqu'au milieu de la nuit. Elle commençait à peine à se déshabiller lorsque la porte claqua derrière elle. Elle fit volte-face.

– Il y a dans cette forteresse des gens dont le seul travail consiste à surveiller les prisonniers! explosa Ilo en s'avançant vers elle.

– C'est vrai, acquiesça Sierra, qui s'efforçait de demeurer calme. Mais j'ai décidé de m'occuper moi-même de Wellan.

– Pourquoi?

– Savais-tu que le bout de tes oreilles rougit lorsque tu es jaloux?

– Je ne suis pas jaloux!

– Alors, explique-moi pourquoi tu cries comme ça.

Ilo se mit à arpenter la pièce devant sa maîtresse.

– Je suis sûr que c'est une ruse des Aculéos!

– Une ruse?

– Ils ont choisi ce mystérieux étranger pour s'infiltrer dans nos rangs et pour nous espionner.

– Ressaisis-toi tout de suite ou je t'envoie réfléchir ailleurs, cette nuit.

Le Chevalier s'arrêta net devant Sierra.

– Tu ne dois pas te sentir menacé par Wellan, l'avertit-elle. À force de le questionner, j'ai finalement compris qu'il n'appartient pas à notre univers et je peux t'assurer qu'il n'a pas été corrompu par les hommes-scorpions.

– Que comptes-tu faire de lui ?

– Je n'en sais rien encore… Continuer à l'observer, sans doute, pour en apprendre davantage à son sujet. J'aimerais l'aider à retourner chez lui, mais j'ignore comment.

– Tu n'éprouves donc aucune attirance pour lui ?

– Ilo… Combien de fois devrai-je te dire que je suis avec toi parce que tu me laisses libre de faire ce dont j'ai envie ?

– Réponds à ma question.

– Wellan m'attire autant qu'un chiot abandonné qui serait venu pleurer à ma porte. Je prends soin de lui et je cherche sa famille.

– Tu te moques de moi ! se fâcha le jeune homme.

– Est-ce que tu as bu du dholoblood, par hasard ?

– À peine…

– Tu sais pourtant ce qui arrive aux Eltaniens qui en consomment. Il a pratiquement fallu décoller Éka du plafond la seule fois qu'elle en a bu. Ce jour-là, tu as juré que…

– … je n'y toucherais jamais. Pardonne-moi.

– Ça explique au moins pourquoi tu agis de façon aussi déraisonnable.

Elle le poussa doucement jusqu'au lit, l'y fit coucher et s'assit près de lui.

– C'est la raison pour laquelle tu as laissé les Manticores en verser dans ton bock qui m'inquiète, car l'alcool ne devrait jamais servir à nous faire oublier nos problèmes.

– J'ai mis du temps à gagner ton cœur, murmura Ilo, les paupières de plus en plus lourdes.

– Eh bien, laisse-moi te dire que tu ne le garderas pas longtemps si tu t'entêtes à piquer de pareilles crises de jalousie.

– Je ne peux pas me permettre de te perdre…

Il sombra dans le sommeil, laissant Sierra perplexe quant à ses derniers mots. Puis, elle se rappela que le sang d'homme-scorpion provoquait parfois des hallucinations et décida de ne pas s'en formaliser. Elle s'allongea près de lui et ferma les yeux.

Le lendemain, Ilo ronflait encore lorsque la jeune femme se réveilla. Elle alla donc se laver et s'habiller, puis descendit chez le mercier du palais, qui venait tout juste d'ouvrir sa boutique. Elle choisit des vêtements pour son prisonnier avant de grimper à sa chambre. Elle fit tourner la clé dans la serrure et frappa quelques coups par politesse avant d'ouvrir la porte. Wellan était sur le balcon. Il ne portait que sa longue tunique étrange et il respirait l'air de l'extérieur à pleins poumons.

– Bon matin, Wellan.

Il se retourna en lui offrant son plus beau sourire, tandis qu'elle s'approchait du lit pour y déposer ses achats.

– Je t'ai apporté une tenue qui te permettra de passer un peu plus inaperçu parmi nous, ajouta-t-elle.

– C'est vraiment très gentil.

– Et je suis venue te chercher pour le déjeuner. Alors, habille-toi en vitesse.

Il s'empara des vêtements et fila dans la salle de bain.

– Si tu as besoin d'explications, je peux t'aider.

– Merci, mais je crois que ça ira.

Quand il revint finalement vers elle, sa ressemblance avec Audax était encore plus frappante. Sans s'en rendre compte, Sierra avait choisi pour lui exactement ce qu'aurait porté le défunt chef des Chevaliers: une chemise blanche, une veste rayée brun et or, un pantalon brun et des bottes en cuir de la même couleur.

– Tout me va à merveille, lui fit remarquer Wellan. On dirait que tu as pris mes mensurations pendant mon sommeil.

– Prêt à affronter mes compagnons d'armes encore une fois?

– Avec joie.

« Il n'est pas aussi tourmenté qu'Audax, cependant », observa Sierra. De toute façon, elle ne croyait pas à la réincarnation. Ils entrèrent dans l'ascensum et elle le laissa presser le bouton du rez-de-chaussée.

– Est-ce que ce sont des hommes qui tirent sur les câbles pour faire monter et descendre cette cabine? demanda innocemment Wellan.

Sierra mit sa main sur sa bouche pour ne pas s'esclaffer. Elle n'avait pas eu autant de plaisir depuis des lustres.

– Pardonne mon ignorance…

– Tes questions sont normales, s'il est vrai que tu viens d'un univers sans aucune technologie, répondit-elle pour le rassurer. Alors, c'est décidé, ce matin, je vais te présenter l'inventeur et te laisser le bombarder de questions.

Ils remontèrent le long couloir qui menait au hall des Chevaliers. Wellan se fit un devoir de mémoriser le chemin qu'ils empruntaient.

– Hier, tu m'as dit que vous n'étiez que deux cents lorsque vous avez gagné votre guerre contre toute une nation de scarabées géants. Est-ce exact?

– C'est la vérité, et c'est sûrement pour ça que la guerre a duré plus de quarante ans. Mais tu ne dois pas oublier que, contrairement à tes soldats, les miens possédaient tous des pouvoirs magiques.

– Je ne peux même pas imaginer comment on peut s'en servir pour se battre.

– Je t'en ferai la démonstration quand le moment s'y prêtera.

C'est alors que Camryn apparut à l'autre bout du couloir, transportant un gros pichet d'eau.

En apercevant Wellan, elle voulut faire demi-tour, mais Sierra l'avait déjà vue.

– Approche, Camryn, je vais te présenter ce prisonnier que tu voulais absolument rencontrer.

Puisqu'elle souhaitait devenir un jour Chevalier, l'adolescente ne pouvait pas se permettre de prendre la fuite. Il lui fallait affronter Sierra et lui avouer sa désobéissance.

– Wellan, voici une jeune demoiselle qui rêve de devenir soldat, même si je préférerais qu'elle reste en sécurité au palais et qu'elle mène une vie normale.

– Enchanté de faire ta connaissance, Camryn, fit le géant blond en feignant de ne l'avoir jamais vue auparavant.

Comprenant qu'il ne voulait pas la mettre dans l'embarras auprès de la commandante, l'adolescente exécuta une courte révérence en faisant bien attention de ne pas renverser son eau.

– Sierra a raison, poursuivit Wellan. Le devoir des Chevaliers, c'est de débarrasser leur patrie de la menace ennemie afin que les générations suivantes vivent dans la paix et la sérénité. Grâce à eux, tu connaîtras sans doute une existence fort différente de la leur.

– Je sais que vous avez raison, mais je voudrais quand même contribuer à débarrasser Alnilam de ses ennemis.

– Nous en reparlerons quand tu auras quelques années de plus, jeune fille, trancha Sierra.

– Oui, bien sûr. Je vous souhaite une bonne journée.

Une autre courbette et la petite servante se dépêcha de poursuivre sa route.

– On dirait que tu as l'habitude de parler aux enfants, fit remarquer Sierra tandis qu'elle entrait dans le hall avec son prisonnier.

Il ne s'y trouvait qu'une partie de la foule que Wellan avait affrontée la veille et le calme qui y régnait le réconforta. Il s'assit près de Sierra, devant Samara et Tanégrad des Manticores, qui écoutaient les propos d'Iakim des Salamandres sur les progrès que réaliseraient les Chevaliers l'année suivante.

– Il se prend pour un prophète, chuchota Samara.

Cette jeune femme avait une longue chevelure brune dont la pointe était rouge feu.

– Je ne fais que m'appuyer sur des statistiques, se défendit Iakim.

Ce guerrier portait ses cheveux châtains coiffés en une multitude de petites tresses serrées sur son crâne jusqu'à ses oreilles, où elles étaient attachées par de petites lanières en matière synthétique. Le reste de ses boucles descendait librement jusqu'au milieu de son dos.

– Et on lui faisait justement remarquer qu'on ne gagne pas une guerre avec des chiffres, ajouta Tanégrad sans plaisanter.

La Manticore aux longs cheveux blond roux et aux yeux bleus perçants observait l'étranger sans cacher son déplaisir de le voir assis auprès de la grande commandante. «Après tout, elles ne me connaissent pas», se dit Wellan. Pendant tout le repas, il s'efforça de ne pas contrarier davantage les guerrières. Il s'intéressa à leur conversation sans s'en mêler et suivit sa geôlière dès qu'il eut terminé son assiette.

Sierra conduisit Wellan au laboratoire et s'amusa devant sa mine étonnée. Il pivotait presque à tous les pas pour regarder autour de lui. Il ne faisait aucun doute qu'il ignorait complètement à quoi servaient tous les appareils sur lesquels il posait les yeux. Un homme vêtu de façon impeccable s'approcha des visiteurs.

– Est-ce un nouvel apprenti que je vois là? se réjouit Odranoel.

Il ne donna pas le temps à Sierra de répondre:

– Un inventeur, un ingénieur ou un technicien?

– En fait, je ne connais la signification d'aucun de ces mots, avoua le nouveau venu.

– Odranoel, je te présente Wellan, un soldat qui vient de très loin. Je te le confie pour la matinée. Montre-lui ce que tu fais et réponds à ses questions, mais ne l'expose à aucun danger, compris ?

– Ça va de soi, commandante.

Convaincue que la curiosité de son prisonnier l'empêcherait de prendre le large, Sierra abandonna Wellan sous la surveillance du savant. En sortant du laboratoire, elle s'arrêta net en trouvant Ilo devant elle.

– Comment arrives-tu toujours à me retrouver ? s'exclama-t-elle.

– Ton parfum… Ne sais-tu pas que les Eltaniens sont les meilleurs pisteurs au monde ?

– Ou c'est Cercika qui te dit où je suis.

– Je ne crois pas qu'on puisse prédire l'avenir de façon aussi précise.

– Si tu veux me suivre, libre à toi. Je dois aller voir si les recrues ont commencé à arriver.

Elle contourna Ilo, qui la saisit aussitôt par son bras droit.

– Tu ne cries pas de douleur ? s'étonna-t-il.

Il remonta la manche de sa maîtresse et n'y trouva aucune plaie, à sa grande surprise.

– C'est guéri, se contenta de répondre Sierra.

– En quelques jours à peine ?

– Ne crois-tu pas aux miracles ?

Elle se dégagea et poursuivit son chemin jusqu'aux portes qui donnaient sur l'immense cour du château. Plusieurs Chevaliers s'affrontaient en combats amicaux, mais Sierra ne distingua aucun nouveau visage parmi eux.

La féroce Baenrhée des Manticores s'approcha d'elle. Mince comme un fil mais musclée comme ses frères d'armes, elle portait ses longs cheveux platine en une longue natte dans son dos lorsqu'elle se battait.

— Pas encore de recrues ?

— Rien du tout, répondit Baenrhée. Peut-être qu'il n'en viendra pas, cette année.

— Avec ces nuages de pluie à l'ouest, elles ont sans doute été retardées.

— Parle-moi plutôt de l'étranger que tu promènes en laisse.

— Ce n'est pas un espion, contrairement à ce que j'ai d'abord pensé. Ce n'est qu'un homme qui s'est égaré entre deux mondes.

— Et tu comptes le reconduire chez lui avant la fin du répit ?

— Même si je le voulais, je ne le pourrais pas. Je ne sais pas comment on passe d'un univers à un autre. Alors, en attendant de trouver la façon de lui faire faire le chemin inverse, la vie poursuivra son cours à Antarès.

— Contente de l'entendre, commandante.

Baenrhée donna une puissante claque dans le dos de Sierra pour lui manifester son enthousiasme.

— Sait-il se battre ?

— Sans doute, puisqu'il a dirigé, lui aussi, une armée de Chevaliers.

— Me laisseras-tu le mettre à l'épreuve ?

— Chaque chose en son temps, Baenrhée.

Sierra continua en direction du bâtiment de la garde royale. Elle voulait vérifier si elle avait reçu des communications des autres royaumes quant au nombre de jeunes gens qu'ils avaient accepté de céder à Antarès pour la guerre.

Pendant ce temps, Wellan visitait toutes les salles du laboratoire en écoutant attentivement les commentaires d'Odranoel. Il ne comprenait pas grand-chose au fonctionnement des machines que lui expliquait sommairement le savant, mais il s'intéressa aux plans de ses dernières inventions. «Un bateau qui se déplace dans les airs?» s'étonna-t-il. «Une arme capable de cracher le feu à la place des mains?» Jamais personne à Enkidiev, et encore moins à Enlilkisar, n'avait envisagé de telles possibilités. Le monde de Sierra ne connaissait pas la magie, mais il compensait par ce qu'elle appelait la technologie.

– As-tu des questions? lui demanda finalement Odranoel.

– J'en ai un millier, mais pour le moment, j'aimerais surtout venir en aide aux Chevaliers d'Antarès, si c'est possible, bien sûr. Vous avez un si grand nombre de projets.

– As-tu des diplômes scientifiques?

– Non, mais il y a certainement quelque chose de simple que je peux faire dans le laboratoire pour aider les humains à gagner cette guerre. Je n'ai jamais eu de difficulté à lire les cartes géographiques, alors j'imagine que j'arriverais à interpréter un plan.

– Hum…

– Tout ce que je désire, c'est me rendre utile tandis que je suis retenu ici.

– Je ne vois pas vraiment quelles tâches je pourrais te confier. Cependant, je suis disposé à t'initier à la thermodynamique, si ça t'intéresse.

Wellan arqua les sourcils, inquiet.

– C'est la branche de la physique qui étudie tous les phénomènes dans lesquels interviennent les échanges thermiques.

– Les échanges de chaleur, donc?

– Exactement. Certaines réactions produisent une énergie qui peut être libérée sous forme électrique.

– Je ne comprends pas tout ce que tu me dis, avoua Wellan, mais je ferai l'impossible pour parler la même langue que toi d'ici quelques semaines.

– J'aime bien ton attitude, jeune homme, fit l'inventeur, amusé. Viens, je vais t'enseigner les premiers principes de l'entropie.

Wellan n'avait aucune idée de ce que ce pouvait être, mais il voulait l'apprendre. Il suivit donc Odranoel dans la pièce suivante, où se trouvaient des tables, des chaises et un nombre considérable de livres sur des étagères en métal.

L'INDÉSIRABLE

La visite impromptue de Sierra avait considérablement troublé le grand prêtre de Viatla. Le sorcier Salocin n'aurait jamais dû lui parler de cette prophétie que les prêtres avaient enterrée. Afin de maintenir sa domination sur les dévots, Antos avait choisi de ne pas leur révéler tout ce qu'il savait sur les dieux. « Il est préférable qu'ils ignorent ce qui se passe vraiment, car le désespoir pourrait les pousser à s'enlever la vie », grommela-t-il intérieurement. « Depuis des centaines d'années, nous les protégeons contre leur propre stupidité. » Malheureusement, il y avait de plus en plus de fidèles insatisfaits, dont la commandante des Chevaliers d'Antarès faisait partie, qui ne voulaient plus croire ce que leur enseignaient les mystagogues.

Antos se doutait que des membres de son clergé étaient responsables de cette fuite d'information, car depuis la création du culte de Viatla, ils étaient les uniques détenteurs de la vérité. Eux seuls connaissaient l'histoire des dieux ailés. Il devrait découvrir rapidement ceux qui avaient trop parlé et les faire taire sans détruire le fragile équilibre de leur institution.

Le grand prêtre quitta la salle de prière et traversa le temple en empruntant un étroit couloir dont l'un des murs était percé d'une multitude de vitraux. Ils représentaient les dieux du panthéon d'Achéron tels que des artistes inspirés les avaient imaginés au fil des siècles. On pouvait y voir le dieu-rhinocéros lui-même, sa femme Viatla et tous leurs enfants dans des scènes de leur vie quotidienne. Étant donné que personne n'avait jamais vu la cité céleste, les décors imitaient ceux des châteaux d'Alnilam.

Ce jour-là, Antos n'était pas d'humeur à contempler les vitraux. Il se rendit tout droit à son manoir, relié au temple par ce corridor qu'il remontait à grands pas. Tout au bout, il poussa la porte et entra dans le vestibule, qui baignait dans une apaisante lumière bleuâtre. Sans s'y attarder, il passa entre les deux escaliers en forme de fer à cheval et déboucha dans le salon. Il le traversa et s'enferma dans la bibliothèque tout au fond.

Il s'empara de la manette en cuivre qui reposait sur le guéridon au centre de la pièce et appuya sur le premier bouton. Aussitôt, les étagères pivotèrent, révélant douze écrans circulaires ressemblant à des hublots. Ils prirent un à un une lueur dorée jusqu'à ce que les représentants des grands temples de chaque royaume y apparaissent. Un seul écran demeura inerte, car les Eltaniens refusaient de se plier à la religion d'Alnilam.

– Pourquoi nous convoques-tu d'urgence, vénérable Antos ? s'inquiéta Azbu d'Arcturus.

– Il semble que les secrets de notre culte aient été communiqués à des gens du peuple.

– Trahison ! s'exclama Mercoul de Koshobé.

– Qu'attends-tu de nous ? s'enquit Ardat de Markab.

– Je veux savoir qui a rompu son serment de confidentialité, exigea Antos.

– Te rends-tu compte, au moins, que cette faute grave s'est peut-être produite il y a des centaines d'années ? lui fit remarquer Asag d'Altaïr.

– J'en suis conscient, mais je veux connaître la vérité.

– Cela pourrait nécessiter un certain temps, soupira Ennugi de Mirach.

– Alors, je vous conseille de vous y mettre tout de suite. Que Viatla vous assiste.

Ils penchèrent la tête en signe de respect et Antos appuya sur un autre bouton de la manette pour éteindre les écrans et remettre la pièce dans son état initial. Il se rendit à un autre appareil, qui lui servait à communiquer avec ses nombreux serviteurs, et demanda à deux d'entre eux de venir le rencontrer dans la bibliothèque. Quelques minutes plus tard, Razi et Tabatha se présentaient devant lui. Les deux Antaressois, qui travaillaient à la forteresse, venaient au temple une journée par semaine pour nettoyer la salle de prière. Le couple comptait parmi ses plus dévoués fidèles.

– J'ai une mission pour vous, leur dit Antos.

– Nous nous en acquitterons avec joie, affirma Razi.

– J'ai tout lieu de croire que la commandante Sierra d'Antarès me cache quelque chose d'important.

– La commandante? s'étonnèrent les serviteurs.

– Elle sait des choses qu'elle ne devrait pas savoir au sujet des dogmes les plus occultes de notre foi et je veux savoir d'où elle tient ces informations. Votre rôle sera de me fournir un rapport de son emploi du temps et des gens qu'elle fréquente. Surtout, ne lui parlez pas.

– Il en sera fait selon vos désirs, vénérable Antos.

Dès que le couple fut parti, le grand prêtre se versa un verre de whisky et le vida d'un seul trait. Il tourna en rond pendant un moment, puis retourna dans la salle principale du temple pour prier la déesse-hippopotame. Il s'agenouilla sur le siège bas au dossier terminé en accoudoir et se recueillit.

– Ô Viatla, que je sers avec ferveur depuis mon ordination, entends mes paroles. Le lien de confiance que nous avons toujours entretenu avec vos brebis s'effrite et je ne sais que faire pour sauver votre culte.

– Mais que vois-je? Un prêtre terrifié? lança une voix moqueuse.

Antos fit volte-face, regrettant de ne pas avoir glissé son poignard dans son bas ce matin-là. Il trouva devant lui le sorcier Salocin, qui avait retourné une chaise et y était assis à califourchon.

– Comment oses-tu entrer ici ?

– Il est écrit à la porte que ce temple est ouvert à tous.

– Pas aux mages noirs !

– J'ai relu l'écriteau trois fois et je n'ai vu cette exception nulle part.

– Sors d'ici, démon !

– Quelle impolitesse. Si tu venais chez moi, tu y serais beaucoup mieux accueilli.

Le visage d'Antos était si cramoisi que Salocin se demanda s'il allait exploser.

– Que veux-tu, sorcier ?

– J'ai ressenti ta peur et j'ai accouru pour voir ce qui te menaçait.

– Ton sarcasme n'a d'égal que ton effronterie ! Personne n'intimide le grand prêtre de Viatla !

– Garde ton sermon pour tes ouailles, Antos. J'ai entendu ce que tu disais à ta grosse déesse. Alors ses petites brebis vont brouter dans d'autres pâturages, c'est bien ça ?

Le prêtre poussa un cri de rage en se précipitant sur le sorcier, mais celui-ci disparut au moment même où il atteignait sa chaise.

– Moi, je pense que la situation est plus grave que ce que tu tentes de faire croire à ta déesse, poursuivit Salocin.

Antos se retourna et vit que le mage noir était appuyé sur les larges pattes de la statue de Viatla.

– Sacrilège ! Tu n'as pas le droit de te tenir de ce côté de l'autel !

– Arrête ta comédie et ouvre plutôt tes oreilles.

– Ton mépris de la foi causera ta perte, sorcier.

– J'ai une exclusivité pour toi, mystagogue : nous sommes tous libres de croire ce que nous voulons. As-tu déjà rencontré cette déesse que tu adores ? Moi, oui.

Antos garda un silence coupable.

– Tu enseignes des paroles qu'elle n'a jamais prononcées.

– Quitte ces lieux sacrés avant que je te fasse jeter dehors.

Salocin éclata d'un grand rire qui se répercuta dans toute la salle.

– Tu es hilarant, Antos, lui dit-il en se calmant. Tu sais bien que tu n'as aucun pouvoir sur moi. Au lieu de te formaliser de tout, écoute plutôt ce que j'ai à te dire.

– Aucune parole sortant de ta bouche ne m'intéresse.

– Permets-moi d'en douter. Je sais d'où est venue cette fuite qui t'épouvante tant.

– Tu écoutes aux portes ?

– Étrangement, les sorciers et les prêtres ont les mêmes aspirations.

– Impossible !

– Vous désirez raffermir votre mainmise sur les hommes et nous voulons conserver notre liberté. Or, pour cela, les choses ne doivent pas changer sur le continent.

– De quoi parles-tu ?

– Achéron et ce qu'il reste de sa famille doivent continuer à ignorer ce qui se passe sur Alnilam et les dieux ailés doivent rester bien tranquilles dans le monde qu'ils se sont rebâti. Notre but commun est de nous assurer que la prophétie ne se réalise pas. Sommes-nous au moins d'accord là-dessus ?

– Qui en a parlé aux humains ?

– Un novice qui s'appelait Spéraré, lorsqu'il est tombé amoureux d'une servante d'un prêtre d'Einath.

– Mais comment le sais-tu ?

– Ne perdez pas de temps à faire des recherches, il est mort depuis fort longtemps, mais ses révélations, elles, se sont répétées d'une génération à l'autre. Certains pensent que ce ne sont que des légendes, mais d'autres savent que ce qu'on leur révèle dans vos temples n'est qu'une partie de la réalité. Tuons le poussin dans l'œuf, Antos. Renforce ton autorité sur les hommes. Je me charge des dieux.

Salocin disparut dans une explosion de fumée. Antos vit alors qu'il avait dessiné une moustache sur le museau de la statue. Dans tous ses états, il hurla pour que ses serviteurs viennent l'effacer.

Mort de rire, le sorcier dirigea ses pas vers la forteresse d'Antarès. Même s'il préférait la magie à la science, il s'intéressait tout de même aux récents progrès de l'inventeur. Il réapparut donc sur le balcon qui dominait la grande pièce où Odranoel s'affairait à dessiner toutes sortes d'engins qui n'avaient jamais fonctionné.

Il trouva le savant en compagnie d'un autre homme, qui, curieusement, n'était pas un de ses apprentis. Son énergie n'appartenait même pas à cet univers. «Comme c'est intéressant», se dit-il en prêtant l'oreille à leurs propos. L'étranger était assis devant une grosse ampoule allumée, qu'il fixait avec fascination.

– La lumière est créée par le dispositif inséré dans la boule de verre, expliquait Odranoel. Sur le culot métallique, deux points de contact permettent le passage du courant électrique.

– Et à l'intérieur?

– L'ampoule est remplie d'un gaz inerte et d'un filament métallique dans lequel passe le courant. Ce qui produit de la lumière, c'est l'électricité qui le chauffe à blanc. Il est généralement en tungstène, le métal qui a le point de fusion le plus élevé. C'est pour cette raison que le verre devient si chaud. Le filament étant extrêmement mince, il finit par se fragiliser et se rompre au bout d'un millier d'heures d'utilisation.

– Mais qui a pensé à une chose pareille?

– Un inventeur comme moi. Je vais aller voir si les apprentis ont terminé les préparatifs pour les nouveaux essais des balles de parabellum. Tâche de ne pas te brûler.

– Je serai prudent.

Odranoel venait de franchir la porte quand Salocin se transporta en bas du balcon, à deux pas de Wellan.

– Es-tu un sorcier ? demanda-t-il sans détour à l'étranger.

Wellan, qui s'était cru seul, sursauta.

– Pas du tout, répondit-il en se retournant. Qui le demande ?

– Je m'appelle Salocin et moi, j'en suis un. Je possède donc la faculté de sentir l'énergie magique des choses et des gens.

– Et moi, je m'appelle Wellan, et je suis magicien.

– C'est pareil.

– Pas d'où je viens. Les sorciers utilisent leurs facultés de façon cruelle et égoïste, tandis que les magiciens les mettent au service du bien commun.

– Alors, j'ai bien peur qu'il n'y ait que des sorciers à Alnilam. La notion d'altruisme n'existe plus sur ce continent depuis longtemps. Ici, c'est chacun pour soi. D'où viens-tu ? Tu n'es certainement pas originaire de ce monde ni de la cité céleste.

– J'appartiens en effet à un univers parallèle. C'est tout à fait contre mon gré que j'ai abouti dans le vôtre. Parle-moi des sorciers.

– Il n'y en a plus qu'une poignée.

En passant la main devant l'ampoule, Salocin en changea la lumière du jaune au bleu.

– Nous avons séparé ce continent en quatre et nous vivons chacun sur notre territoire. Si Achéron retrouve l'un de nous, il ne pourra pas mettre automatiquement la main sur les autres.

– Que me veux-tu ?

– Je désirais uniquement me présenter et devenir ton allié dans ce monde qui n'est pas le tien.

– Un allié ? Contre qui ?

Wellan entendit des pas pressés et se tourna vers la porte qu'Odranoel s'apprêtait à franchir. Il vit alors disparaître Salocin du coin de l'œil.

– Nous sommes prêts à faire un essai avec le parabellum. Ça t'intéresse ?

– Oui, bien sûr… à condition qu'on m'explique le fonctionnement de la machine.

– Qu'est-il arrivé à mon ampoule ?

– Ce n'est pas normal qu'elle devienne bleue ? fit Wellan, qui ne désirait pas lui parler du sorcier.

– Pas du tout, mais je l'examinerai plus tard.

Il emmena Wellan derrière une épaisse fenêtre de la section du laboratoire où il effectuait ses expériences les plus dangereuses. Les apprentis se massèrent derrière eux. Le parabellum était fixé sur un étau vissé à une table au centre de la pièce et un astucieux système de lanières permettait de presser sur la détente à partir de l'abri protégé.

– J'ai inventé plusieurs prototypes de balles. Nous allons déterminer laquelle convient le mieux au parabellum, commenta Odranoel. Voici la première.

Il abaissa un levier qui exerça une pression sur la cordelette en cuir. Le coup partit avec une explosion de fumée.

– Que vient-il de se passer ?

– De deux choses l'une, répondit le savant. Ou bien la balle a explosé dans le canon, ou bien elle a atteint sa cible. Il est impossible de le savoir à partir d'ici.

Odranoel se fit ouvrir l'épaisse porte blindée tandis que ses assistants actionnaient la soufflerie pour dissiper la fumée.

– Par tous les dieux ! s'exclama joyeusement l'inventeur. Nous avons un vainqueur !

La balle s'était en effet logée dans le panneau capitonné à quelques mètres de l'étau.

– Combien de projectiles ce parabellum peut-il tirer à la fois? s'enquit Wellan, curieux.

– Un seul, pour l'instant, mais j'ai eu l'idée de fabriquer un chargeur qui en ferait remonter plusieurs dans la culasse.

– Si je comprends bien, ce sera une arme d'assaut.

– Quand elle sera au point, elle pourra servir à tuer un ennemi à la fois et, lorsqu'elle sera munie d'un chargeur, peut-être une dizaine en quelques secondes, si le tireur est habile. Mais ma plus grande invention sera une mistraille qui pourra projeter des centaines de balles en quelques secondes seulement.

Wellan ne pouvait même pas imaginer à quoi cela pouvait ressembler.

– Il y a encore beaucoup de travail à faire, mais j'y arriverai.

– Et ces idées apparaissent d'elles-mêmes dans ton esprit?

– Oui, surtout en pleine nuit. Je vois les plans détaillés de toutes sortes de mécanismes sur de grandes feuilles blanches et je m'efforce de les reproduire aussi rapidement que possible dès mon réveil. C'est pour cette raison que je dors au laboratoire, désormais, car les rêves s'effaçaient pendant le trajet entre mes appartements et ma table de travail.

– C'est incroyable.

– Tu n'as jamais eu d'inspiration? se désola Odranoel.

– Je me suis déjà réveillé avec des idées de stratégies, mais rien de comparable à ce que tu vois en songe, c'est certain.

– À chacun son métier, j'imagine.

– Mais personne n'exerce le tien, dans mon monde. Quelques-unes de vos inventions, comme la douche et les toilettes, seraient fort appréciées chez moi.

– Procédons à l'essai des autres balles, si tu le veux bien.

– Oui, je veux voir ça.

Ils retournèrent se poster derrière la vitre pendant que les apprentis chargeaient de nouveau le parabellum refroidi.

RIEN NE SE PERD

Lorsque Sierra alla récupérer Wellan au laboratoire, elle s'égaya de l'entendre lui vanter les merveilleux talents d'Odranoel et n'eut pas le cœur de préciser qu'il n'avait pas inventé tout ce que contenait le château. Il avait eu de nombreux prédécesseurs.

– Depuis combien de temps cette forteresse existe-t-elle? demanda Wellan.

– Des centaines d'années.

– Les savants y travaillaient-ils déjà à cette époque?

– Au début, ils étaient surtout concentrés sur l'île de Markab. Pour une raison dont personne ne se souvient, ils ont quitté leur patrie pour aller mettre leurs talents au service des autres pays.

– Qu'ont-ils créé en premier?

– Des barrages produisant de l'électricité, puis ils sont venus en aide aux mineurs en imaginant une nouvelle façon de transporter le minerai: le locomotivus, un énorme véhicule se déplaçant sur des rails d'acier. Il peut traîner un grand nombre de chariots à l'intérieur des mines, pour ensuite les acheminer aux installations de transformation.

– Et qui tire le locomotivus?

– Personne. Il est mû par son propre moteur. À l'origine, celui-ci était alimenté par du charbon, mais c'était très polluant, alors les savants ont commencé à le remplacer par des moteurs à l'énergie solaire.

– Je ne comprends pas la moitié des mots que tu utilises, avoua-t-il, découragé.

– Pardonne-moi. J'ai tendance à oublier que tu n'es pas d'ici, surtout depuis que tu t'habilles comme nous.

Ils entrèrent dans le hall, où le repas était déjà servi. Cette fois, Wellan se retrouva assis entre Napoldée et Sierra, en face de Pergame et de Daggar. Les deux hommes le dévisagèrent sans la moindre gêne. Ils ne semblaient pas particulièrement sympathiques.

– Tu ne cours aucun danger, lui murmura Napoldée. Ils ne sont pas armés, ce soir.

La guerrière avait une chevelure bicolore : le dessus de sa tête était blond platine alors que les mèches qui poussaient en dessous de ses oreilles étaient brunes. Il était difficile de voir la couleur de ses yeux, puisqu'elle les gardait baissés sur son assiette. Sierra prit la relève :

– Wellan, je te présente Napoldée, la timide. Elle appartient au groupe des Salamandres. Ne te fie pas aux apparences, elle est terrible au combat. Voici également Pergame, le tordu, de la même division que Napoldée, et Daggar, l'impitoyable, des Manticores.

– Madame, messieurs, je suis enchanté de faire votre connaissance.

Les Chevaliers ne répondirent que par un grognement.

– Combien y a-t-il de divisions ? s'enquit Wellan.

– Il y en a quatre, puisque quatre royaumes s'étendent au pied des falaises sur lesquelles vivent les Aculéos, expliqua Sierra. Chaque groupe patrouille un territoire qu'il apprend à connaître et à utiliser à son avantage. Il a aussi sa propre façon de combattre l'ennemi. Les Chimères sont les plus stratégiques.

Tout en se régalant de bœuf rôti, de haricots et de petites pommes de terre, Wellan écoutait attentivement ses explications.

– Elles utilisent des éclaireurs pour connaître la position de l'ennemi et préparent soigneusement leurs attaques ou leurs ripostes. Elles sont postées à Antarès, sous le commandement d'Ilo. Les Basilics sont nos Chevaliers les plus furtifs. Ils préfèrent mener une guerre silencieuse et surprendre les Aculéos avant qu'ils réussissent à s'approcher des villes du nord de Hadar.

– Ce sont les meilleurs ! lança Trébréka en passant derrière eux.

– C'est Chésemteh qui les dirige, poursuivit Sierra. Tu n'as pas encore eu l'occasion de la rencontrer, mais ça viendra.

– Tu as aussi parlé de Salamandres et de Manticores, il me semble.

– Les Salamandres surveillent le Royaume d'Altaïr, complètement au nord-est. Cette division est composée de guerriers qui n'ont pas froid aux yeux. Ils utilisent surtout des techniques destinées à effrayer l'ennemi.

Napoldée et Pergame levèrent le poing droit dans les airs pour montrer qu'ils étaient d'accord.

– Ils n'utilisent aucune tactique militaire et, après avoir tenté de leur faire peur à l'aide d'une danse intimidante et des grimaces, ils foncent sur les hommes-scorpions dès qu'ils les aperçoivent. Les Manticores font à peu près la même chose, sauf qu'elles hurlent de tous leurs poumons en se lançant à l'assaut. L'effet de surprise joue souvent en leur faveur.

– Tu appartiens à quel groupe ?

– Je faisais partie des Chimères avant de devenir la commandante de tout l'Ordre. Maintenant, je me déplace entre les garnisons et je me bats occasionnellement, si j'arrive au milieu d'une invasion.

– Pendant tes déplacements, tu dois être accompagnée de quelques Chevaliers, tout de même.

– Non. Il m'est plus facile de passer inaperçue quand je voyage seule.

– Elle est très brave! fit Trébréka en repassant en sens inverse.

– En parcourant le nord du continent, de l'océan occidental jusqu'à la grande rivière de l'Est, je suis en mesure de dresser un tableau plutôt complet des efforts des Aculéos chaque année. Ils ne sont pas très futés, mais il leur arrive parfois de changer leur stratégie d'invasion. Toi, comment t'y prenais-tu?

– Les débarquements sur mon continent avaient lieu sur les plages de l'Ouest, puisque notre ennemi vivait de l'autre côté de l'océan et arrivait dans de grands bateaux. J'avais moi aussi divisé mes soldats entre les royaumes côtiers, mais je commandais un des groupes qui y étaient postés. J'avais également établi une rotation entre les royaumes afin de garder mes hommes alertes.

– Tu suivais les méthodes des commandants qui t'avaient précédé?

– Pas vraiment, puisqu'il n'y en avait eu qu'un seul avant moi et qu'il avait dû mener une guerre fort différente.

Baenrhée se faufila entre Pergame et Daggar, les repoussant rudement de chaque côté.

– Sais-tu te battre? s'enquit-elle.

– Je l'ai déjà su.

– Ici, tu n'auras pas le choix.

– Baenrhée, laisse-le manger, l'avertit Sierra.

– D'accord, mais après, il sera à moi.

Puisque cette belliqueuse guerrière aimait faire des menaces à tout le monde, la commandante ne s'en inquiéta pas. Toutefois, après le repas, lorsque les Chevaliers eurent repoussé les tables contre les murs pour danser, Baenrhée poussa le cri de guerre que les Manticores connaissaient bien.

Elle se planta au milieu de l'espace ainsi créé et leva son épée au-dessus de sa tête.

– Que le protégé de Sierra nous montre ce qu'il sait faire ! ajouta-t-elle d'une voix puissante.

Sierra se tourna aussitôt vers Wellan.

– Tu n'es pas obligé d'accepter, lui dit-elle.

– Si je refuse, je ne serai jamais pris au sérieux, ici, répliqua-t-il.

– J'espère que tu possèdes de bons réflexes, car Baenrhée est féroce.

Wellan se leva.

– Avec joie ! annonça-t-il en se levant.

Les applaudissements fusèrent dans le hall. Des paris furent aussitôt pris entre les Chevaliers et, curieusement, certains étaient persuadés que Wellan pouvait l'emporter. Ce dernier se faufila entre les soldats pour finalement se planter devant Baenrhée. Locrès, qui était le plus attentif des Basilics, n'avait rien perdu de qui se déroulait. Il s'approcha de Wellan et lui tendit sa propre épée.

– Merci…

– Moi, c'est Locrès.

Wellan soupesa l'épée. Elle était beaucoup plus légère que celles qu'il avait utilisées durant l'invasion des Tanieths. Il réchauffa son bras en effectuant quelques mouvements en cercle de chaque côté de son corps, puis se campa sur ses pieds. Le sourire de son adversaire lui rappela le rictus d'un grand chat de Rubis découvrant ses crocs. Ces Chevaliers ne possédaient pas de pouvoirs magiques, alors ils se devaient d'être très habiles avec leurs armes afin de survivre.

Baenrhée chargea la première. Les lames se heurtèrent avec violence, mais le bras de Wellan était puissant et il encaissa le coup sans fléchir. Il laissa la Manticore le frapper de tous côtés, se contentant d'abord de bloquer ses attaques, ce qui lui permettait d'étudier sa façon de se battre. Sierra se tenait tout près, prête à intervenir, car Baenrhée avait l'habitude de s'emporter quand elle se battait en duel. Wellan n'était pas un homme-scorpion, mais il était très grand, ce qui obligeait la jeune femme à porter ses coups à bout de bras. Se sentant faiblir, elle tenta plutôt de faucher les jambes du géant blond, mais il fit un bond prodigieux pour éviter sa lame et, en retombant, donna un violent coup de pied sur l'épée de Baenrhée, qui vola plus loin.

Contrariée d'avoir été vaincue, la jeune femme recula en respirant bruyamment, cherchant dans la foule une autre arme qu'elle pourrait utiliser. Wellan continua de la surveiller. S'il avait compris une chose en l'affrontant, c'était qu'elle était imprévisible.

– Maintenant, on sait qu'il est capable de se défendre! lâcha Locrès pour détendre l'atmosphère.

– Bel effort, Baenrhée! la félicita Apollonia.

– Il n'est pas seulement beau et grand, il sait se battre! s'exclama Sybariss.

Wellan allait redonner l'épée à Locrès lorsqu'un autre combattant se présenta devant lui. Il était davantage de sa taille, mais tout aussi mince que sa sœur d'armes. Ses épaules, par contre, étaient musclées.

– Voyons maintenant ce que tu pourras faire contre moi, fit-il. Je suis Samos des Basilics.

« Les furtifs », se rappela Wellan. Il comprit tout de suite ce que Sierra avait tenté de lui expliquer lorsque le jeune homme au large sourire et aux yeux bleus étincelants se mit à tourner autour de lui en utilisant davantage les feintes que les coups droits pour tenter de déjouer sa garde. Wellan dut faire abstraction de tout ce qui se passait autour de lui pour ne pas perdre sa lame de vue, mais malgré toute sa vigilance,

Samos parvint à le toucher sur le flanc gauche avec le plat de son épée.

– Tu l'as eu! s'exclama Cyréna en applaudissant.

– Toutes mes félicitations, fit Wellan en essuyant la sueur sur son front du revers de sa manche.

– Maintenant, c'est certain qu'on le garde! ajouta Trébréka en sautillant.

– Sais-tu aussi te défendre avec un poignard? lui demanda un jeune homme aux longs cheveux noirs en sortant de la foule.

– Ilo, non, intervint Sierra en se plaçant entre Wellan et lui. Il a déjà affronté deux adversaires. C'est assez pour ce soir.

– Apportez-lui à boire! exigea Samos.

Antalya déposa un bock dans la main de Wellan.

– Tu l'as bien mérité, étranger.

Et sans plus de façons, elle l'embrassa sur la joue. Étonné par son geste, il n'osa plus bouger. Sierra allait le prendre par le bras pour le ramener vers les tables lorsque Dholovirah gambada jusqu'à lui.

– J'ai un petit cadeau pour toi!

Sierra plaça immédiatement la main sur la chope de bière pour empêcher la Manticore d'y verser du sang d'homme-scorpion.

– Attends au moins qu'il se soit habitué à notre alcool, Dholo, l'avertit-elle amicalement.

– Oui, tu as raison. Ça pourrait lui faire exploser la cervelle. Suivant!

Elle transporta son petit baril jusqu'à une table où on la réclamait. Wellan suivit Sierra dans un coin et s'assit près d'elle.

– Tu sembles désorienté chaque fois que nous entrons ici, remarqua-t-elle.

– C'est très différent de l'atmosphère qui régnait dans le hall de mes Chevaliers, avoua-t-il.

– Tes soldats étaient-ils plus ou moins disciplinés ?

– Mille fois plus. Nous pouvions discuter à voix basse et arriver à nous entendre.

– Je pourrais exiger que mes soldats se calment, mais à mon avis, ils ont le droit de faire la fête tous les soirs pendant le répit, parce qu'ils sont sous tension nerveuse le reste de l'année. La vie en patrouille n'est pas très plaisante. Ils vivent dans la crainte de ne jamais revenir à la forteresse.

Trébréka se tira une chaise et s'installa entre Sierra et son prisonnier. Elle portait une jolie robe en dentelle écrue rehaussée d'un corset métallique aux reflets dorés et argentés. La jeune femme avait attaché une boucle noire dans ses longs cheveux roux.

– Éka, pourrais-tu t'occuper de notre invité pendant que je dis deux mots à Ilo ? fit la commandante.

– Avec le plus grand plaisir ! Je suis une hôtesse épatante !

Pendant que Sierra s'éloignait, Wellan remarqua les oreilles pointues à travers les mèches de la jeune Basilic.

– Es-tu une Elfe ?

– Qu'est-ce que c'est ?

– Une race d'hommes et de femmes sages et magiques. Ils sont blonds comme Sierra pour la plupart, mais leurs oreilles sont pointues comme les tiennes.

– Ici, il n'y a que les Eltaniens qui ont des oreilles pointues et ils ont les cheveux de toutes les couleurs. Moi, je suis rousse, mais Olbia est brune et Ilo a les cheveux noirs comme la nuit.

– Possédez-vous des facultés qui vous sont propres ?

– Nous entendons et nous voyons plus de choses que les autres habitants d'Alnilam. Nous ne vivons pas comme eux non plus. Nous n'aimons pas les villes, grandes ou petites, ni les immeubles à plusieurs étages. Nous habitons des maisons que nous construisons dans les branches des arbres géants, qui ne poussent qu'à Eltanine d'ailleurs.

– D'où êtes-vous arrivés ?

– Mais du ventre de notre mère, comme tout le monde.

Wellan fut incapable de réprimer un sourire devant la candeur de la rouquine.

– Êtes-vous originaires d'un pays lointain ?

– Oh ! Les Anciens prétendent que les Eltaniens sont arrivés de la mer il y a des milliers d'années… ou du ciel… je n'en suis plus certaine. Mais puisqu'ils n'ont rien écrit, personne ne sait si c'est vrai.

– Et c'est là que tu as grandi ?

– Pas dans le ciel ! s'exclama-t-elle en riant. Ma famille habitait une grande maison sur le bord de l'océan. C'étaient des gens respectés dans notre communauté. Je pouvais voir les vagues de la fenêtre de ma chambre. C'était si apaisant. J'étais la plus jeune des filles et la plus studieuse aussi. Je savais compter et réciter les plus beaux poèmes des aèdes. J'ai aussi appris à tisser, à coudre, à danser et à chanter. J'étais la petite princesse de mes parents.

– Mais qu'est-ce qui a bien pu se passer pour que tu changes à ce point ? lâcha Samos en prenant place devant eux.

– Je suis devenue un garçon manqué !

Trébréka sauta sur la table pour aller s'installer sur les genoux de son compagnon d'armes, assis de l'autre côté.

– Elle dit n'importe quoi, mais on l'aime quand même, avoua Samos à Wellan. Sur le champ de bataille, personne n'est plus efficace qu'elle dans notre division. Elle se transforme en fantôme et abat systématiquement tout ce qui se trouve devant elle avec ses flèches.

Wellan se demanda s'il verrait un jour ces redoutables guerriers à l'œuvre. Il jeta un œil dans le hall et aperçut Sierra qui s'entretenait plus loin avec Ilo.

– C'est son amoureux, lui expliqua Trébréka.

– Ils sont mariés ?

– Non, répondit Samos. Personne ne l'est dans l'armée. Nous préférons rester libres et disponibles, si tu vois ce que je veux dire.

– Alors, quel est le lien qui les unit ?

– La facilité ! répondit la rouquine.

– En fait, la commandante ne peut pas se permettre de coucher avec n'importe qui, précisa son compagnon, sinon elle ferait crever les autres de jalousie. Alors, elle en a choisi un seul.

Wellan vit que Sierra revenait vers eux. Son visage n'exprimait aucune émotion, il était donc impossible de savoir comment s'était terminée sa conversation avec son amant. Elle ouvrit la bouche pour parler, mais la musique éclata au même moment dans le hall, enterrant ses paroles. Elle dut alors faire signe à Wellan de la suivre. Il déposa sa bière et lui emboîta le pas.

– Y a-t-il un endroit où nous pourrions tout simplement boire du thé ? demanda-t-il à la commandante.

– Justement, j'en connais un.

Elle l'emmena dans les jardins intérieurs du palais et demanda à une servante de leur apporter cette boisson chaude que les Chevaliers ne buvaient en général que lorsqu'ils étaient sur le front. Ils prirent place dans une balancelle en métal cuivré agrémentée d'épais coussins rouge vin.

– Je pense avoir trouvé mon lieu préféré dans toute la forteresse, avoua-t-il.

– J'aime bien venir ici, moi aussi.

– Merci de me traiter avec autant de courtoisie, Sierra.

– Ce serait bien différent si tu étais un Aculéos, plaisanta-t-elle. Tu t'adaptes plutôt bien pour un étranger.

– Il y a encore beaucoup de choses que je ne comprends pas, surtout au laboratoire, mais je possède une grande facilité d'adaptation… au cas où nous ne trouverions jamais la façon de me retourner chez moi.

– Les vortex ne font pas partie de la liste des expériences d'Odranoel, mais je suis toujours à la recherche d'un vieux sage qui pourrait t'aider.

La servante leur apporta des tasses fumantes.

– J'ai eu un curieux visiteur, aujourd'hui, avoua Wellan à la femme Chevalier. Il dit être un sorcier.

– Salocin… Que voulait-il ?

– Devenir mon allié dans ton monde.

– Un allié contre qui ?

– Je le lui ai demandé, mais il a disparu sans me répondre.

– On nous a habitués à nous méfier des sorciers, Wellan, mais s'il veut te venir en aide contre les Aculéos ou contre les prêtres, c'est une bonne chose. S'il faisait référence aux Chevaliers d'Antarès, par contre, c'est moins bon.

– Il pourrait aussi m'aider à rentrer chez moi…

– Ce n'est pas impossible, mais je te recommande de rester sur tes gardes. Les sorciers aiment se payer la tête des humains.

Ils frappèrent leurs tasses l'une contre l'autre.

– Sous le ciel ! Sur la terre ! La ferveur au cœur ! s'exclama-t-elle.

Wellan arqua un sourcil.

– C'est notre cri de guerre, expliqua-t-elle, amusée. Vous n'en aviez pas ?

– Nous, c'était : courage, honneur et justice.

– J'aime bien aussi.

Ils sirotèrent leur thé en savourant la quiétude du jardin.

GAELLANS

À l'autre bout du continent, sur la côte d'Aludra, s'élevait une immense île rocheuse habitée uniquement par des milliers d'oiseaux. Personne ne les importunait, pas même pour la chasse, car il était impossible d'escalader les falaises abruptes de Gaellans, qui grimpaient droit vers le ciel. C'était également le refuge qu'avait choisi une colonie de Deusalas, ces dieux ailés qui tentaient d'échapper aux regards des humains.

Plusieurs années auparavant, une sanglante attaque des sorciers d'Achéron avait anéanti presque tous les habitants de Gaellans. Seule une centaine de cueilleurs avaient été épargnés, cette nuit-là, car ils étaient partis chercher de la nourriture sur le continent. Ils avaient découvert l'hécatombe à leur retour. Après une longue période de deuil, ils avaient décidé de jeter à la mer tous les nids qui se trouvaient du côté ouest de l'île et de s'établir dans les grottes qui ponctuaient les falaises de l'Est. Même en passant tout près de Gaellans, les marins ne pourraient pas voir leurs nouveaux logis.

Une fois installés dans les cavernes, les dieux ailés avaient élu un nouveau chef pour remplacer celui qui avait perdu la vie. Le Roi Sandjiv n'avait aucune expérience du pouvoir, mais c'était le plus vieux des Deusalas. Il faisait donc de son mieux pour diriger les siens. Même s'ils n'éprouvaient pas nécessairement d'attirance les uns pour les autres, les survivants avaient spontanément formé des couples pour assurer la perpétuation de leur race. Ils avaient eu des enfants et les avaient élevés dans la plus grande prudence, leur enseignant à se cacher des hommes qui risquaient de dénoncer leur présence aux prêtres de Viatla. Les plus âgés avaient recommencé à se rendre sur le continent sous le couvert de la nuit pour ravitailler la colonie en fruits et en légumes, et les adolescents attendaient impatiemment le moment de pouvoir les accompagner.

La vie suivit ainsi son cours, jour après jour, sans qu'il se passe quoi que ce soit d'exceptionnel. La plupart des Deusalas ne s'en plaignaient pas. Ils avaient assez souffert. Mais le jeune Kiev, qui venait d'avoir seize ans, s'ennuyait à mourir. Il aidait sa mère à garder leur caverne propre, prenait soin de ses jeunes sœurs Danéa et Catriona lorsque ses parents s'absentaient et il allait pêcher avec Avali, son père, au coucher du soleil. Alors, le matin où les guetteurs virent un projectile tomber du ciel et s'abîmer dans l'océan, Kiev se précipita derrière les adultes pour aller voir de quoi il s'agissait. De nombreux météorites frappaient Alnilam tous les ans. D'ailleurs, les forgerons humains les utilisaient pour fabriquer des épées fabuleuses. La plupart des Chevaliers d'Antarès s'en servaient pour faire la guerre à leurs ennemis.

Prudents, les hommes-oiseaux foncèrent vers l'endroit où l'objet s'était englouti. Ils se doutaient cependant qu'ils ne parviendraient pas à le récupérer s'il s'était abîmé dans les profondeurs. Lorsqu'ils arrivèrent enfin sur place, ils constatèrent que le météorite était tombé dans des récifs, anciens vestiges d'un volcan éteint depuis longtemps. Habituellement, la chaleur intense de ces roches en fusion provoquait de la vapeur quand elles frappaient l'eau. Cette fois-ci, rien du tout. Ils survolèrent le cratère sous-marin sans distinguer de mouvements inhabituels à la surface. Ils allaient rentrer à Gaellans lorsque Avali crut enfin apercevoir quelque chose.

– Attendez !

Il piqua vers les flots.

– C'est un humain !

Ses compatriotes le suivirent et constatèrent qu'il avait raison. Un homme gisait entre les pointes de roc, visiblement inconscient, peut-être même mort. Sa tête émergeait tandis que son corps était coincé dans les rochers.

Avali se posa près du malheureux et appuya le bout des doigts sur son cou.

– Il respire encore, annonça-t-il, ébahi. Et ce n'est certainement pas un humain ordinaire.

– Comment le sais-tu ? s'étonna Kiev.

– Il n'aurait jamais survécu à cet impact.

– Un autre dieu comme nous, alors ?

– Nous le saurons à son réveil.

Les Deusalas s'emparèrent des bras et des jambes du naufragé et le sortirent des flots. Puisque c'était Avali qui l'avait découvert, il fut conduit dans sa grotte. Ils le déposèrent dans le nid de son fils Kiev et lui ôtèrent ses vêtements déchirés. La peau du pauvre homme était couverte de coupures et d'ecchymoses.

– Les humains ne tombent pas du ciel, n'est-ce pas ? demanda l'adolescent, debout derrière les adultes.

– Non... Il a sans doute été largué dans l'océan, avança Vernon.

– Attendons plutôt que le blessé reprenne conscience avant d'inventer des histoires abracadabrantes, leur recommanda Avali.

– Qui le soignera ? demanda Tobin, le seul adolescent Deusalas dont la longue chevelure était rousse.

– Moi, déclara Alaina, la femme d'Avali, en s'approchant.

– Nous ne savons rien de la constitution de ces créatures, lui fit remarquer Wetzel.

– S'il est vrai qu'il semble humain, il émane de lui une énergie différente, affirma la déesse ailée. Mon intuition me dit qu'il ressemble davantage à notre peuple qu'à celui d'Alnilam.

– Tu avais raison, papa, lui dit Kiev.

– Il appartient peut-être aussi au panthéon du rhinocéros, s'inquiéta Tassi.

– Si c'est le cas, à mon avis, il en a été banni, plaisanta Wetzel.

– Pourrait-il y avoir d'autres Deusalas ailleurs dans le monde ? se réjouit Kiev.

– Ce n'est pas impossible, murmura Avali.

– Vous pouvez retourner à vos occupations, messieurs, fit Alaina. Je m'occupe du blessé.

Les hommes sortirent de la caverne et se laissèrent tomber dans le vide en ouvrant leurs ailes.

Avali se retrouva seul avec sa famille. Ses deux fillettes, sagement assises dans le nid de leur propre alcôve, avaient assisté à toute la scène en silence.

– Est-ce vraiment prudent de garder cet étranger ici ? demanda le père en apercevant la mine angoissée des petites.

– Personne sur Gaellans ne possède mon don de guérison, tu le sais bien. Une fois que je l'aurai remis sur pied, tu pourras faire ce que tu veux de lui.

– Entendu. Je te le confie pendant que je continue de pêcher. Tu viens, Kiev ?

– Non, refusa l'adolescent. Je veux rester avec maman.

– J'aurai en effet besoin de lui pour laver les innombrables plaies de notre protégé, approuva Alaina.

Avali tourna donc les talons et s'envola pour aller pêcher avec ses amis avant que le soleil disparaisse. Alaina demanda à son fils d'aller remplir un seau dans leur bassin alimenté en eau par une source souterraine. Puis, ensemble, ils nettoyèrent l'étranger.

– Il était à peu près temps qu'il se passe quelque chose par ici, lâcha Kiev.

– Parfois, il est préférable qu'il ne se passe rien, répliqua Alaina.

– Imagine tout ce que cet homme pourra nous apprendre sur son monde !

– Ton père n'a pas encore décidé s'il veut le sauver ou le jeter aux requins.

– Sans savoir qui il est ?

– Nous devons nous débarrasser de tout ce qui met notre refuge en péril, mon petit.

– Tu ne me dis pas tout ce que tu sais déjà à son sujet, n'est-ce pas ?

– Je suis de plus en plus convaincue que c'est un dieu, mais j'ai bien peur qu'il ait des liens avec ceux auxquels nous voulons à tout prix échapper.

– Et s'il était vraiment un Deusalas d'une autre colonie ?

– Il n'aurait certainement pas fait disparaître ses ailes en tombant dans le vide. Cela ne fait pas partie de nos réflexes. Je suis désolée, Kiev, mais même si son essence est divine, à mon avis, il n'est pas l'un des nôtres.

Dès qu'Alaina se mit à recouvrir les blessures du naufragé avec des algues qui dégageaient une odeur forte et déplaisante, Kiev, dont l'odorat était très sensible, décida d'aller prendre l'air. Étant donné qu'il n'avait pas envie d'aller pêcher avec les adultes, il vola jusqu'au plus haut promontoire du côté ouest de l'île et s'y assit pour se laisser caresser par le vent tiède de la fin du jour. À la tombée de la nuit, tous les dieux devaient rentrer chez eux, sauf les cueilleurs. Pour eux, c'était le moment de se mettre enfin au travail.

Kiev entendit un battement d'ailes, mais ne se retourna pas. Il savait qui approchait. La jeune Mikéla s'assit près de lui sans faire de bruit. Elle était toute menue, comme sa mère, la

Reine Haélara, mais aussi rusée que son père, le Roi Sandjiv. Ses yeux étaient de la même couleur que l'océan et ses longs cheveux châtains étaient parsemés de mèches plus pâles.

– Pourquoi n'es-tu pas à la pêche avec les autres ?

– Mon père a trouvé un homme inconscient dans les récifs du vieux cratère et j'ai aidé ma mère à le soigner, répondit-il en continuant de regarder au loin.

– Ah oui ?

– J'imagine qu'il ira annoncer la nouvelle à ton père avant le couvre-feu.

– Avez-vous réussi à établir son identité ?

– Non. Il n'est pas encore revenu à lui.

– Je ne me souviens pas que nous ayons déjà recueilli un blessé dans la colonie.

– Moi non plus, avoua Kiev.

Il plongea son regard dans celui de son amie.

– Qu'as-tu l'intention de faire de ta vie, Mikéla ?

– Mes parents s'attendent à ce que je me marie et que j'aie le plus d'enfants possible. Et toi ?

– Je sais que mon devoir serait de faire la même chose, mais je rêve de partir à l'aventure, de voir de nouveaux paysages, de rencontrer des humains, d'écouter ce qu'ils ont à dire…

– Tu connais pourtant nos lois, Kiev. Nous ne devons sous aucun prétexte révéler notre existence aux humains, car ils vénèrent Viatla. Nous sommes des parias à leurs yeux. Ils auraient tôt fait de nous dénoncer à leurs prêtres et d'autres sorciers arriveraient pour nous faire disparaître.

– Nous ne sommes plus qu'une centaine. Pourquoi nous craindraient-ils ?

Mikéla prit la main de l'adolescent.

– Moi, je suis heureuse d'en faire partie. Et puis, si un jour j'ai des enfants, j'aimerais bien que ce soit avec toi.

Les cris perçants des sentinelles signalèrent que le temps était venu pour les Deusalas de se mettre à l'abri pour la nuit. Les jeunes gens se levèrent afin de retourner chacun dans la maison de ses parents.

– Kiev, attends.

Elle l'embrassa sur les lèvres et prit son envol. Depuis que l'adolescent connaissait Mikéla, c'était la première fois qu'elle faisait un geste aussi tendre envers lui. «Elle essaie de me persuader de ne jamais quitter Gaellans», comprit-il.

Il s'élança de la falaise, effectuant des vrilles pour redescendre au niveau de l'entrée de la grotte familiale. Faisant disparaître ses ailes, il pénétra chez lui. Son père avait déposé sur la table tout ce qu'il avait attrapé: de petits poissons argentés, des huîtres et même quelques crevettes. Pour ne pas attirer l'attention des pêcheurs, les dieux ailés avaient cessé depuis longtemps d'allumer des feux et ils mangeaient leur nourriture crue. Kiev préférait de loin les fruits et les légumes à la chair des poissons, mais les cueilleurs venaient juste de quitter l'île. De temps à autre, il jetait un œil du côté du blessé qui reposait dans son nid.

– Se réveillera-t-il? demanda-t-il.

– Je crois que oui, affirma sa mère, mais je ne saurais te dire quand. Il s'est durement frappé la tête.

– Quand il reprendra ses esprits, j'aimerais bien que tu ne sois pas seule avec lui, dit Avali.

– Tu ne vas pas me demander de rester ici jusque-là? se troubla Kiev.

– Tu seras libre de sortir quand je serai à la maison, mais autrement, oui, c'est exactement ce que tu feras.

– Mais papa…

– Je sais que tu aimes passer du temps avec Mikéla et tes autres amis, mais tu viens d'avoir seize ans, Kiev. Tu dois commencer à te comporter davantage comme un adulte. Afin d'assurer la survie de notre race, nous devons tous nous serrer les coudes.

Ayant terminé son repas, Avali s'essuya les mains.

– Je vais m'absenter quelques minutes, car je dois avertir le roi de ce qui s'est passé aujourd'hui.

Kiev se doutait bien que Mikéla avait déjà répété ses paroles aux souverains, mais Avali était un homme qui tenait aux règlements. Il le suivit des yeux tandis qu'il quittait la table et rencontra le regard inquiet de sa mère.

– C'est normal d'être un brin rebelle quand on est jeune, Kiev, lui dit-elle, mais c'est très dangereux de le rester en vieillissant.

– Tu ne vas pas encore me raconter les histoires de Sappheiros et d'Océani… soupira-t-il.

– Jusqu'à ce que tu retiennes la leçon qu'elles renferment.

– Nous ne savons même pas ce qu'ils sont devenus !

– Ceux qui osent partir ne reviennent pas, mon enfant. Tu sais pourquoi ?

– Parce que les Deusalas sont pourchassés par tout ce qui respire et mis à mort sans pitié, marmonna-t-il, répétant ce qu'il avait entendu des centaines de fois depuis sa naissance. Pourrai-je au moins devenir cueilleur ?

– Quand tu seras plus vieux.

– Ravelin a mon âge et il les accompagne déjà !

– Il est moins téméraire que toi et il ne rêve pas d'évasion.

– Moi non plus ! Je rêve d'aventures, pas d'évasion !

– Alors, nous en reparlerons lorsque tu en auras moins envie.

Les deux fillettes suivaient leur conversation avec intérêt, mais n'osaient pas s'en mêler.

– Quand tu auras des enfants, tu deviendras plus responsable, ajouta Alaina.

Kiev ne répliqua pas, pour mettre un terme à cette conversation qui, encore une fois, n'irait nulle part. Il aida sa mère à jeter les restes de leur repas à la mer, où ils feraient les délices des prédateurs marins, puis alla s'asseoir près du blessé pendant que les dernières lueurs du jour s'estompaient dans la grotte.

– Et s'il y avait d'autres panthéons? laissa-t-il tomber.

– S'ils existent, alors personne ne nous en a jamais parlé.

– Ne trouves-tu pas que l'étranger ressemble un peu à papa?

– Garde-toi de répandre ce genre de rumeurs, jeune homme.

– C'est juste une constatation.

– Où veux-tu dormir, cette nuit?

– Étant donné qu'on n'y voit rien dans cette grotte une fois que le soleil a disparu, je pense que je devrais m'allonger près de cet homme. Il pourrait paniquer s'il se réveillait dans le noir.

– C'est une bonne idée, mais essaie de ne pas trop remuer. Il a besoin de repos.

Pendant qu'Alaina bordait les deux petites, Kiev grimpa doucement dans son nid et continua d'imaginer qui pouvait bien être ce naufragé.

LES CUEILLEURS

Au lever du soleil, Kiev sortit de son nid. Il s'étira et informa ses parents que le naufragé n'avait pas remué un seul muscle de la nuit. Il reposait toujours dans l'inconscience. Avali convia son fils à la table, mais Kiev refusa de s'y asseoir, car il n'avait plus envie de manger du poisson.

— Il faudra bien que tu avales quelque chose, ce matin, commenta Alaina.

— Il doit rester quelques petits fruits sur l'île.

— Ne va pas les cueillir du côté ouest, ordonna le père.

— Même si je reste sous le couvert des arbres ?

— Tu connais nos lois, Kiev.

— Je n'ai pas l'intention de les violer. Je veux juste manger.

— Ne m'oblige pas à sévir.

— Quand cette colonie arrêtera-t-elle de trembler de peur ?

L'adolescent quitta la grotte en grommelant son mécontentement. Avali fit un mouvement pour le pourchasser, mais Alaina l'obligea à rester assis en plaçant ses mains sur ses épaules.

— Il faut que jeunesse se passe, murmura-t-elle.

— Je n'ai jamais été aussi révolté que lui.

— C'est vrai, mais sa génération n'a pas vu ce qui est arrivé à nos familles, Avali. Elle est incapable d'imaginer ce qui s'est déjà passé ici.

— L'imprudence des jeunes pourrait tous nous perdre.

– Pas si nous continuons de bien les élever. Ils finiront par vieillir et lorsqu'ils auront à leur tour des enfants qu'ils devront protéger, ils s'assagiront. Tu verras.

Kiev utilisa les vents ascendants afin de remonter au sommet de la falaise. En faisant très attention, il pourrait sans doute trouver des baies et des framboises sans être repéré par les marins qui empruntaient le détroit qui séparait Gaellans des Royaumes d'Aludra et de Girtab. C'est alors qu'il aperçut les cueilleurs, qui étaient rentrés durant la nuit. Ickael, Inelli, Cadwy, Uthir, Virgile, Yékel et Dalach étaient en train de diviser leur butin pour que toute la colonie puisse en profiter. Il se posa, fit disparaître ses ailes et s'approcha d'eux.

– Vous avez eu beaucoup de succès, on dirait! s'exclama l'adolescent en apercevant tous les sacs.

– Nous avons cueilli des fruits et des légumes et ramassé des œufs frais, lui dit Ickael.

– Mieux encore, cette fois, nous avons ramené des chèvres et des poules que nous avons libérées sur l'île, ajouta Uthir. Nous pourrons donc avoir du lait, faire notre propre fromage et cesser de nous introduire dans les poulaillers pour trouver des œufs.

– Puis-je avoir une pomme, s'il vous plaît? Je meurs de faim.

– Ton père ne nourrit donc plus sa famille? le taquina Virgile.

– Bien sûr que si, mais j'en ai assez du poisson cru.

– Je vais te donner mieux que ça.

Virgile lui lança une pomme ainsi qu'un morceau de viande.

– Elle est froide, mais elle a été cuite sur les feux des humains. Nous les avons entendus dire que le bœuf est bourré de protéines.

Kiev s'assit en tailleur pour examiner sa nourriture.

– Qu'est-ce qu'un bœuf ?

– Probablement un des animaux qu'ils élèvent pour manger leur chair, avança Yékel en haussant les épaules.

– Vous ne le leur avez pas demandé ?

– Nos lois nous défendent de nous montrer aux humains et encore plus de leur adresser la parole, lui rappela Inelli.

– Mais lorsque nous faisons disparaître nos ailes, nous leur ressemblons, s'entêta Kiev. Ils ne sauraient même pas que nous sommes des dieux.

– Nous ne nous aventurons jamais très loin sur le continent et nous sommes toujours capables d'éviter tout contact avec ses habitants, l'informa Cadwy.

– En fait, nous ne nous approchons des fermes que lorsque tout le monde dort, ajouta Dalach. Lorsque nous interceptons des conversations entre les humains, c'est généralement à travers les volets de leur maison.

– Si je comprends bien, nous sommes un peuple de voleurs.

– Notre survie l'exige, Kiev, répliqua Uthir sur un ton plus dur. Si tu avais des bouches à nourrir, tu ferais la même chose.

L'adolescent mordit dans la viande et s'étonna de son goût prononcé.

– Vous n'en avez pas assez de toujours vous cacher ? poursuivit-il, opiniâtre.

– Nous sommes contents d'être encore en vie, répondit Virgile, l'un des dieux ailés qui avaient choisi de demeurer célibataires. Nous avons déjà eu ton âge, oisillon. Je te promets que ton impatience finira par céder la place à la prudence.

– Ignorez-vous que nous sommes probablement les véritables dieux de ce monde ?

Les adultes cessèrent de faire le tri pour diriger vers lui des regards de reproche.

– Où as-tu entendu ça ? s'enquit Virgile.

Embarrassé, Kiev garda le silence.

– Es-tu allé sur l'île défendue ?

Pour ne pas être obligé d'avouer son crime, l'adolescent voulut fuir. Uthir, qui se trouvait le plus près de lui, le saisit par le bras et le força à demeurer assis.

– Les lois ont été édictées pour nous permettre d'échapper à une mort violente et collective, Kiev, lui dit-il. Si Achéron venait à apprendre que nous n'avons pas tous été exterminés, il enverrait ses sorciers pour nous achever.

– Cette fois-ci, au lieu de nous laisser égorger comme des animaux sans défense, nous pourrions riposter, répliqua le jeune rebelle.

– Mais qui te met de telles idées dans la tête ?

– Est-ce quelque chose que tu aurais vu dans la grotte ? le questionna Virgile.

– Aucun de vous n'y a jamais mis les pieds, n'est-ce pas ?

– Bien sûr que non ! s'exclama Ickael. C'est interdit !

– Quelqu'un t'a-t-il déjà aperçu tandis que tu y étais ? demanda Inelli, inquiet.

– Non. Cette île est aussi escarpée que Gaellans. Les humains ne peuvent pas y accéder.

– Elle est visible de Girtab et les marins pêchent au pied de ses falaises.

– Ils ne s'en approchent pas quand les vents sont trop forts.

– Autrement dit, tu y es allé très souvent, devina Virgile.

– Merci pour la nourriture, fit Kiev en dégageant son bras.

Il s'éloigna des cueilleurs qui ne comprenaient pas qu'ils agissaient en victimes alors qu'ils étaient des dieux. Il alla s'asseoir sur le bord de la falaise pour terminer son déjeuner. Quelques minutes plus tard, Virgile le rejoignit.

– Essaie de ne pas mettre toute la colonie en danger, d'accord?

– Ce n'est pas pour ça que j'y vais, grommela Kiev.

– Alors, pourquoi?

– Au début, c'était pour tenter l'aventure, mais maintenant, c'est surtout la curiosité qui m'y pousse.

– Qu'y as-tu vu?

– Au sommet de l'île, on peut accéder à une immense grotte dont les murs sont sculptés de scènes étranges que j'essaie de comprendre.

– Ton père sait-il que tu te rends jusque-là?

– Bien sûr que non! Il m'arracherait les ailes!

– Avec raison, d'ailleurs.

– D'aussi loin que je me souvienne, nous vivons dans la peur.

– Tu n'as que seize ans.

– Il faut que ça cesse, Virgile. Veux-tu m'accompagner sur l'île défendue et voir les sculptures de tes propres yeux?

– J'ai l'air plus téméraire que mes compatriotes, mais je tiens à respecter la loi.

– Je suis certain que les messages de la grotte s'adressent aux Deusalas. Un adulte plus savant que moi pourrait le confirmer.

– Alors, tu t'adresses à la mauvaise personne, affirma Virgile en riant. Oublie tes idées dangereuses et concentre-toi plutôt sur ton futur rôle de cueilleur.

– Mon père ne me laissera jamais vous accompagner, soupira l'adolescent. Il craint que je m'adresse aux humains.

– J'intercéderai en ta faveur, si tu veux.

– Il a l'esprit bien trop fermé…

Virgile fouilla dans le sac de cuir qu'il portait en bandoulière et tendit un cylindre métallique à Kiev.

– Qu'est-ce que c'est?

– Après avoir vu des humains s'en servir, je dirais que c'est un instrument qui produit de la lumière. Apparemment, tu dois le laisser absorber les rayons du soleil après chaque utilisation pour qu'il continue à fonctionner.

– C'est pour moi?

L'adulte lui fit un clin d'œil et lui tapota le dos avant de le quitter. Kiev examina attentivement son cadeau et finit par comprendre qu'en appuyant sur l'unique bouton, un faisceau lumineux apparaissait à l'une de ses extrémités. «C'est exactement ce qu'il me fallait!» se réjouit-il. Puisqu'il était encore très tôt et que les vents soufflaient de plus en plus fort en provenance du nord-est, il aurait le temps de visiter l'île défendue et de rentrer à temps pour le couvre-feu.

Il ouvrit ses ailes et s'envola à la verticale. Les courants aériens s'emparèrent de lui et il n'eut qu'à se laisser porter très haut au-dessus des Royaumes d'Aludra puis de Girtab pour atteindre l'île. Heureusement, à cette altitude, les Deusalas ressemblaient à de grandes hirondelles de mer et n'inquiétaient pas les humains.

L'adolescent atteignit sa destination vers midi. Le soleil inondait l'île en la chauffant impitoyablement. Kiev se faufila dans la faille au milieu d'un promontoire rocheux, aussitôt accueilli par une fraîcheur bienfaisante. La lumière du jour lui avait permis de découvrir les premiers bas-reliefs, mais lorsqu'il actionna sa lampe de poche, il écarquilla les yeux avec étonnement: les sculptures s'étendaient beaucoup plus loin.

Les premières racontaient la création de l'univers. Au début des temps, une intelligence unique, représentée par un œil, avait fabriqué des milliers de mondes à partir de rien. Ce que Kiev prenait pour des omelettes étaient en réalité de nombreuses galaxies et des systèmes solaires. Mais plus loin, il avait trouvé des illustrations de personnages sous des rayons qui partaient de l'œil. Sur une même rangée se suivaient un hippocampe, puis des animaux que l'adolescent ne connaissait pas. Ses aînés auraient pu lui dire qu'il s'agissait d'un loup ailé, d'un rhinocéros, d'un hippopotame, suivis de deux animaux marins qui lui étaient plus familiers : un crabe et une méduse, puis ensuite, d'hommes ailés !

– Il n'y a rien de tout ça sur Gaellans, sauf pour les Deusalas, murmura-t-il, songeur. Les trouve-t-on sur le continent ?

Cette découverte lui donna encore plus envie d'aller explorer Alnilam. « Mais je dois me concentrer d'abord sur la caverne », se raisonna-t-il. Poussé par la curiosité, il s'enfonça davantage sous la terre et s'arrêta devant une fresque gigantesque qui semblait récente. Au milieu de l'océan s'élevait une île éclairée par les rayons de la lune. Au sommet des falaises, des hommes, des femmes et des enfants semblaient terrifiés. Certains fuyaient, d'autres se protégeaient la tête avec leurs bras ou abritaient des bébés contre leur poitrine. En regardant plus haut, Kiev vit une nacelle suspendue aux pattes d'affreuses chauves-souris et, à l'intérieur de celle-ci, un lion rugissant.

– C'est notre histoire… comprit enfin l'adolescent.

Ce dessin illustrait le massacre des siens tel que le racontaient les survivants.

– Mais si cette caverne relate notre passé, parle-t-elle aussi de notre avenir ?

Le cœur battant, l'adolescent fit encore quelques pas. Le tableau suivant montrait le retour des cueilleurs qui avaient découvert le massacre, puis, un peu plus loin, on les voyait jeter les corps à la mer.

– Qui a bien pu graver tout ceci dans la pierre ? laissa échapper Kiev.

Un dieu ailé ayant échappé à la tuerie s'était-il réfugié dans cette grotte ? Il avança plus rapidement. Les sculptures qui venaient tout de suite après dépeignaient l'installation des Deusalas dans les grottes sur le versant ouest de leur île. Kiev arrêta de respirer lorsqu'il arriva devant la scène suivante. Un objet tombait du ciel en direction de l'océan !

— Comment est-ce possible ? C'est exactement ce qui vient de nous arriver ! s'exclama-t-il.

La peau hérissée par la frayeur, il hésita avant d'illuminer les bas-reliefs suivants. De l'entrée d'une caverne s'élançait un autre animal étrange, semblable aux petits lézards qui aimaient se chauffer sur les roches de Gaellans, mais avec des ailes de noctule.

— Pas un autre exécuteur… angoissa l'adolescent.

Cette scène ne représentait ni le passé, ni le présent de la colonie. Il s'agissait d'un événement qui ne s'était pas encore produit ! En tremblant, Kiev chercha à connaître ce qui attendait les Deusalas en promenant le faisceau lumineux plus loin, mais il cessa alors de fonctionner.

— Non !

Il se rappela alors les paroles de Virgile. Le cylindre avait besoin d'être exposé au soleil pour continuer à émettre de la lumière. Il revint donc prudemment sur ses pas, car il n'y voyait plus rien, et aboutit enfin à la sortie de la grotte. Il s'assit par terre et attendit quelques minutes avant de presser à nouveau sur le bouton de la lampe de poche. Il ne se passa rien. Sans doute fallait-il plusieurs heures pour la recharger. Kiev ne pouvait pas se permettre de rester plus longtemps sur l'île défendue. Celle-ci se trouvait à des centaines de kilomètres de Gaellans, alors il était plus urgent de trouver des vents qui lui permettraient de la regagner avant le coucher du soleil.

Il glissa donc le petit appareil à l'intérieur de sa ceinture et plongea vers l'océan en cherchant un courant qui longeait la côte vers l'est. Heureusement, le temps était devenu maussade et avait découragé les bateaux de pêcheur de s'éloigner de la baie de Girtab. Kiev put donc voler à quelques mètres au-dessus des flots sans en croiser un seul. Lorsqu'il vit enfin apparaître sa terre natale à l'horizon, le pauvre garçon était épuisé. Il se posa sur sa pointe méridionale et se laissa tomber sur le dos. Il resta là pendant de longues minutes avant de se diriger vers un petit ruisseau qui courait entre les arbres. Il se désaltéra, puis retourna vers la falaise pour reprendre son envol.

Il rasa l'interminable paroi rocheuse ponctuée de crevasses et de grottes où les siens s'étaient abrités bien avant sa naissance. Elle ressemblait en tous points à celle qui était gravée dans la caverne défendue. Kiev se doutait qu'il risquait la pire des punitions s'il parlait de sa découverte à son père. Mais pouvait-il vraiment la garder pour lui? Habituellement, il se confiait à Mikéla, mais elle était la fille du roi. Que se passerait-il si elle décidait de lui répéter ses paroles?

Kiev jugea plus prudent de ne pas retourner tout de suite chez lui, car sa mère arrivait toujours à interpréter les émotions sur son visage. Il devait d'abord se calmer. En repensant à sa conversation avec Virgile, il se dirigea vers la petite clairière où il avait vu les cueilleurs ce matin-là, mais ils n'y étaient plus. Sans doute pourrait-il rencontrer le célibataire chez lui. Ce dernier vivait dans une grotte en retrait de toutes les autres presque au sommet de la falaise, d'où il s'acquittait plus facilement de ses heures de guet. Kiev s'y rendit, mais ne l'y trouva pas non plus. Il reprit donc son envol et s'éleva suffisamment au-dessus de Gaellans pour en apercevoir la plupart de ses habitants. C'est alors qu'il vit un rassemblement en plein centre de l'île...

LE REVENANT

Intrigué, Kiev perdit de l'altitude pour voir ce qui se passait. Habituellement, les cueilleurs livraient leurs marchandises à chaque famille. Alors pourquoi tous ces gens s'étaient-ils réunis ? En se rapprochant, il se rendit compte que ses compatriotes entouraient un homme qu'il ne connaissait pas. Il se posa et s'approcha du rassemblement. Des battements d'ailes lui annoncèrent que d'autres Deusalas continuaient d'arriver.

Kiev repéra son père et s'assit près de lui en examinant le visage de l'étranger. Il était certainement du même âge qu'Avali. Pour un homme qui était devenu le centre de l'attention, son expression tranquille était déconcertante.

– Qui est-ce ? murmura Kiev.

– C'est Sappheiros.

– Je croyais que tous ceux qui partaient d'ici ne revenaient jamais.

Avali décocha un regard réprobateur à son fils.

– Jusqu'à aujourd'hui, c'était vrai.

Lorsque tous furent enfin arrivés, Sandjiv, installé près de Sappheiros, prit la parole.

– Nous t'avons cru perdu à jamais, mon ami.

– Je ne pouvais pas laisser le meurtre des miens impuni, alors j'ai traqué Kimaati jusque dans un autre monde gouverné par des dieux différents. C'est là qu'il s'était réfugié après la défaite de ses troupes aux mains de celles de son père.

– Et ? laissa échapper Kiev.

– Je l'ai tué.

Un silence incrédule s'abattit sur l'auditoire.

– Tu as réussi à anéantir un dieu aussi puissant ? fit le chef des Deusalas, stupéfait.

– Seul un dieu peut en anéantir un autre, Sandjiv.

– Donc, j'ai raison de dire que nous en sommes aussi… chuchota Kiev.

– Contente-toi d'écouter, l'avertit Avali.

– J'ai découvert pendant ma quête que non seulement nous sommes aussi puissants que ces abrutis qui gouvernent notre univers, mais que nous le ferions bien mieux qu'eux, continua le dieu-cougar ailé.

La reine, qui avait confié sa petite dernière à ses grandes sœurs, déposa un bol de fruits, de légumes et de poisson coupés en dés devant le revenant.

– Merci, Haéléra. J'ai grandement besoin de reprendre des forces.

– Raconte-nous comment ça s'est passé, fit Sandjiv, curieux.

Sappheiros commença par avaler quelques bouchées avant de poursuivre son récit.

– J'ai compris comment quitter ce monde, mais mon chemin ne m'a pas mené directement à Kimaati. J'ai d'abord abouti dans l'endroit d'où partent tous les univers. Il m'a fallu errer un long moment avant de découvrir celui dans lequel le scélérat se cachait. Lorsque je l'ai enfin trouvé, j'ai constaté qu'il s'était enfermé dans une forteresse qu'il avait ravie à un roi d'Enkidiev. Pire encore, il l'avait entourée d'un impénétrable champ d'énergie. J'ai cherché sans relâche la façon de le percer, en vain. Alors, je me suis établi sur la corniche d'un volcan pour le guetter.

Le cougar ailé mangea encore un peu et avala tout le contenu d'une cruche d'eau.

– La première fois que nous nous sommes affrontés, il a bien failli me tuer. La vie est étrangement faite, car c'est le petit-fils de Kimaati qui a soigné mes blessures.

– J'ignorais qu'il avait eu des enfants, avoua Sandjiv.

– Il n'a pas perdu son temps après sa déroute. Toutefois, contrairement aux Deusalas, les dieux du panthéon d'Achéron n'éprouvent aucune affection pour leurs enfants. Kimaati retenait les siens prisonniers dans la forteresse en s'imaginant que c'est ainsi qu'on traite sa famille.

– Comment as-tu eu raison de lui ? s'enquit Haéléra.

– Le véritable propriétaire des lieux, qui s'était momentanément absenté, est revenu chez lui avec une grande armée. Pendant que celle-ci fonçait sur les soldats du dieu-lion, Kimaati s'est mesuré à Nashoba, lui-même fils du dieu Abussos.

Tous ces noms ne disaient rien aux hommes ailés.

– Leur combat a été féroce et quand Kimaati a compris que Nashoba n'abandonnerait pas avant de l'avoir tué, il a fait apparaître un vortex afin de fuir encore une fois. C'est à ce moment-là que je l'ai mortellement frappé.

– Est-ce que beaucoup de soldats ont perdu la vie durant les combats ? voulut savoir Sandjiv tandis que les Deusalas applaudissaient l'exploit de leur compatriote.

– Seulement lui. Puisque j'avais accompli ma mission, j'ai décidé de rentrer chez moi.

– Une excellente initiative. Ce que tu viens de nous apprendre nous réjouit grandement. En attendant que tu découvres une grotte qui te convient, je t'invite à dormir dans la mienne.

– C'est donc pour cette raison que je n'ai vu aucun nid en arrivant sur la falaise.

– Nous avons choisi de ne plus nous exposer aux sorciers. Bienvenue chez toi, Sappheiros.

– Je suis réellement heureux d'être de retour.

Il tendit le bol presque vide à Haéléra et se leva avec difficulté. «C'est sans doute de la fatigue», se dit Kiev, qui ne le quittait pas des yeux. Sappheiros s'envola derrière le couple royal. «Pourquoi mon père ne l'a-t-il pas invité chez nous?» regretta l'adolescent. Il oubliait évidemment qu'ils hébergeaient déjà le blessé.

– Filons tout de suite à la maison, où je t'avais d'ailleurs demandé de rester avec ta mère, lui ordonna Avali.

– Je suis désolé… Je croyais que tu étais avec elle…

Kiev s'élança au milieu de tous les dieux ailés et longea la falaise jusqu'à l'entrée de la grotte familiale. Alaina avait déjà fait manger les filles et était en train de panser les blessures de l'étranger.

– Du nouveau? demanda le père.

– Il s'est agité quelques secondes dans son sommeil et j'ai cru qu'il allait se réveiller, mais il est retombé dans le coma. Ne désespérons pas.

Avali lui raconta sommairement ce qui venait de se passer tandis qu'il s'attablait avec Kiev.

– Sappheiros? Quelle bonne nouvelle!

Le père planta son regard dans celui de son fils.

– Uthir m'a informé de ta désobéissance, laissa-t-il tomber.

– Je te demande pardon… murmura Kiev en baissant la tête.

– Qu'a-t-il fait? s'inquiéta Alaina.

– Apparemment, il s'est rendu à quelques reprises à l'île défendue.

– Mais personne ne sait où elle se situe.

– Je l'ai trouvée par hasard, je vous le jure, se défendit l'adolescent.

– Qu'y a-t-il là-bas ? continua la mère, alarmée.

– L'histoire de notre peuple y est gravée dans les murs d'une grotte. J'avais raison, maman. Nous sommes bien plus qu'une sous-race de dieux. Si j'ai bien compris ce que j'ai vu, nous avons été créés en même temps que d'autres dieux qui ont des formes vraiment étranges. Nous sommes peut-être bien au même rang que cet Abussos dont Sappheiros nous a parlé tout à l'heure.

– Tu sais pourquoi les anciens nous ont mis en garde contre cette île, Kiev ? fit le père, mécontent.

– Parce qu'ils ne voulaient pas que nous sachions la vérité à notre sujet ?

– Non, mon garçon. Parce qu'elle recèle des secrets qui pourraient causer notre perte. Les Deusalas ont été suffisamment éprouvés. Nous devons tous nous assurer de ne pas l'être une seconde fois.

– Je ne vois pas comment ce serait possible...

– Si un seul sorcier venait à apprendre l'existence de cet endroit, ce serait la fin pour nous.

– Je n'y ai jamais été suivi.

– Comment peux-tu en être certain ?

Se doutant qu'il n'aurait pas le dernier mot, Kiev décida de se taire.

– Je ne sais pas encore comment je te punirai, mais sois certain que je le ferai, conclut Avali.

Après son repas, l'adolescent alla s'allonger près du blessé en lui envoyant sa paisible inconscience. Lorsque la caverne fut plongée dans l'obscurité, il ferma les yeux et trouva aussitôt le sommeil. Il rêva qu'il retournait dans la grotte défendue, mais en compagnie de Sappheiros, cette fois. Celui-ci remuait les lèvres, mais Kiev n'entendait pas ce qu'il lui disait.

Il se réveilla en sursaut aux premières lueurs de l'aube et, poussé par son rêve, décida de partir à la recherche du revenant. Tout le monde dormait encore dans la caverne, alors il sortit sur la pointe des pieds et s'envola en direction du logis royal. C'est alors qu'il vit Sappheiros qui venait d'en sortir et qui se laissait transporter par le vent en direction du sommet de la falaise. Kiev le suivit jusqu'à ce qu'il atterrisse du côté de l'île où il était pourtant interdit de mettre les pieds. Sans doute le revenant l'ignorait-il. L'adolescent se posa quelques pas derrière lui.

– Nous ne sommes pas censés venir ici, fit-il pour annoncer sa présence.

– Nous y vivions il n'y a pas si longtemps, murmura tristement Sappheiros en contemplant l'endroit où il avait jadis fait son nid.

– Les aînés prétendent que les sorciers finiront par revenir de ce côté de l'île pour voir s'il y a des survivants et qu'ils ne doivent pas en trouver.

– Sans Kimaati pour leur fournir sa puissance, ils ne peuvent plus rien contre nous.

– Les Deusalas n'ont plus de raison d'avoir peur, alors ?

– J'étais aussi ignorant que toi, jadis.

– Alors, instruisez-moi. Parlez-moi de votre aventure.

– Ce n'en était pas une, jeune homme. C'était une vengeance et elle a été assouvie.

Sappheiros prit place sur l'une des grosses roches qui formaient le pourtour de son ancien nid. «Si mon père vient à apprendre ce que je suis en train de faire, il ne me laissera plus jamais aller où que ce soit…» se dit Kiev en imitant le cougar.

– Il est temps que les Deusalas apprennent qui ils sont vraiment, laissa tomber Sappheiros.

– Je suis tout à fait d'accord, acquiesça l'adolescent, impatient d'en savoir davantage.

– Ils sont des dieux au même niveau qu'Achéron et son panthéon.

– Achéron ?

– Le dieu-rhinocéros. C'est le père de Kimaati et l'époux de Viatla, la déesse-hippopotame.

– À part Viatla, je ne connais pas ces divinités.

Le dieu-cougar ailé, retourna sa paume et y fit apparaître des hologrammes des deux pachydermes. Kiev écarquilla les yeux : c'étaient les animaux qu'il avait vus sur le mur de la grotte défendue !

– Ils ont eu quatre enfants : Javad, un rhinocéros lui aussi, Amecareth, un scarabée, Rewain, un zèbre et Kimaati, un lion.

Au fur et à mesure que Sappheiros les nommait, ils apparaissaient sous forme d'images en trois dimensions.

– Il ne reste plus que quatre dieux dans ce panthéon, car Kimaati et Amecareth sont morts.

– Nous sommes bien plus nombreux qu'eux, alors, laissa échapper Kiev. Vous avez mentionné d'autres noms, hier… Abussos et Nashoba, je crois.

– Ils font partie d'un panthéon différent, qui règne sur un autre monde.

– Sont-ils aussi ignobles que les dieux qui ont failli anéantir notre race ?

– Non… Ils se soucient du bien-être de leurs créatures.

– Des humains, vous voulez dire ? Il y en a également dans leur univers ?

– Des milliers. Comment t'appelles-tu, fiston ?

– Kiev. Je suis le fils d'Avali et d'Alaina.

– Ils n'étaient pas ensemble quand je suis parti, il me semble…

– C'est juste. Ils ont perdu leurs conjoints respectifs lors du massacre pendant qu'ils étaient sur le continent avec les cueilleurs. Afin de perpétuer notre race, des couples ont dû être formés même si les nouveaux époux n'éprouvaient aucun amour l'un envers l'autre.

– C'était la meilleure chose à faire.

– Malheureusement, toutes les femmes de la colonie sont maintenant en couple.

– Je ne suis pas revenu pour me marier, Kiev, avoua le cougar. Maintenant que j'ai tué celui qui a failli nous exterminer, mon devoir est de vous permettre de reprendre votre véritable place dans ce monde.

– Laissez-moi vous aider. Je suis prêt à tout pour que nous vivions en paix… même si je risque les foudres de mon père.

– Avali a toujours été un homme très prudent, parfois trop. Toutefois, je comprends son désir de protéger ses enfants.

Kiev hésita un instant. Sappheiros l'observa avec intérêt, mais ne le pressa pas.

– Avez-vous l'intention d'éliminer le reste du panthéon d'Achéron?

– Je ne vois pas comment un dieu seul pourrait y arriver. La cité céleste est fort bien protégée.

– Vous savez pourtant que nous n'aurons jamais l'esprit tranquille tant que nous nous sentirons menacés par les sorciers.

– Je m'en doute, mais il ne faut pas sauter d'étape, mon garçon. La première chose à faire, c'était de trouver des nids plus sûrs et les Deusalas l'ont compris.

– Et la deuxième?

– Tu es aussi impatient qu'un jeune homme que j'ai connu jadis. Nous parlerons de la façon d'assurer notre défense en temps et lieu.

– Et l'attaque?

– Notre peuple n'est pas belliqueux. Je ne sais pas encore si j'ai envie de perdre mon temps à tenter de le changer.

L'adolescent se mordit la lèvre inférieure pour retenir les paroles qu'il mourait d'envie de prononcer.

— Explique-moi ton impatience, Kiev.

— J'ai vu des choses qu'aucun autre Deusalas n'a vues.

— Ne t'arrête pas.

— Quelqu'un a gravé notre histoire sur les murs d'une caverne.

— Comme c'est curieux... Le sculpteur était-il un dieu ailé?

— C'est là le mystère. Je n'en sais rien.

— Ces dessins annoncent-ils notre fin?

— Ma lumière s'est éteinte avant que je puisse en voir plus.

— Pourquoi es-tu le seul à être au courant de tout ça?

Les joues de Kiev s'empourprèrent de honte.

— J'ai désobéi à notre loi, avoua-t-il. Nous ne sommes pas censés pénétrer dans la grotte défendue, même si je ne comprends pas pourquoi. En quoi la connaissance peut-elle être dangereuse?

— Tu pourrais me conduire jusque-là?

— Mais la loi?

— La grotte contient peut-être des informations importantes.

— Mon père croit plutôt qu'elles pourraient entraîner notre perte.

— Laisse-moi en juger, d'accord?

Kiev savait ce qu'il risquait en retournant là-bas, mais l'énergie de ce dieu qui avait osé quitter leur univers le rassurait jusqu'au fond de l'âme. L'homme et l'adolescent entreprirent donc de se rendre à l'île défendue, au sud de Girtab. Ils volèrent suffisamment haut pour ne pas être repérés par les pêcheurs et arrivèrent à leur destination quelques heures plus tard.

– C'est sur cette île que j'ai grimpé après avoir quitté l'autre monde, se rappela Sappheiros, mais j'ignorais qu'elle recelait des secrets. Je suis étonné que les Deusalas soient au courant de son existence.

– Peut-être que jadis, ils n'avaient pas peur d'explorer le monde, laissa tomber Kiev en toute innocence.

– Nous n'avions pas de raison de nous éloigner de Gaellans, à cette époque, car nous y vivions en parfaite harmonie.

– Venez, c'est par ici.

Kiev conduisit Sappheiros jusqu'à l'entrée de la caverne. Ce dernier y pénétra sans hésitation.

– J'ai malheureusement laissé mon cylindre lumineux chez moi, déplora l'adolescent.

– Nous n'en aurons pas besoin.

– Mais il fait très sombre, là-dedans.

Le cougar fit jaillir de ses paumes une lumière trois fois plus éclatante que celle de la lampe de poche de Kiev et éclaira tout le couloir d'un coup plutôt qu'une petite partie à la fois.

– Comment faites-vous ça? s'exclama Kiev, fasciné.

– Tous les dieux possèdent de la magie.

– Même moi?

– Eh oui. Nous en reparlerons plus tard, si tu veux bien.

Sappheiros parcourut rapidement les bas-reliefs.

– Ici, ce sont les dieux dont vous m'avez parlé? demanda Kiev en pointant l'hippocampe, le loup ailé, le rhinocéros, l'hippopotame, le crabe et la méduse.

– En partie. Je ne connais pas les deux derniers.

Le cougar ne fit aucun commentaire en apercevant les scènes qui représentaient le massacre des siens. Il accéléra plutôt le pas pour ne pas s'y attarder.

– Quelle est cette autre bête? demanda Kiev.

– C'est un dragon.

– Un autre sorcier d'Achéron ?

– Non. Cette bête n'appartient pas à notre monde.

– Alors, pourquoi se trouve-t-elle sur ce mur ?

– J'aimerais bien le savoir.

– Elle semble sortir d'une de nos cavernes…

La scène suivante montrait des hommes ailés s'élançant derrière l'énorme créature.

– Ils la chassent ?

– Je ne crois pas, Kiev. Regarde attentivement la gravure : les Deusalas ne sont pas armés.

L'adolescent mourait d'envie de connaître la suite des événements, mais il n'osait pas presser Sappheiros, qui avait ralenti le pas pour mieux étudier le dragon. Lorsque l'aîné se décida enfin à avancer, Kiev lui marcha presque sur les talons. Le bas-relief suivant les stupéfia tous les deux. Il s'agissait du buste d'un jeune homme ailé qui tenait deux épées dans ses mains.

– On dirait que c'est moi… s'étrangla Kiev. Mais comment est-ce possible ?

– Celui qui a gravé toutes ces images n'était pas un simple mortel. C'était très certainement un augure. Il a vu l'histoire de notre race et il l'a immortalisée pour nous guider. Le seul danger que représente cette grotte, Kiev, c'est l'interprétation que nous pourrions faire de ses sculptures, car l'avenir n'est jamais certain.

– Ça n'explique pas ce que je fais sur ce mur…

– Allons voir plus loin.

Sappheiros dirigea ses paumes vers le fond de la caverne. Il n'y avait plus rien…

OCÉANI

Affaibli par ses blessures, Tayaress avait tout de même réussi à quitter le monde d'Abussos et à ramper jusqu'à celui d'Achéron. Cependant, ses forces l'abandonnaient rapidement. En se laissant flotter sur l'océan, il parvint à se rendre jusqu'à son île bien-aimée, car il voulait mourir sur Gaellans. Bientôt son âme rejoindrait celles des membres de sa famille et de tous ceux qui avaient été lâchement assassinés en même temps qu'eux, alors qu'il portait le nom d'Océani.

En sortant de l'eau, il grimpa jusqu'à la corniche où il vivait autrefois et se laissa tomber là où s'était trouvé son nid. «J'ai accompli ma mission et je n'ai plus rien à attendre de la vie», songea-t-il en regardant vers le ciel. Le chaud soleil du Sud sécha progressivement ses vêtements et finit par le réchauffer. Il ferma les yeux en sentant le sommeil s'emparer de lui. Il approchait de la fin, mais il n'avait pas peur. Un sourire se dessina sur son visage. «Me voilà…» songea-t-il. Et il perdit conscience.

Lorsqu'il ouvrit les yeux, il ne se trouvait pas du tout dans le hall des disparus. Il était plutôt allongé sur le dos dans ce qui semblait être une caverne. La lumière du soleil se reflétant sur l'eau jouait sur le plafond au-dessus de lui. Il tenta de se redresser sur ses coudes.

– Reste couché, fit une voix qui semblait provenir de son passé.

Il se laissa retomber dans le nid douillet, mais tourna la tête pour voir qui se trouvait là. Il reconnut tout de suite l'homme qui était assis en tailleur près de lui.

– Sappheiros ?

– J'ai soigné tes blessures. Toutefois, tu dois te reposer si tu veux régénérer ton corps divin.

– Mais que fais-tu ici ? Où sommes-nous ?

– Sur Gaellans. Je t'ai trouvé sur les falaises de l'Ouest. C'est plutôt à toi de me dire comment tu t'es rendu jusque-là.

– J'ai dépensé ce qui me restait d'énergie pour venir mourir chez moi.

– Alors, j'ai le regret de t'apprendre que c'est raté.

L'aîné lui souleva à peine la tête pour lui faire boire un peu d'eau céleste dont il avait rempli sa gourde dans le monde d'Abussos.

– Je ne croyais plus jamais te revoir, jeunet.

– Moi, je t'ai cherché partout.

– Pourquoi ?

– J'ai flairé ta trace dans la rotonde des dieux reptiliens. Je voulais savoir si tu étais responsable de leur assassinat.

– J'en ai bien peur, mais ce n'était pas mon but, Océani. Je voulais les secouer un peu et leur faire croire que Kimaati était en train de les attaquer afin qu'ils se lancent à ses trousses. Je n'aurais alors eu qu'à les suivre pour retrouver cet assassin. Malheureusement, ça ne s'est pas passé ainsi.

– Abussos est furieux contre l'auteur de ce crime.

– Puisque je n'ai pas l'intention de retourner dans son univers, je crains que sa colère demeure inassouvie. Je regrette infiniment ce que j'ai fait, mais je ne possède pas le pouvoir de ressusciter tous ces innocents.

– Si tu es de retour sur Gaellans, c'est que tu as accompli la mission que tu t'étais fixée, n'est-ce pas ?

– J'ai en effet réussi à tuer Kimaati, ce que son propre père n'a jamais été capable de faire.

– Cela mettra-t-il fin aux attaques des sorciers contre les Deusalas?

– J'en doute. Achéron a encore deux fils. Le plus jeune est une mauviette, mais l'aîné est encore plus terrible que le dieu-lion. Nous devons rester sur nos gardes.

– Rester sur nos gardes? Le rhinocéros croit que nous avons été rayés de la surface d'Alnilam. Quelqu'un lui aurait-il révélé notre présence?

– Il m'a vu tuer Kimaati dans l'autre monde, soupira Sappheiros.

– Donc, il sait qu'il y a des survivants…

Le cougar tendit des fruits frais à Océani.

– Parle-moi de ce que tu as fait à part me traquer.

– Afin de pouvoir circuler à ma guise n'importe où dans l'univers, j'ai capturé et éliminé Tayaress, un Immortel qui servait Abussos.

– Vraiment? s'étonna Sappheiros.

– J'ai endossé ses vêtements et je n'ai eu qu'à modifier légèrement l'apparence de mon visage, car je lui ressemblais déjà. J'ai pris le temps d'assimiler les connaissances et les souvenirs de Tayaress. Il m'a évidemment fallu accomplir quelques tâches pour le dieu-hippocampe, mais tout comme toi, mon but, c'était d'éliminer Kimaati. Par un heureux concours de circonstances, j'ai été embauché par le dieu-lion et je l'ai aidé à s'emparer de la forteresse d'un puissant roi.

– Embauché? Et tu n'as pas réussi à le tuer alors que tu le côtoyais?

– Il se protégeait constamment tandis qu'il jouait au châtelain. Il faisait le fanfaron, mais en réalité, il avait peur pour sa vie.

– Avec raison.

– S'il est vrai que j'aurais aimé le saigner moi-même, tout ce qui compte, c'est qu'il ait été expédié dans le hall des disparus. Maintenant, à qui devons-nous nous attaquer?

Sappheiros éclata de rire.

– Tu peux à peine voler et tu es déjà prêt à repartir à la guerre?

– Si nous voulons enfin vivre libres, nous devons faire disparaître tout ce panthéon.

– Chaque chose en son temps, Océani. La citadelle d'Achéron est fort bien gardée.

– Je le sais mieux que quiconque, mais j'ai réussi à m'y infiltrer!

– Commence par guérir. Notre heure de gloire viendra.

Le cougar attendit que son camarade ait fini de manger, puis il lui passa la main devant les yeux, l'endormant instantanément. Il n'avait révélé à aucun de ses compatriotes qu'Océani était de retour, car il l'avait trouvé dans un état lamentable. Maintenant qu'il le savait en voie de guérison, il décida d'aller en parler au nouveau roi des hommes ailés.

Sappheiros se rendit à la sortie de la caverne où il avait choisi d'établir son nouveau nid. Il aurait aimé y vivre en toute tranquillité jusqu'à la fin de ses jours, mais une petite voix dans sa tête lui recommandait de ne pas abaisser sa garde. Il s'élança dans le vide, ouvrit ses ailes et savoura ces quelques instants de liberté avant d'arriver à la grotte de Sandjiv. Il ignorait si ce dernier était chez lui, car cet homme participait à toutes les corvées de la colonie, malgré son titre.

Il se posa finalement sur la corniche et n'eut pas à l'appeler: le dieu ailé avait senti son arrivée et s'avançait déjà vers lui. Comme toujours, Sandjiv ne portait qu'un simple pantalon de toile écru. Son torse nu était musclé et ses cheveux blonds retombaient sur ses larges épaules. « Ils ont fait un bon choix », ne put s'empêcher de penser le cougar.

– Maintenant que je suis confortablement installé, je pense que nous avons beaucoup de choses à nous dire.

– Entre, Sappheiros. Haéléra est partie voler avec nos filles pour les exercer.

– Vous en avez eu beaucoup ? demanda le revenant en le suivant dans la caverne.

– Trois. Elles ont seize, quinze et six ans. Toutes aussi belles que leur mère.

Les deux hommes s'assirent sur le bord d'un des nids de la famille.

– Que veux-tu m'avouer que tu ne voulais pas dire devant les autres ? fit Sandjiv sans détour.

– Je suis à peine de retour qu'il m'arrive déjà des choses fort intéressantes. Mais je veux d'abord te faire part de mes inquiétudes. Achéron était présent lorsque j'ai tué Kimaati et il a certainement vu mes ailes.

– Alors, il sait que nous ne sommes pas tous morts… s'alarma Sandjiv.

– Nous devrions nous mettre à la recherche d'un nouveau refuge.

– Les Deusalas pêchent dans la région depuis des lustres et ils n'ont jamais trouvé d'autres îles susceptibles de les accueillir.

– Peut-être est-il temps de s'installer sur le continent.

– Parmi les humains ?

– Les sorciers ne penseront jamais à nous chercher de ce côté.

– Je ne suis pas d'accord, Sappheiros. Les prêtres auront tôt fait de nous dénoncer s'ils nous aperçoivent.

– Non seulement il y a des contrées pratiquement inhabitées à Alnilam, mais nous pourrions aussi commencer à vivre autrement, sans utiliser nos ailes.

– Toute notre civilisation en serait bouleversée…

– Ce serait un mince sacrifice pour assurer notre survie.

Sandjiv demeura songeur.

– Nous avons bien sûr l'option de rester ici et d'affronter les sorciers d'Achéron, ajouta Sappheiros.

– Nous battre?

– Des dieux peuvent certainement venir à bout de ces mages.

– Nous sommes des créatures pacifiques, Sappheiros.

– Mais certainement pas des agneaux qui ont envie de se laisser égorger. Pense un peu à tes filles. Qu'es-tu prêt à faire pour leur garantir un bel avenir? Moi, si on m'avait donné la même chance, mes enfants seraient encore autour de moi.

– Je vais devoir réfléchir à tout cela…

– Il y a autre chose. Le jeune Kiev m'a fait visiter une grotte où notre histoire est gravée.

– Il a fait quoi? se fâcha Sandjiv. C'est un endroit défendu!

– Alors, il faudra m'expliquer pourquoi, parce que ce que j'ai appris sur ces murs nous concerne. Y es-tu déjà allé, Sandjiv?

– Non, jamais. Moi, j'obéis à la loi.

– Si ce n'est pas toi, qui a imposé cette interdiction insensée aux Deusalas?

– Elle faisait déjà partie de nos coutumes bien avant le massacre.

– Pourquoi voudrait-on enlever tout espoir à un peuple? demanda Sappheiros.

– Et si c'était une ténébreuse machination d'Achéron?

– C'est exactement ce que j'étais en train de me dire. Surtout ne punis pas le garçon, Sandjiv. Son initiative pourrait nous sauver la vie à tous.

Le cougar lui révéla ce qu'il avait vu dans la grotte, puis lui apprit qu'il avait trouvé Océani en train d'agoniser sur les falaises de l'Est.

– Je l'ai installé dans mon nouveau nid et dès qu'il sera en mesure de voler, je procéderai à sa réinsertion dans notre société.

– On dirait bien que tu apportes chez nous un vent de renouveau.

– Ou que je suis revenu à temps pour sauver notre civilisation.

Sappheiros prit congé du roi et alla survoler la mer du côté où les bateaux ne s'aventuraient jamais en raison des récifs. Il en profita pour patrouiller la région. C'est alors qu'il aperçut Kiev assis sur une corniche. Il était seul.

– N'as-tu pas des tâches à accomplir ? fit le cougar en se posant près de lui. Ou les choses ont-elles changé au point où les jeunes ne font plus rien pour assurer la bonne marche de la colonie ?

– Je retarde mon retour à la maison…

– Tu crains d'être puni parce que tu as visité l'île défendue ?

– Mon père est un homme très sévère.

– Et si je te disais que le roi vient de lever cette interdiction et que, par conséquent, tu ne seras pas réprimandé ?

– Vraiment ?

– Il me l'a dit lui-même. Grâce à toi, nous savons désormais que cette île n'est pas dangereuse pour les Deusalas.

– C'est une excellente nouvelle ! s'exclama Kiev en retrouvant son sourire. Mon père est-il au courant ?

– S'il ne l'est pas, il le sera bientôt. Tu peux rentrer chez toi, maintenant.

Sappheiros ouvrit ses ailes.

– Attendez ! J'ai besoin de savoir ce que je tiens dans mes mains sur la dernière sculpture.

– Ce sont des épées.

– À quoi servent-elles ?

– Ces lames d'acier munies d'une poignée permettent aux humains de se défendre ou d'attaquer.

Sappheiros vit que l'adolescent ne comprenait pas un seul mot de son explication. Il fit donc apparaître une représentation holographique de l'arme qui lui avait permis de tuer Kimaati.

– Les épées sont à peu près de cette taille.

– Tous les humains en possèdent ?

– Non, Kiev. Ce sont surtout les soldats qui les utilisent.

– Où peut-on en trouver ?

– Très loin, dans le Nord. Si tu décidais d'y aller, il ne fait aucun doute que tu serais sévèrement puni, cette fois.

– Je ne sais même pas jusqu'où s'étend le Nord.

– C'est au moins trois fois la distance que nous avons parcourue pour nous rendre à l'île défendue. Jamais tu ne pourras y aller et revenir la même journée, si c'est ce que tu veux réellement savoir. À mon avis, ces armes viendront à toi au moment opportun.

– Vous avez sans doute raison. Merci d'être revenu à Gaellans, Sappheiros.

L'aîné se laissa tomber dans le vide en se disant qu'il ne pensait jamais remettre les pieds chez lui lorsqu'il avait quitté les siens pour assouvir sa vengeance. Il retourna chez lui, persuadé d'y trouver Océani profondément endormi, mais son compatriote était plutôt assis en tailleur à l'entrée de la grotte, d'où il observait les jeunes qui piquaient dans les flots pour attraper du poisson.

– Tu reviens les mains vides ? fit moqueusement Océani.

– Nous avons suffisamment de nourriture pour tenir pendant des semaines, répliqua le cougar en prenant place près de lui. Je suis plutôt allé m'entretenir avec le nouveau roi. Comment te sens-tu ?

– De plus en plus fort, mais pas encore assez pour risquer un vol.

– Rien ne presse. Raconte-moi plutôt en détail comment ça se passait chez Kimaati.

N'ayant rien de mieux à faire, Océani lui décrivit l'intérieur de la forteresse et les mœurs dépravées du dieu-lion. Sappheiros l'écouta avec beaucoup d'attention.

DRAGON

Alaina continua de s'occuper du blessé comme s'il avait été l'un de ses enfants, sauf qu'elle ne pouvait pas le déplacer de la même façon. Elle devait se contenter de le retourner dans le nid pour avoir accès à toutes ses blessures. Alaina avait jadis été cueilleuse, mais elle n'avait jamais vu d'humains de près. Certes, il arrivait de temps à autre que des fermiers sortent de leur maison au milieu de la nuit pour aller voir leurs animaux et pour bien d'autres raisons. Alors, perchée dans un arbre, elle avait eu l'occasion de les observer, mais de loin, dans l'obscurité.

L'étranger ressemblait physiquement aux habitants d'Alnilam, mais elle captait de petites étincelles de magie en lui. Ce matin-là, elle était en train de lui laver le visage lorsqu'elle se surprit à penser qu'il pourrait fort bien être un des sorciers dont Avali avait entendu parler lors d'une expédition à Aludra ! En effet, son mari avait jadis surpris une conversation entre deux hommes assis dans des fauteuils à bascule sous le porche d'une maison. L'un avait raconté à l'autre qu'une poignée de mages noirs avaient réussi à échapper à la colère des dieux et qu'ils se cachaient dans les forêts du continent.

« Mais pourquoi celui-ci serait-il tombé du ciel, et au-dessus de l'océan en plus ? » se demanda Alaina. Quelqu'un avait-il cherché à le tuer ? Plus elle passait du temps auprès du blessé, plus elle se posait des questions à son sujet. Il avait les cheveux noirs comme Avali, mais elle n'avait pas encore réussi à voir la couleur de ses yeux. C'est alors qu'il tressaillit, puis battit des paupières. «Ses yeux bleus sont encore plus clairs que ceux de mon mari», songea Alaina en l'observant en silence. Sans aucun geste brusque, le naufragé regarda autour de lui. Il devait chercher à s'orienter.

– Où suis-je? murmura-t-il.

– Vous n'avez rien à craindre, le rassura Alaina. Vous êtes en sûreté.

Il tourna la tête vers elle en grimaçant de douleur. Grâce au sort d'interprétation, il pouvait comprendre ce que lui disait l'étrangère.

– Quel est cet endroit?

– C'est notre logis. Nous vous y avons transporté après vous avoir trouvé en bien piteux état dans les récifs.

– Les récifs?

– Vous êtes tombé du ciel.

Il semblait n'avoir aucun souvenir de ce qui lui était arrivé.

– C'est normal de perdre la mémoire après un tel choc, mais tout rentrera bientôt dans l'ordre, je vous le promets.

– Pourquoi serais-je tombé du ciel?

– Ne vous tourmentez pas inutilement. Concentrez-vous plutôt sur votre rétablissement.

– Ai-je tous les os cassés?

– Non, ce qui est très surprenant, mais les pointes acérées vous ont déchiré la peau à plusieurs endroits. Les lacérations sont par contre en bonne voie de guérison. Je m'appelle Alaina.

Le blessé plissa le front en fouillant dans sa mémoire.

– Je ne sais pas mon nom, avoua-t-il au bout d'un moment.

– Il vous reviendra dans quelques heures, quand vous aurez mangé et que vous vous serez reposé.

La déesse aida son patient à s'asseoir et plaça un coussin de plumes dans son dos, car le bord du nid fait de branches entrelacées lui aurait causé trop de douleur. Puis, elle lui fit boire de l'eau qu'elle avait puisée dans un bassin creusé dans le roc de la grotte par l'érosion, qui se remplissait régulièrement grâce à une source souterraine. L'eau était toujours froide et pure. Le naufragé l'avala à petites gorgées, comme s'il reprenait peu à peu la maîtrise de son corps.

– Je vous remercie de votre bonté, fit-il en lui remettant le gobelet.

Alaina lui offrit ensuite un bol rempli de morceaux de poisson et de crustacé crus. Il y goûta, mais cracha aussitôt sa nourriture.

– Je ne sais pas ce que j'avais l'habitude de manger, mais ce n'était certainement pas ceci, fit-il, l'air découragé.

– Essayons autre chose, alors.

Elle lui offrit des morceaux de carotte, de céleri et de concombre. Il les déposa plus prudemment dans sa bouche et mâcha quelques secondes avant de se prononcer :

– C'est décidément plus familier.

«S'il ne mange pas de produits de la mer, alors il ne peut pas être un Deusalas », se dit Alaina. C'est alors que Kiev revint avec une besace remplie de fruits.

– Il est enfin réveillé ! se réjouit-il.

– Surtout, ne l'effraie pas, l'avertit la mère.

L'adolescent déposa le gros sac sur la table et se hâta de se rendre auprès du blessé.

– Comment vous appelez-vous ?

– Je ne m'en souviens pas.

– Il est atteint d'amnésie, à cause de sa blessure à la tête, expliqua Alaina.

– Savez-vous au moins d'où vous venez ?

– Non plus…

– Est-ce que les mots Alnilam ou Achéron vous disent quelque chose ?

– Rien du tout.

– Maman, comment pourrions-nous l'aider à retrouver la mémoire ?

– En le laissant se reposer, Kiev.

– Je suis certain que toutes ces informations se trouvent quelque part dans ma tête, lui dit l'étranger, mais je n'y ai pas accès pour l'instant.

– En attendant que tout cela vous revienne, nous vous appellerons Dragon.

– Dragon ? répéta Alaina, surprise. Que veut dire ce mot ?

– C'est une magnifique créature ailée qui s'élance dans le ciel.

Alaina se contenta de fixer son fils dans les yeux en attendant la suite de son explication.

– Dans le ciel, maman ! C'est de là qu'il est tombé !

– Vous pouvez m'appeler comme bon vous semble, intervint l'étranger pour mettre fin à la discussion.

– Alors, Dragon, soyez le bienvenu chez nous, fit Kiev.

– Je ne voudrais surtout pas être un fardeau.

L'adolescent allait lui dire qu'au contraire, sa présence lui apportait enfin un peu de distraction, lorsque son père entra en compagnie du roi.

– Il s'est réveillé ? s'informa Avali.

– Ça ne fait que quelques minutes, leur annonça Alaina. Toutefois, il a perdu la mémoire.

– C'est bien dommage, regretta Sandjiv. J'espérais percer le mystère de votre arrivée dans notre monde.

– Je ne sais pas d'où je viens, s'excusa l'étranger.

– Nous lui avons donné le nom de Dragon pour l'instant, leur apprit Kiev.

Avali se contenta d'arquer un sourcil.

– Je ferai tout en mon pouvoir pour me rappeler qui je suis, affirma Dragon.

– Puisque vous ne pouvez pas encore nous expliquer comment vous êtes arrivé ici, fit le roi, je vais vous laisser vous reposer et revenir plus tard.

– Attendez, je ne connais pas votre nom.

– Je m'appelle Sandjiv. C'est moi qui dirige cette communauté. Vos hôtes me feront prévenir lorsque vous aurez recouvré la mémoire.

Le roi quitta la caverne, mais Avali jugea plus prudent de rester avec sa famille.

– Vos blessures vous font-elles souffrir? demanda-t-il en s'assoyant devant Dragon.

– Je dois admettre que je ressens de l'inconfort un peu partout dans mon corps.

– C'est déjà étonnant que vos os ne soient pas cassés en mille miettes après une telle chute, ajouta innocemment Kiev.

– Oui, très étonnant, murmura Avali, soupçonneux.

– Vous avez une idée de mon identité, n'est-ce pas?

– Plusieurs scénarios sont possibles, en effet, avoua le père. Vous pourriez tout autant être un sorcier déchu qu'un naufragé d'un autre monde.

– Ou un Deusalas en provenance d'une colonie lointaine qui a manqué d'énergie pour se rendre jusqu'à Alnilam, proposa Kiev.

– J'aimerais tellement vous rassurer sur mes intentions.

– Vous ne me semblez pas être une créature maléfique, en tout cas, trancha Alaina. Allez, tout le monde à table.

Les filles quittèrent leurs jeux et grimpèrent sur un banc. Pour imiter la famille, Dragon tenta de sortir de son nid, mais une douleur aiguë dans sa jambe le cloua au lit.

– Je suis désolé, je n'y arrive pas, s'excusa-t-il. Et je dois avouer que j'ai mangé à ma faim, tout à l'heure.

– Je vais donc vous redonner simplement à boire, décida Alaina.

223

Elle plongea son gobelet dans le puits et y ajouta subtilement une fine poudre destinée à calmer ses malaises. Dragon la remercia et but la potion calmante sans se douter de rien. Quelques minutes plus tard, il ferma les yeux et s'endormit.

– Maintenant que tu es rentré, est-ce que je pourrais aller m'amuser un peu ? demanda Kiev à son père.

– Tu crois que je vais te laisser t'amuser après ce que tu as fait ?

– Le roi vient de décréter que l'île n'est plus défendue…

– Sois de retour pour le dernier repas, trancha la mère pour éviter un nouvel affrontement entre son mari et son fils.

L'adolescent s'empara de quelques légumes crus et quitta le logis. Il les croqua en planant au-dessus des vagues, où la jeune Mikéla le rejoignit une demi-heure plus tard.

– Tu sembles particulièrement de bonne humeur, dis donc, remarqua-t-elle.

– Je viens de découvrir que j'adore les mystères !

– Tu veux m'en parler ?

Les deux jeunes gens se posèrent d'un commun accord dans une clairière du côté ouest de Gaellans. Ils venaient à peine de refermer leurs ailes que Kiev avouait sa dernière désobéissance à son amie.

– Tu es encore plus téméraire que je le pensais ! s'exclama-t-elle.

– Je veux tout connaître, Mikéla.

– Dis-moi ce que tu as trouvé dans la grotte.

Kiev s'empara d'une petite branche cassée et se mit à dessiner sur le sol, de façon plus ou moins claire, les images qu'il avait vues sur les murs.

– Qu'est-ce que c'est ?

– Sappheiros dit que ce sont des dieux. Ceux qui gouvernent notre monde sont les descendants d'Achéron et de Viatla, mais si tu regardes tout au bout de la ligne, il y a aussi des dieux ailés. À mon avis, ou bien ils ont été oubliés quand les univers ont été distribués entre ces divinités, ou bien le rhinocéros les a écartés pour régner ici.

– Le quoi?

– Cette bête avec une corne sur le nez, c'est un rhinocéros.

– Existe-t-elle juste dans les cieux?

– Je n'en sais franchement rien. C'est pour ça que c'est un mystère.

– L'homme que vous avez trouvé sur les récifs en sait-il plus long que Sappheiros et toi sur cette histoire de dieux?

– Peut-être, mais pour le moment, il ne se souvient même pas de son nom.

– Comment quelqu'un peut-il oublier son nom? s'étonna Mikéla.

– Ma mère croit que c'est à cause du terrible coup qu'il a reçu à la tête quand il a heurté les rochers.

– Donc, tous nos souvenirs se trouvent dans notre crâne?

– On dirait bien que oui.

– C'est bon à savoir. C'est tout ce que tu as découvert dans la caverne?

– Oh non. Il y avait beaucoup de sculptures, dont une énorme qui illustrait ce qui est arrivé à notre peuple jadis. Je ne serais jamais capable de la reproduire.

– Tout ce que tu as vu, c'est du passé, on dirait.

– Pour l'instant.

Kiev choisit de ne pas lui parler de l'illustration qui le représentait.

– Je me demande qui s'est donné tout ce mal, car il est certainement plus difficile de graver l'histoire d'une race dans le roc que de le dessiner sur le sol comme tu viens de le faire.

– Ça aussi, c'est un autre mystère.

– Emmène-moi jusqu'à la grotte! le supplia Mikéla.

– C'est très loin d'ici.

– J'ai beaucoup plus d'endurance qu'avant. Je t'en prie, Kiev.

Puisqu'il ne pouvait rien refuser à sa belle amie et comme il n'était plus défendu de se rendre sur cette île au sud du Royaume de Girtab, l'adolescent finit par céder. Il utilisa les mêmes courants aériens que lors de ses escapades précédentes et s'assura que Mikéla n'avait pas de difficulté à le suivre.

Sa lampe de poche avait eu amplement le temps de se recharger, mais Kiev ne s'attarda pas à chaque fresque, car il savait maintenant que la lumière qu'elle projetait n'était pas durable. La jeune fille observa les premières sculptures sans prononcer un seul mot.

– Cette personne est décidément plus douée que toi en dessin, laissa-t-elle tomber au bout de quelques minutes. Est-ce que tu comprends ce que tout ceci signifie ?

Il lui répéta les commentaires de Sappheiros et avoua qu'il n'en savait pas davantage. Mikéla s'attarda devant la scène du massacre. Ni Kiev ni elle n'étaient nés à cette époque.

– C'est encore plus horrible quand on le voit ainsi, s'attrista-t-elle.

– La suivante est plus joyeuse, assura-t-il.

Il éclaira la reconstruction des nids sur la falaise où ils habitaient désormais. Elle remarqua ensuite l'objet tombant du ciel en direction de l'océan.

– N'est-ce pas ce que vous avez vu, l'autre jour ?

– Oui, c'est exactement ça.

– Donc, cette sculpture est récente.

– Il y a plus encore.

Kiev promena le faisceau lumineux sur le mur pour lui montrer le dragon ailé s'élançant de la falaise, mais il trouva plutôt la représentation d'un dragon couché en rond dans un nid de Deusalas.

– Celle-ci n'était pas là, hier ! s'exclama-t-il.

– Elle aurait donc été gravée durant la nuit?

Il répandit la lumière plus loin et découvrit enfin la scène de la falaise.

– Ça n'a pas de sens... murmura-t-il. C'est comme si le mur avait été allongé pour faire cet ajout...

– Regarde s'il y en a d'autres.

L'adolescent se hâta d'avancer. Il trouva la représentation des Deusalas qui suivaient le dragon hors de leurs cavernes, mais cette fois, ils portaient tous des épées à la main!

– Celle-là aussi est différente.

– Nous ferions mieux de sortir d'ici, balbutia Mikéla, inquiète. Celui qui a fait ça vit sans doute sur cette île et il pourrait ne pas être content de nous trouver chez lui.

– Je veux juste voir la dernière.

Il dirigea sa lampe de poche sur la sculpture suivante. C'était encore le jeune homme qui lui ressemblait, ses deux armes à la main, mais un sourire cruel avait été ajouté à son visage.

– Est-ce toi, Kiev? s'étonna l'adolescente.

– Je n'en suis pas certain... murmura-t-il, ébranlé.

Même s'il avait constaté avec Sappheiros qu'il n'y avait plus rien sur les murs après cette image, le jeune homme projeta tout de même sa lumière plus loin.

– Il y en a d'autres!

Kiev commençait à avoir très peur. Son sosie faisait maintenant face à un homme deux fois plus grand que lui dont le crâne était complètement dégarni.

– Est-ce un humain? demanda Mikéla.

– On dirait que oui.

– Qu'y a-t-il ensuite?

Ils avancèrent en restant collés l'un contre l'autre. C'est alors qu'ils virent le géant chauve plongeant son poing dans la poitrine d'un dieu ailé dont le visage était crispé par l'intense douleur. Sans même se consulter, les deux adolescents prirent leurs jambes à leur cou et déboulèrent de la grotte maudite en haletant. Ils prirent aussitôt leur envol, mais jamais ils n'oublieraient ces horribles images.

PRÉSENTATIONS

Sans jamais perdre de vue qu'il devrait un jour retourner dans son propre monde, Wellan faisait de gros efforts pour s'acclimater à la vie des Chevaliers d'Antarès. La nourriture n'était pas trop différente de celle à laquelle il était habitué, mais les vêtements étaient plus serrés. Il aimait bien sa chambre, même s'il ne pouvait pas en sortir à sa guise, et il adorait la douche. Tous les soirs et tous les matins, il trouvait beaucoup de réconfort à laisser couler l'eau chaude sur son corps. Il avait également fait l'essai des nombreux savons qu'on mettait à sa disposition chaque jour. Leur parfum était suave mais discret. Poussé par la curiosité, il s'était risqué à utiliser le petit appareil qui rasait la barbe grâce à des lames circulaires qui tournaient rapidement. Il n'avait donc nul besoin de se savonner les joues et d'utiliser son poignard pour se rendre présentable.

Lorsque Sierra frappa à sa porte, ce matin-là, il était plutôt séduisant dans sa chemise blanche, sa redingote qui lui atteignait les genoux, ses bottes et son pantalon noir.

– Bonjour, fit-elle. Tu sens vraiment bon.

– Merci. Quels sont tes plans, aujourd'hui ?

– Nous allons commencer par déjeuner, puis il faudra que je te présente aux souverains du château. C'est la loi.

– Ensuite, pourrons-nous aller voir des locomotivus ?

– Les mines se situent malheureusement à des lieues d'ici. Mais je trouverai d'autres inventions à te montrer.

– Alors, ce sera une autre journée épatante.

– Tu n'es pas difficile à contenter, constata-t-elle en l'accompagnant dans le couloir.

Au lieu de l'entraîner vers le hall, elle se dirigea vers les jardins intérieurs.

– Nous ne prenons pas le repas avec les autres ? s'étonna-t-il.

– Je veux que tu sois bien calme lors de notre important rendez-vous, alors je t'évite le tourbillon du hall.

Les serviteurs avaient donc préparé une table près d'une fontaine. Wellan tira la chaise de Sierra, comportement qu'elle ne comprit pas.

– C'est un geste courtois dans mon monde, expliqua-t-il.

Elle se prêta au jeu et s'assit. Il prit place devant elle. Son assiette contenait plusieurs des mets qu'il aimait manger en se levant. Il goûta à tout et sirota son thé avec bonheur.

– Les gens semblent avoir de bonnes manières, à Enkidiev, fit la jeune femme.

– Pas tous, assura Wellan en riant.

– Alors, je suis déçue d'apprendre qu'il y en a qui ne sont pas comme toi.

– Tous les Chevaliers ont été élevés au Château d'Émeraude, mais seuls certains d'entre nous sont de sang royal.

– Tu es roi en plus d'être Chevalier ?

– Prince, en fait.

– Tu continues de me surprendre. Mais pourquoi as-tu décidé de devenir soldat plutôt que de régner sur ton pays ?

– On a pris cette décision pour moi quand j'étais enfant. C'est ma mère qui m'a fait conduire à Émeraude pour que j'y sois instruit dans les arts de la guerre.

– Si j'en crois ce que tu m'as déjà raconté, tu t'es fort bien débrouillé.

– J'ai fait de mon mieux. Et toi?

– C'est après avoir vu mourir mes parents sous les dards de l'ennemi que j'ai choisi de me battre pour défendre les faibles et les innocents. Je n'ai jamais voulu faire autre chose.

– Je ne t'ai pas encore vue à l'œuvre, mais je suis certain que tu es redoutable.

– Quelque chose me dit que tu devais l'être aussi.

Dès que Wellan fut rassasié, Sierra l'emmena dans un couloir qu'il n'avait pas encore exploré. Il menait au palais royal.

– Il serait préférable que tu ne révèles pas à la haute-reine que tu possèdes le pouvoir de guérir les gens, l'avertit-elle.

– Parce qu'elle croira que je suis un sorcier?

– Exactement. Ne lui parle pas non plus de ton court entretien avec Salocin. Ça pourrait te nuire. Si tu ne veux pas passer le reste de ta vie dans un cachot, tu dois tenir ta langue.

– De quoi pourrai-je l'entretenir, alors?

– Contente-toi de répondre à ses questions.

– Et si elle me demande d'où je viens?

– Tu peux mentionner le vortex, mais ajoute qu'Odranoel cherche une façon de t'aider à retourner chez toi. Ça devrait suffire à la rassurer.

– Bien compris, ma commandante.

Sierra lui décocha un regard rieur. Lorsqu'ils arrivèrent devant une grande porte en acier riveté gardée par des soldats, Wellan comprit qu'ils avaient atteint le palais. Reconnaissant Sierra, les hommes la laissèrent passer avec son prisonnier.

Wellan suivit le chef des Chevaliers dans un dédale de somptueux couloirs, s'émerveillant de la richesse de la décoration. Le sol était entièrement recouvert d'une moquette noire où s'enfonçaient ses bottes. «Heureusement que je n'ai pas marché dans la boue, ce matin», songea-t-il. Ils aboutirent enfin à deux portes en bois sur lesquelles étaient gravés deux grands A. Sierra frappa trois coups. Des serviteurs les ouvrirent promptement.

– Leurs Majestés vous attendent, fit l'un d'eux.

Sierra avait fait une demande d'audience la veille pour être certaine que les souverains ne seraient pas occupés ailleurs. Wellan écarquilla les yeux en pénétrant dans ce hall. Il n'était pas en pierre comme celui d'Émeraude. Ses murs étaient recouverts de riches lambris entrecoupés de papier peint grenat imprimé à grands motifs de fleurs dorées. D'énormes lustres de cristal pendaient du plafond et le plancher carrelé était en marbre beige. Il porta son regard plus loin et aperçut les importants personnages. Un homme et une femme aux cheveux argentés étaient assis sur des trônes recouverts de velours rouge. De chaque côté du couple royal se tenaient leurs deux enfants adultes. Ils étaient tous vêtus à la mode d'Antarès.

– Qui veux-tu nous présenter, Sierra? fit alors la haute-reine.

– Votre Majesté, voici Wellan d'Émeraude. Il a été trouvé inconscient sur vos terres.

Le captif se courba respectueusement pour la saluer.

– Wellan, je te présente la Haute-Reine Agafia, son époux, le Roi Dobromir, la Princesse Kharlampia et le Prince Lavrenti.

Le prince dirigea un regard noir sur la commandante. «Sa mère lui a sans doute passé la muselière», se réjouit intérieurement Sierra.

– Vous ne me semblez pas être un manant, Wellan d'Émeraude. Où se situe votre royaume et comment êtes-vous arrivé à Antarès?

– Je suis un explorateur né dans un monde différent de celui-ci, Votre Majesté. C'est en revenant à la forteresse de mon protecteur que j'ai été aspiré par accident dans un vortex.

«Il s'en tient à l'essentiel», constata Sierra, soulagée.

– Un vortex ? répéta Agafia.

– C'est un tunnel magique qui relie un endroit à un autre.

– Est-ce vous qui l'aviez créé ?

– Non, madame, mais je suis tombé dedans comme un idiot.

Sa réponse fit sourire la haute-reine. Il était bien difficile de ne pas succomber au charme de ce géant blond aux yeux brillants de franchise.

– Et vous ignoriez que vous aboutiriez ici ?

– Tout à fait. Mais même si j'éprouve l'envie de rentrer chez moi, je dois dire que votre monde est fascinant.

– Quelqu'un s'occupe-t-il déjà de retrouver ce vortex, commandante ?

– Odranoel se penche sur la question, madame, répondit Sierra, mais cela pourrait prendre un certain temps.

– Tu t'es portée garante de ce prisonnier, à ce qu'on m'a dit.

– C'est exact.

– Si notre inventeur n'arrive pas à retourner Wellan chez lui avant la fin du répit, il sera donc coincé ici pendant plusieurs mois encore.

– Malheureusement, oui.

La haute-reine demeura songeuse un instant.

– Dans une telle éventualité, tu devras l'emmener avec toi dans le Nord, décida-t-elle finalement.

– Mais madame… protesta Sierra.

– À moins, bien sûr, que tu préfères qu'il attende en prison qu'Odranoel trouve le chemin qui lui permettra de rentrer à Émeraude.

– Il pourrait être tué s'il m'accompagne sur le front.

– C'est un risque qu'il devra courir. J'insiste pour que tu le gardes à vue en tout temps.

– Il en sera fait selon votre volonté, Votre Majesté.

– Au plaisir de vous revoir avant votre départ, monsieur Wellan.

– J'allais justement dire la même chose, madame.

Agafia lui adressa un large sourire et fit signe à Sierra qu'elle pouvait partir. Wellan suivit la femme Chevalier et ne prononça pas un seul mot avant d'être de retour dans le couloir.

– Je sais me défendre, murmura-t-il. Pourquoi es-tu fâchée ?

– Parce que je ne veux pas avoir ta mort sur la conscience, voilà pourquoi.

– Ce n'est ni ta décision, ni la mienne, et je te jure que je ferai de gros efforts pour rester en vie.

Ils continuèrent d'avancer en silence pendant quelques minutes.

– Où m'emmènes-tu ?

– Au laboratoire. J'ai besoin d'être seule pour réfléchir.

– Je comprends.

Sierra attendit que Wellan soit à l'intérieur de l'immeuble scientifique avant de tourner les talons. L'ancien soldat chassa de ses pensées la colère de sa protectrice afin de se concentrer sur les progrès d'Odranoel. Il aurait certainement l'occasion de reparler à Sierra de sa participation à la guerre contre les Aculéos.

– Te revoilà ! s'exclama le savant en le voyant approcher.

– As-tu trouvé la façon de charger le parabellum de plusieurs balles ?

– Je l'ai mis de côté pour l'instant, car il m'est venu une idée extraordinaire il y a deux nuits. J'ai tout de suite quitté mon lit et je suis revenu ici pour me mettre au travail.

– Qu'as-tu inventé, cette fois ?

– Sierra me harcèle depuis des mois afin d'obtenir une façon d'entrer en communication avec ses lieutenants tandis qu'ils sont tous dans le Nord. J'en ai dessiné les plans en quelques minutes à peine et je les ai soumis à mes apprentis dès leur arrivée. Le résultat va au-delà de mes espérances.

– Tu ne m'as pas encore dit de quoi il s'agit.

– C'est un movibilis. Son fonctionnement interne ressemble fort à celui de nos stationarius actuels. Mes assistants devraient bientôt avoir terminé la confection du boîtier.

– Je ne comprends pas de quoi tu parles.

– Ce sont des appareils de communication. Suis-moi.

Odranoel le conduisit dans la salle où il menait ses expériences de téléphonie. Au centre, ses apprentis s'affairaient autour d'une large table. Pour Wellan, il s'agissait surtout d'un fouillis de fils colorés reliés à de minuscules boîtes noires.

– Nous possédons le stationarius depuis plusieurs années. Grâce à un réseau de fils enfouis sous la terre dans des tuyaux de polychlorure de vinyle, les souverains de tous les pays d'Alnilam peuvent se parler assez rapidement

– Grâce à des fils ? s'étonna Wellan.

– Laisse-moi t'expliquer. La technologie du stationarius transforme la voix en signaux électriques qui voyagent à l'intérieur de ces fils. Une fois rendus à destination, ces signaux sont reconvertis en ondes sonores et reproduisent la voix de l'interlocuteur.

Comme Wellan affichait la plus totale incompréhension, le savant demanda à un de ses adjoints de lui apporter un stationarius.

L'appareil fut prestement déposé devant le prisonnier. Il avait la forme d'une boîte en laiton ciselé aux motifs floraux montée sur quatre pattes. Sur une de ses faces était fixé un cadran perforé de petits trous ronds où apparaissaient des symboles tandis que sur le dessus se trouvait un support sur lequel reposait un cylindre dont les extrémités se terminaient par des rondelles en matériel plus mou.

– Cette partie est le combiné, expliqua Odranoel en soulevant le cylindre relié au reste de l'appareil par un grand cordon. On appuie le récepteur sur son oreille et le microphone sur le menton.

Il lui fit une démonstration.

– En composant sur le cadran le numéro de la personne à qui on veut parler, on finit par obtenir la communication. Le stationarius de notre interlocuteur fait entendre une sonnerie et il n'a qu'à répondre. Deux personnes peuvent donc bavarder même si elles se trouvent à des centaines de lieues l'une de l'autre.

« Comme la télépathie… » crut comprendre Wellan.

– Si tu as déjà inventé cette chose, pourquoi la créer de nouveau ? demanda-t-il.

– Ce dont les Chevaliers ont besoin, c'est d'un appareil semblable, mais qui pourrait fonctionner sans les fils. Or en utilisant des antennes plantées un peu partout dans le Nord, les ondes pourraient circuler de la même façon.

– Comme une pensée ?

– C'est une bonne analogie.

Un apprenti apporta finalement à Odranoel deux boîtiers rectangulaires de couleur grise. Les rondelles du récepteur et du microphone ainsi que le cadran se trouvaient sur une seule de leurs faces.

– Nous allons installer toutes les pièces à l'intérieur pendant que d'autres jeunes scientifiques assemblent les antennes, puis nous ferons des tests.

Dépassé, Wellan marcha vers la fenêtre pour regarder dehors, où le monde avait encore du sens pour lui. Il vit Sierra longer les enclos puis entrer dans une enceinte délimitée par un muret, à l'intérieur duquel se trouvait une multitude de pierres dressées vers le ciel.

– Si tu veux bien m'excuser, fit le captif en se tournant vers Odranoel, je dois m'entretenir avec la commandante de façon urgente. Puisqu'elle ne possède pas encore de movibilis, je vais devoir me rendre jusqu'à elle.

– Ce n'est plus qu'une question d'heures, mon cher Wellan. Mais je t'en prie, vas-y.

Grâce à sa prodigieuse mémoire, l'ancien Chevalier réussit à retrouver son chemin jusqu'à la sortie et aboutit dans la cour. Il suivit la même route que Sierra et la trouva agenouillée sur une pierre, une fleur à la main.

– Quel est cet endroit? demanda Wellan en s'arrêtant derrière elle.

– Mais qu'est-ce que tu fais là? tonna-t-elle en faisant volte-face.

– Malgré toute ma bonne volonté, je ne comprends rien au charabia d'Odranoel.

– Tu n'es pas le seul, se radoucit la commandante. C'est un cimetière, un endroit où nous enterrons nos morts. Cette pierre tombale, c'est celle du commandant Audax, mon prédécesseur.

– Tu éprouvais beaucoup d'affection pour lui, n'est-ce pas?

– Il a été mon mentor, mon inspiration et parfois le père que je n'avais plus. Il me manque beaucoup. Tu as dû, toi aussi, perdre beaucoup d'amis durant tes combats.

– Plus que je ne l'aurais voulu, mais c'est un risque de notre métier. Si nous nous battons, c'est pour que ceux qui resteront vivent enfin en paix.

– Je voudrais trouver la façon de mettre un terme aux invasions des Aculéos pour que les habitants d'Alnilam cessent de trembler de peur.

– Peut-être que je pourrais t'apporter un point de vue différent, maintenant que je suis forcé de t'accompagner sur le champ de bataille.

– Tu ne sembles pas te rendre compte à quel point c'est dangereux.

– Crois-tu vraiment que j'ai mené contre les Tanieths des combats qui ne l'étaient pas ? plaisanta-t-il.

– J'ai un mauvais pressentiment, Wellan.

– Tu as des dons d'augure ?

– Non… seulement une puissante intuition quand il s'agit de la guerre.

– Ne me sous-estime pas, Sierra. Je t'assure que je n'ai pas fini de t'impressionner… mais certainement pas dans le laboratoire d'Odranoel.

Il lui arracha presque un sourire.

– En fin de compte, je suis fait pour la vie militaire, pas pour la recherche scientifique.

– J'ai eu la même réflexion à seize ans.

– En attendant le redoutable moment de notre départ, profites-en pour te détendre pendant le répit comme tous tes soldats sont en train de le faire.

– J'avoue que ça me plairait beaucoup.

– Commence par me parler de cet homme que tu vénérais.

Wellan avait beau promener son regard sur la pierre tombale, il n'arrivait pas à lire ce qui y était inscrit.

– Audax est né à Girtab, un pays chaud au bord de la mer au sud-est d'Alnilam. C'est le royaume où l'on forme les meilleurs médecins et les plus habiles chirurgiens. Les Girtabiens ont tous un grand sens du devoir. Lorsque mon mentor s'est enrôlé dans l'Ordre, c'était pour en faire une carrière. D'abord simple soldat, il a rapidement grimpé les échelons et au bout de quelques années, il est devenu le chef incontesté des Chevaliers d'Antarès. Il m'a sortie de la maison en flammes de mes parents à Arcturus alors que je n'étais qu'une gamine et il m'a ramenée ici pour que je sois en sûreté.

À partir de ce jour, je n'ai jamais cessé de travailler très fort pour lui faire honneur.

– Je suis certain qu'il peut te voir à partir du monde des morts et qu'il est fier de toi.

Elle baissa tristement la tête.

– Si nous allions faire quelque chose de plus joyeux? proposa-t-il.

– Je pourrais te montrer les alentours à cheval si tu me promets de ne pas tenter de t'enfuir.

– Je te le jure sur mon honneur.

Wellan lui tendit la main et la tira vers la sortie du cimetière.

RECRUTEMENT

La campagne d'Antarès ressemblait beaucoup à celle d'Émeraude. Elle était divisée en d'innombrables fermes qui produisaient des céréales, des fruits, des légumes mais surtout, qui élevaient d'impressionnants troupeaux de chevaux, de bovins et de moutons. Il y avait aussi de nombreuses porcheries et des poulaillers.

— Vous consommez beaucoup de viande, constata Wellan en chevauchant lentement près de Sierra.

— C'est vrai, mais nous ne mangeons jamais la chair des bébés animaux, par contre.

— Donc pas de veau ni d'agneau?

— Absolument pas. Nous n'enlevons jamais la vie à une bête qui n'a pas encore eu la chance de vivre pendant au moins quelques années.

— C'est la même chose quand vous chassez?

— Le principe s'applique partout. Nous ne tuons pas les petits.

— J'imagine que les Aculéos agissent différemment.

— Ils abattent en effet tout le monde sans discrimination.

À la grande surprise de Wellan, après avoir traversé une petite rivière, ils arrivèrent dans ce qui ressemblait à un village. Les maisons étaient construites avec des planches de bois et avaient souvent deux étages. Ils attachèrent leurs montures à des poteaux plantés devant un immeuble plus grand que les autres.

– C'est un hôtel, expliqua la commandante, un endroit où on peut dormir et manger. Je vais te faire découvrir des produits du terroir.

Ils entrèrent dans l'établissement dont le rez-de-chaussée était meublé de tables rondes. Sierra invita le prisonnier à prendre place près de la porte. « Un réflexe de soldat », comprit Wellan.

– Merci de me faire vivre toutes ces expériences extra-ordinaires, fit-il.

– Profites-en pendant qu'elles sont encore plaisantes.

L'hôtelier, qui avait reconnu la femme Chevalier, s'approcha.

– Qu'est-ce que ce sera aujourd'hui, commandante ?

– Ta spécialité, Hubert.

– Tout de suite, madame.

Pendant qu'il préparait leurs assiettes, il leur fit porter de la bière. Wellan en but aussitôt une gorgée.

– Comment faites-vous pour conserver les boissons aussi fraîches ?

– Nous les gardons au frigidarium.

L'air interrogateur de Wellan poussa Sierra à demander au patron la permission de lui montrer le gros appareil au fond de la cuisine. Elle laissa même son protégé ouvrir lui-même la porte et s'amusa de le voir toucher les bouteilles recouvertes de givre.

– De quelle façon produisez-vous le froid ?

– Grâce à des machines. Si tu tiens à en connaître le fonctionnement exact, tu peux t'adresser à Odranoel.

– Pour me faire bombarder d'explications scientifiques auxquelles je ne comprendrai rien ?

Après un succulent repas de saucisses grillées et de choucroute, ils entreprirent de rentrer à la forteresse, car il commençait à faire de plus en plus froid. En franchissant les portes de la muraille, Sierra constata avec satisfaction qu'une centaine de recrues en provenance d'Ankaa étaient enfin arrivées. La commandante avait à peine mis le pied à terre qu'Apollonia venait à sa rencontre.

– J'ai fait chercher Alésia, Ilo et Chésemteh et je leur ai demandé de choisir dans leur division ceux qui pourraient mettre ces jeunes gens à l'épreuve sans les tuer, lui dit-elle.

– Parfait. Nous allons pouvoir commencer. Tu sais ce que tu as à faire.

D'une voix forte, Apollonia réclama l'attention des conscrits. Elle les divisa rapidement en quatre groupes, au hasard, sachant très bien qu'ils seraient répartis autrement selon leurs aptitudes. Quelques minutes plus tard, les chefs des autres garnisons arrivèrent. Wellan ne put s'empêcher de dévisager Chésemteh, qui était la seule à posséder une chevelure tricolore.

– Laisse-moi deviner : jamais vu d'Aculéos auparavant ? fit-elle sans afficher d'émotion.

– Aculéos ? répéta Wellan en questionnant Sierra du regard.

– Ne crains rien, intervint Alésia. Elle n'a plus de pinces ni de dard.

– Je t'expliquerai plus tard ce qui s'est passé, lui promit Sierra. Nous avons beaucoup de pain sur la planche.

Comme chaque année, les chefs de garnisons utilisèrent quelques-uns de leurs Chevaliers pour croiser le fer avec les nouveaux venus. Sierra se déplaçait d'un groupe à l'autre. Avec les commandants, elle observait les recrues afin de juger d'abord si elles avaient suffisamment d'endurance pour faire partie de l'armée, puis déterminer à quelle division elles seraient confiées. Celles qui passaient plus de temps à étudier leur adversaire qu'à porter des coups deviendraient des Chimères. Celles qui tentaient de surprendre leur opposant sans faire de bruit étaient prisées par les Basilics, tandis que celles qui se précipitaient tête baissée sur les Chevaliers en criant de tous leurs poumons se retrouvaient chez les Salamandres ou les Manticores, selon leur degré de férocité.

Wellan suivit Sierra en silence, tentant de deviner à quoi elle pensait.

Chaque fois qu'ils arrivaient devant le groupe évalué par Chésemteh, il ne pouvait pas s'empêcher d'étudier les traits de cette étrange femme. On lui avait pourtant dit que les Aculéos étaient très grands, mais la commandante des Basilics était de la taille de Sierra. Ce qui la différenciait surtout des humains qui l'entouraient, c'était son inébranlable concentration. Rien ne la distrayait des duels qui se déroulaient devant elle. Contrairement aux autres chefs, elle avait choisi ses plus redoutables soldats pour tester les conscrits. Locrès, Niya, Olbia, Samos, Innokenti, Mohendi et même l'espiègle Trébréka ne faisaient aucun effort pour les épargner. Chésemteh évaluait rapidement les performances de ces jeunes gens d'Ankaa qui désiraient se battre pour leur patrie et Sierra était toujours d'accord avec ses décisions.

Alésia, qui dirigeait les Salamandres, n'hésitait pas à encourager Napoldée, Nienna, Pergame, Sybariss, Iakim, Louka et l'imprévisible Massilia à malmener leurs futurs compagnons d'armes. Apollonia, la commandante des Manticores, en faisait tout autant avec Dassos, Iblos, Messinée, Tanégrad, Dholovirah, Samara et Mactaris, mais en criant encore plus fort. Elle avait par contre écarté Baenrhée des épreuves, car celle-ci s'emportait toujours au combat. Du côté des Chimères, Ilo avait plutôt choisi ses guerriers les plus pondérés, soit Antalya, Cercika, Méniox, Thydrus, Urkesh, Iordan et Slava. Wellan n'accordait presque aucune attention aux aspirants. Il s'intéressait davantage aux techniques utilisées par les Chevaliers d'Antarès en duel.

À la fin de la journée, les recrues avaient toutes été assignées à une division. On les invita à manger pour la première fois dans le hall de l'Ordre avant de les conduire à leur chambre.

Mort de faim, Wellan les suivit et prit place à la gauche de Sierra. Devinant qu'il se posait des questions à son sujet, Chésemteh choisit un siège de l'autre côté de la table, directement devant le prisonnier.

– J'étais un bébé quand je suis arrivée à Antarès, laissa-t-elle tomber, impassible. On m'a amputée de ce qui faisait de moi une Aculéos.

– Il n'y a qu'Urkesh qui ait vu ses cicatrices, fit moqueusement Trébréka en plongeant les mains dans le plat de poulet rôti.

Sierra raconta donc à Wellan les circonstances dans lesquelles Audax avait trouvé la petite scorpionne blessée au pied des falaises du Nord. Puisqu'elle s'en était prise à ses sauveteurs, il avait décidé de l'amputer de son dard et de ses bras qui se terminaient par des pinces.

– Elle s'est facilement adaptée à la vie de la forteresse, affirma-t-elle.

– Tu te demandes si je finirai par trahir les humains, n'est-ce pas ? devina Chésemteh, qui ne savait tout simplement pas mettre des gants blancs.

– N'éprouve-t-on pas une certaine loyauté envers sa propre race ? répliqua Wellan.

Il ne voulait pas la provoquer, mais il sentait qu'avec elle, la vérité était de mise.

– Je suis fidèle à ceux qui m'ont permis de survivre.

– Elle a assez tué d'Aculéos pour qu'on la croie, ajouta Trébréka, la bouche pleine. Il n'y a pas meilleure chef qu'elle… sauf Sierra, bien sûr.

– Trêve de flatteries, Éka, l'avertit Sierra.

– Je dis ce que je pense.

Wellan commençait à s'habituer à l'atmosphère turbulente du hall. La camaraderie qui existait entre ces Chevaliers était fort différente de celle qui régnait à Émeraude, mais elle était tout de même palpable.

– Comment ton Ordre recrutait-il ses soldats ? demanda alors Samos, assis de l'autre côté du captif.

– Les parents envoyaient leurs enfants de cinq ou six ans à Émeraude. C'était le magicien du château qui décidait lesquels possédaient suffisamment de talent pour devenir ses élèves. Puis, lorsque ceux-ci atteignaient l'âge de onze ans, ils devenaient Écuyers et étaient attitrés à un Chevalier jusqu'à leur dix-septième année.

– Un magicien ? s'étonna Chésemteh.

S'en voulant d'en avoir trop dit, Wellan hésita.

– Ce qui se dit dans le hall reste dans le hall, précisa alors Samos.

– Il ne faudrait pas que ces renseignements arrivent aux oreilles de la haute-reine, les avertit Sierra. Nous ne voulons pas voir Wellan brûler sur un bûcher.

– Surtout pas ! s'effraya Trébréka. Il est gentil.

– Si j'ai bien compris, continua Samos, les Chevaliers de ton monde apprennent la magie avant de recevoir un entraînement militaire ?

– C'est exact.

– Tu es donc magicien, toi aussi ?

– Je l'ai déjà été, oui.

– Ta magie t'a quittée ? s'attrista Trébréka.

– Je ne veux plus m'en servir.

– Même pas ici ? voulut s'assurer Chésemteh.

– Surtout pas ici. Je ne suis pas censé être dans ce monde, alors je ne dois pas perturber le cours de votre histoire.

– Mais si tu es coincé à Antarès et que tu possèdes de grands pouvoirs, pourquoi ne pas nous aider à sauver notre continent ? s'enquit Samos.

– Il faudrait d'abord que je sois certain de ne plus pouvoir rentrer chez moi.

– On a juste à l'en empêcher, suggéra Trébréka.

– Donnez-moi le temps de penser à tout ça, fit Wellan.

– Il répond comme Sierra, se moqua l'Eltanienne.

Les nouveaux Chevaliers se montrèrent très enthousiastes lorsque la musique explosa dans le hall, mais Wellan n'arrivait pas à s'y faire. Il demanda à Sierra la permission de quitter la fête. Voyant Ilo s'approcher, Chésemteh, qui n'aimait pas non plus la musique trop forte, offrit à la commandante d'aller reconduire le prisonnier à sa chambre. Sierra lui lança alors la clé qu'elle portait au cou sur une cordelette.

– Je la glisserai sous ta porte avant d'aller me coucher, lui dit la scorpionne.

Chésemteh attendit d'être dans la cage de l'ascensum, loin des oreilles indiscrètes, avant de s'adresser à l'étranger.

– Jusqu'où s'étendent tes pouvoirs ?

– Ils peuvent autant guérir que tuer.

– Et tous tes Chevaliers possèdent les mêmes facultés ?

– Oui, tous, mais certains sont plus doués que d'autres.

– Vous les avez utilisés pour vaincre vos ennemis ?

– Pour les repousser dans la mer, surtout, mais une poignée de mes soldats ont réussi à tuer le dieu qui dirigeait les invasions et nous avons enfin pu connaître la paix.

– Une poignée... C'est intéressant.

Elle s'arrêta à la porte de sa chambre, la déverrouilla et l'y laissa entrer.

– Je pense que tu devrais accepter de nous aider.

Sans rien ajouter, elle referma la porte. Wellan prit une douche en réfléchissant à son engagement envers ces gens qui auraient très bien pu l'exécuter le jour où ils l'avaient découvert dans la forêt. «On dirait bien que la guerre continue de me réclamer», se découragea-t-il en s'allongeant sur son lit.

Le lendemain, il assista encore une fois aux épreuves de jeunes guerriers, en provenance de Koshobé et d'Altaïr, cette fois. Les commandants avaient choisi les mêmes Chevaliers pour les évaluer. Sierra avait offert à Wellan de passer la journée au laboratoire, mais il lui avait avoué qu'il n'en avait aucune envie. Il ignorait cependant qu'un homme de Phelda venait de s'y présenter et qu'il allait changer le cours de l'existence des Alnilamiens.

Les assistants avaient installé le visiteur dans la salle d'exposition des modèles réduits des créations de tous les inventeurs d'Antarès depuis des siècles. Au lieu de s'asseoir dans l'une des confortables bergères, le jeune Skaïe marchait le long des nombreuses étagères en étudiant chacune des inventions.

— Tu désires me voir? fit Odranoel en entrant dans la pièce.

Contrairement au savant, qui était tiré à quatre épingles, l'étranger portait une chemise blanche défraîchie et un pantalon brun retenu par des bretelles, ainsi que des bottes plutôt usées. Ses cheveux noirs bouclés, qui lui arrivaient aux oreilles, n'étaient pas coiffés, et il ne s'était certainement pas rasé depuis plusieurs jours.

— Tu es le célèbre Odranoel de Markab?

— C'est bien moi. As-tu un message à me remettre?

— Pas du tout. Je ne suis pas un coursier. Je suis venu t'offrir mes services d'inventeur.

— D'inventeur? D'où viens-tu, jeune homme, et qui te recommande?

Skaïe se défit du sac en cuir qu'il portait sur son dos et y fouilla pendant quelques secondes avant d'en retirer une enveloppe qu'il tendit fièrement à Odranoel. Celui-ci déplia la lettre qu'elle contenait et la lut rapidement.

– Tu as été l'apprenti d'Oélilag de Markab? s'étonna-t-il.

– Pendant un an.

– Pourquoi l'avoir quitté après si peu de temps?

– C'est lui qui m'a demandé d'aller offrir mes services à un laboratoire de renom. J'ai choisi le tien.

– Avant de t'accepter à Antarès, je vais devoir t'imposer une épreuve.

– J'adore les défis.

L'entrain de Skaïe commençait à irriter le savant, mais il ne le laissa pas paraître. Il le mena plutôt dans la salle où ses apprentis avaient assemblé les deux boîtiers du movibilis.

– Voici deux appareils qui permettent de communiquer en utilisant une antenne plutôt que des fils. Mon problème, c'est qu'il n'y aura pas de source d'électricité là où ils seront utilisés. Peux-tu le résoudre?

– Tu tombes en plein dans mon champ d'expertise. Je vais te régler ton problème en un battement de cil. Puis-je avoir accès à tes produits chimiques?

– Bien sûr, Skaïe. Toutefois, j'aimerais que tu ne fasses pas exploser mon laboratoire.

– Je tiens trop à ma vie, Odranoel.

Le savant recula pour céder la place au jeune inventeur, mais ne quitta pas la pièce, car il ne voulait perdre de vue aucun de ses gestes. Skaïe fureta sur les étagères et ramena plusieurs flacons sur la table ainsi que des tiges et des plaques de métal, un bout de tuyau flexible et quelques récipients.

– Je vais d'abord t'en faire une démonstration systématique, puis, avec ta permission, je l'adapterai à tes appareils.

– Éblouis-moi, Skaïe.

En quelques minutes, le Pheldien fabriqua une pile en utilisant deux petits bols remplis d'une solution ionique dans lesquels trempaient des électrodes, et reliés par un pont salin. Grâce à un fil en cuivre, il parvint à allumer une ampoule.

– Bravo.

– Ce dispositif électrochimique, auquel j'ai donné le nom de pile électrique, convertit l'énergie chimique en énergie électrique grâce à une réaction d'oxydoréduction.

«Enfin quelqu'un qui parle ma langue», ne put s'empêcher de penser Odranoel.

– Comment comptes-tu l'intégrer à mes movibilis?

Skaïe se remit à fouiner dans le matériel et revint avec de petits godets. Il y inséra un empilement de rondelles de dioxyde de manganèse puis roula des feuilles de papier qu'il plaça à l'intérieur.

– Du papier? laissa échapper Odranoel.

– Pour éviter que les électrodes positive et négative se touchent, ce qui causerait un court-circuit.

Il imbiba la feuille de solution ionique, puis y ajouta l'électrode négative enduite de gel. Il referma les godets et y planta un clou.

– C'est pour permettre aux électrons de sortir de la pile, expliqua-t-il. Si tu m'alloues encore quelques minutes, je vais voir comment je peux adapter le tout à tes appareils de communication.

Odranoel était sans voix. Il se contenta d'observer Skaïe tandis qu'il modifiait habilement les boîtiers pour établir un point de contact entre les piles et le mécanisme électrique interne des movibilis.

– C'est plutôt rudimentaire et je me doute qu'elles ne fonctionneront que quelques minutes, ajouta-t-il, mais avec des moyens plus importants, je pourrais certainement créer quelque chose de durable qui permettrait une utilisation de ces appareils pendant une vingtaine d'heures à la fois. J'ai vu que tu n'as prévu qu'un seul canal de communication, mais en utilisant des codes à cinq chiffres, on pourrait personnaliser chaque appareil.

Il tendit l'un des movibilis à Odranoel et quitta la salle en emportant l'autre. La sonnerie fit sursauter le savant. Il appuya sur le bouton d'acceptation de la communication.

– Qu'en dis-tu? lança à son oreille la voix enjouée du jeune homme.

– J'ai rêvé toute ma vie de travailler avec un inventeur de ta trempe, Skaïe. Tu es embauché. Maintenant, mets-toi au travail. Il ne nous reste plus beaucoup de temps avant la fin du répit.

– Avec joie, Odranoel!

Il mit fin à la communication avec un large sourire de satisfaction.

REMUE-MÉNINGES

Lorsque les Chevaliers quittèrent enfin la cour avec les recrues et allèrent s'entasser dans leur hall, un serviteur barra la route de Wellan. Il lui annonça que la haute-reine l'attendait chez elle pour le repas. « Heureusement que je n'ai pas participé aux duels », songea le prisonnier. « Je n'aurais pas été très présentable. »

– Sierra doit-elle m'y accompagner ?

– Ce ne sont pas mes ordres. Suis-moi.

Avec un clin d'œil, la commandante encouragea Wellan à obéir. Ilo en profita pour prendre la main de sa maîtresse et l'entraîner avec le reste de leurs compagnons. « Ils ont besoin de passer du temps ensemble », se dit Wellan en emboîtant le pas au serviteur. Depuis qu'il s'était écrasé à Antarès, la pauvre femme l'avait continuellement eu à l'œil.

Wellan pénétra dans une petite pièce du palais aussi richement décorée que la salle d'audience où il avait été présenté à la famille royale. Agafia, en robe longue du même bleu que le blason du Royaume d'Argent de son monde, l'attendait, debout devant un guéridon où se trouvaient une carafe et deux verres en cristal.

– Merci d'avoir accepté mon invitation, fit-elle en lui offrant à boire.

– Comment aurais-je pu refuser ?

Wellan goûta à l'alcool du bout de la langue et s'étonna qu'il soit aussi sucré.

– Je vous en prie, assoyez-vous.

Dès qu'il eut pris place à table, les serviteurs déposèrent les assiettes devant eux.

– Vous traitez bien vos prisonniers, plaisanta Wellan.

– Vous avez certes été capturé sur nos terres, mais mon instinct me dit que vous n'êtes pas un criminel. Votre histoire de vortex est intrigante mais plausible. Personne à Alnilam ne vous ressemble et je ne fais pas référence à votre physique.

– Je m'en rends bien compte, madame. Plus j'en apprends sur votre civilisation, plus je dois admettre que vous êtes en avance sur nous dans bien des domaines.

– Sauriez-vous vous acclimater si nous n'arrivions pas à vous retourner chez vous?

– Je possède une grande faculté d'adaptation, mais avant d'exceller en science, je devrais y consacrer le reste de ma vie.

– Ne vous en faites pas, Wellan. Je suis née ici et je ne m'y retrouve pas toujours. À chacun son métier.

Wellan goûta à la cuisine beaucoup plus raffinée que celle qu'on servait dans le hall des Chevaliers.

– Parlez-moi de votre univers.

L'ancien chef des Chevaliers d'Émeraude raconta donc sa vie à la souveraine en omettant de lui dire qu'il était mort pendant la guerre contre les Tanieths et que la déesse de Rubis lui avait donné la chance de poursuivre sa vie dans le corps d'un bébé. Selon lui, ce récit lui aurait fait perdre toute crédibilité.

Au même moment, Ilo et Sierra, qui venaient à peine de s'asseoir dans le hall, virent le docteur Eaodhin s'approcher d'eux.

– Un mot, commandante, fit-elle sur un ton sérieux.

– Pas ici, rétorqua Sierra.

La femme Chevalier suivit le médecin dans le couloir.

– Un des internes m'a montré les résultats fort intéressants d'une scanographie de ton bras, fit Eaodhin avec un air de reproche.

– Si je ne suis pas retournée te voir, c'est que je n'en éprouvais plus le besoin.

– Montre-moi ton bras.

Sierra retroussa sa manche et la laissa l'examiner.

– Comment est-ce possible ? s'étonna la chirurgienne. S'agit-il d'une nouvelle technologie de Girtab ?

– Tu ne vas sans doute pas me croire, mais c'est de la magie.

– Tu as consulté un sorcier ? s'horrifia Eaodhin.

– Jamais de la vie.

– Alors, comment ?

– Ce que je vais te révéler devra rester entre nous.

– Bon, d'accord.

– Les sentinelles ont ramené un inconnu au château il y a quelque temps.

– J'en ai vaguement entendu parler, oui.

– Il possède un don de guérison assez impressionnant. Il a simplement mis sa main au-dessus de ma blessure et elle a disparu.

– Même la science ne peut pas faire ça, Sierra.

– La scanographie ne ment pas et je me sens aussi puissante qu'avant.

– Ça ne me plairait pas que tout le monde le consulte au lieu de passer par moi.

– Sois sans crainte, Eaodhin. Non seulement les gens redoutent la magie, mais le prisonnier n'a pas l'intention d'ouvrir son propre cabinet.

– Je suis soulagée que tu sois complètement guérie, mais, de grâce, ne faites pas confiance à n'importe qui en matière de santé.

– Promis.

Sierra ne revit Wellan que le lendemain. Il lui raconta sommairement son entretien avec la haute-reine, qu'il trouvait très charmante. Il assista aux épreuves des recrues toute la semaine et se surprit même à pouvoir deviner dans quelle division serait intégré chaque nouveau guerrier. «Au lieu de commencer à m'habituer à cette vie, je devrais plutôt chercher la façon de rentrer chez moi», pensait-il parfois.

Lorsqu'il ne se présenta plus personne à la forteresse, Sierra réunit tous ses soldats dans le hall et grimpa sur une table, micro à la main. Il était temps de passer aux choses sérieuses.

– Ce soir, ne cherchez pas l'alcool, commença-t-elle. Il n'y en aura pas. Je m'adresse d'abord aux recrues. Je suis certaine que les commandants de vos divisions respectives vous ont déjà expliqué le fonctionnement interne de notre Ordre. Le reste, vous l'apprendrez sur le terrain ou vous mourrez. Cette année, j'aimerais que nous gagnions cette guerre qui dure depuis bien trop longtemps. Je compte donc sur vous pour obéir aux ordres. Et, si vous deviez avoir une idée de génie, n'hésitez pas à en faire part à vos chefs.

Malgré les milliers de personnes qui se trouvaient dans le hall, on n'entendait plus un son.

– Je vais maintenant demander aux quatre garnisons de nous faire un rapport de ce qu'elles ont vécu ces derniers mois sur le front. Ensuite, j'écouterai vos suggestions sur la façon de mettre fin aux massacres une fois pour toutes. Chésemteh, si tu veux bien commencer.

La scorpionne quitta ses soldats et accepta le micro que lui tendait Sierra, mais elle ne monta pas sur la table. Elle voulait bien se plier à cet exercice parce qu'il faisait partie de ses fonctions, mais elle n'aimait pas particulièrement s'afficher en public.

– Je parle au nom des Basilics, fit-elle à l'intention des recrues. Les Aculéos ont surtout attaqué Antarès et Arcturus par le passé, mais ils commencent à s'infiltrer de plus en plus au Royaume de Hadar. Puisque nous avons souvent eu à affronter des groupes d'éclaireurs, il nous a été facile de les embusquer et de les anéantir. Notre but est de ne laisser aucun Aculéos remonter sur la falaise pour informer ses dirigeants de notre façon efficace de les combattre.

– Aucun ! s'exclama fièrement Trébréka.

– Cette année encore, à moins que tu ne nous donnes des ordres différents, fit Chésemteh en se tournant vers Sierra, nous continuerons de les faucher de la même façon.

Elle remit le micro à la commandante et décocha un regard énigmatique à Wellan, assis quelques pas plus loin.

– Alésia, approche.

La commandante des Salamandres avança vers la table en se déhanchant divinement, ses longs cheveux blonds frisés balayant son dos. Contrairement à Chésemteh, rien ne plaisait plus à Alésia que d'être le centre de l'attention. Elle grimpa près de Sierra et accepta son micro.

– Premièrement, merci à vous tous pour votre dévouement qui nous permet de protéger les habitants du continent, fit-elle. En ce qui concerne le travail des Salamandres, il a toujours été plus facile de protéger Altaïr grâce au grand fleuve Caléana qui part de la mer du Nord et qui descend jusqu'à la baie d'Ankaa. Toutefois, depuis quelques années, les Aculéos se servent de radeaux pour tenter de le franchir. Nous ignorons s'ils ont appris à les construire eux-mêmes ou s'ils les ont volés aux habitants riverains d'Antarès. Chose certaine, personne ne leur a enseigné l'art de la navigation et c'est surtout leur maladresse qui les rend faciles à repérer et à anéantir avant qu'ils puissent envahir Altaïr. Comme certains d'entre vous le savent déjà, il existe plusieurs ponts plus au sud, que nous surveillons avec attention. Tôt ou tard, les hommes-scorpions finiront bien par comprendre à quoi ils servent. Mais nous serons là pour les empêcher de les emprunter.

– Il ne faut pas oublier non plus que les Chimères patrouillent souvent l'autre rive, lui rappela Ilo, alors je doute fort que les Aculéos arrivent à s'y rendre.

– Beaucoup réussissent tout de même à vous échapper, répliqua Alésia.

– Nous ne sommes pas ici pour nous faire des reproches, les arrêta Sierra. Les Chevaliers d'Antarès œuvrent tous pour la même cause. Je suis certaine que c'est le travail combiné de vos deux divisions qui permet au Royaume d'Altaïr de ne pas être aussi touché que les autres.

Afin de permettre à Ilo de se refroidir un peu avant de parler, Sierra appela ensuite Apollonia à l'avant. Celle-ci croisa Alésia, qui retournait à sa garnison. Les deux femmes claquèrent leur main droite ensemble pour s'encourager.

– Alors voilà, soupira la commandante des Manticores en restant sur le plancher, dès que Sierra lui eut remis le micro. Pour nous, c'est plutôt le contraire. Avec Antarès, Arcturus est l'un des territoires les plus prisés par les Aculéos. Ce ne sont pas de petits groupes d'éclaireurs que nous affrontons tous les jours, mais des centaines de machines à tuer. Avec le temps, nous sommes parvenus à établir plus précisément les endroits où les hommes-scorpions descendent des falaises. Alors, nous avons cessé d'établir des barrages sur des terres où ils ne se manifestent pratiquement jamais. Sous le couvert des arbres, nous attendons qu'ils soient presque rendus sur le sol et nous les criblons de flèches avant de foncer sur ceux qui sont encore debout. Cependant, malgré tous nos efforts, les scélérats ont quand même réussi à brûler deux villes entières, avant ce répit.

– C'est une remarquable amélioration, apprécia Sierra, car l'année précédente, si je me souviens bien, ils en avaient rasé dix.

– Tu as une excellente mémoire, commandante. Notre but, cette année, c'est qu'ils ne causent aucune dévastation sur notre territoire.

Elle lui rendit le micro et retourna au milieu de ses guerriers. Ilo, qui était le seul des lieutenants qui n'avait pas encore parlé, s'avança avant que Sierra l'ait appelé.

– La situation des Chimères ressemble beaucoup à celle des Manticores, déclara-t-il en faisant face aux Chevaliers. Mais les falaises d'Antarès sont moins escarpées qu'à Arcturus, alors c'est surtout par là que les Aculéos descendent sur le territoire des humains. Il ne reste plus aucune ville au-delà d'Olegbourg. Puisqu'ils ont déjà semé la destruction dans les régions les plus septentrionales, les hommes-scorpions cherchent maintenant à pénétrer plus profondément dans le royaume. Comme la plupart d'entre vous le savent déjà, c'est là que se trouvent les usines qui approvisionnent tous les secteurs de notre économie. Jusqu'à présent, nous sommes parvenus à les en éloigner, mais ils gagnent du terrain tous les ans. Le but des Chimères, cette année, c'est de les empêcher de les atteindre.

Il déposa le micro dans la main de Sierra et tourna les talons sans cacher son accablement. La commandante fit un signe à l'intention d'un serviteur. Aussitôt, tout le mur derrière elle s'illumina tandis qu'un projecteur suspendu au milieu du plafond y faisait apparaître une carte géante d'Alnilam. Wellan l'étudia avec émerveillement. Il ne pouvait pas déchiffrer le nom des royaumes, mais ce qui le frappait le plus, c'était la similitude entre cette immense étendue de terre limitée par plusieurs océans et les trois continents de son propre monde: Enkidiev, An-Anshar et Enlilkisar.

259

Au pied des falaises du Nord s'allongeait une bande écarlate qui représentait les endroits où les Chevaliers affrontaient le plus souvent les Aculéos.

– D'après mes calculs, fit Sierra, si nous ne trouvons pas bientôt la façon d'enrayer cette menace, dans un ou deux ans, la section en rouge s'étendra jusqu'à la partie centrale d'Alnilam.

Pour la première fois depuis le début de cette rencontre, des murmures d'effroi parcoururent l'assemblée.

– Non seulement ils seront aux portes de la forteresse d'Antarès, mais Hadar et Arcturus seront déjà tombés entre leurs mains.

– Leurs pinces ! précisa Trébréka.

– J'ai besoin que l'un de vous ait une idée géniale qui nous permettrait de mettre fin aux invasions. Le peuple mérite d'arrêter de trembler et de recommencer à vivre en paix.

– *Elle* y pense depuis très longtemps, soupira Massilia.

– Empoisonnons leurs sources d'eau ! lança Méniox des Chimères.

– Creusons un gouffre au pied des falaises et mettons-y le feu ! fit Pergame des Salamandres.

– Élevons une muraille avec des morceaux de verre tranchants ! proposa Dholovirah des Manticores.

– Mettons-nous à la recherche d'un prédateur qui se nourrit de scorpions ! s'exclama Napoldée des Salamandres.

– Inventons un produit chimique qui les rend stériles ! suggéra Locrès des Basilics. De cette façon, leur race finira par s'éteindre !

– Ou bien un virus qui fait tomber les dards et les pinces ! s'exclama Tanégrad des Manticores.

– Moi, je leur jetterais des maskilas à partir des airs ! intervint Baenrhée du même groupe.

«Ce dont ils ont besoin, c'est d'un porteur de lumière», se surprit à penser Wellan.

– Ce sont toutes de bonnes idées, mais lesquelles sont réalisables à court terme? les arrêta Sierra.

– Aucun d'entre nous ne peut grimper ces falaises pour aller verser du poison dans leurs puits et leurs cours d'eau, les refroidit Ilo. Pire encore, ceux-ci se déversent sur nos terres et risqueraient de tuer aussi les humains.

– Nous ne réussirons jamais à persuader des ouvriers d'aller creuser un énorme canal au pied des falaises, ajouta Nienna des Salamandres. Ils ont bien trop peur.

– Et avec raison, soupira Sierra.

– J'ai chassé dans tous les royaumes avant de me joindre à l'armée, fit Samos des Basilics, et je n'ai jamais entendu parler d'un animal qui pourrait se régaler d'Aculéos.

– On pourrait envoyer Thydrus leur réciter des poèmes sur la paix! leur conseilla son ami Slava des Chimères.

La plaisanterie fit rire tout le monde et détendit l'atmosphère.

– Et les maskilas? insista Baenrhée.

– Ce serait sans doute une bonne solution, mais à long terme, car les machines volantes ne sont pas encore au point.

– Je me porte volontaire pour lancer la première! décida la redoutable Manticore.

– *Elle* commence à penser qu'il ne reste plus de solutions, se découragea Massilia.

Sierra se tourna alors vers Wellan.

– Et toi, si c'était ton pays, que ferais-tu?

Tous les Chevaliers se turent pour entendre sa réponse.

– Je ne connais pas encore bien votre monde, mais je pourrais par contre vous parler de ce que nous avons fait dans le mien pour stopper les dragons des Tanieths.

– C'est quoi, un dragon? voulut savoir la jeune Séïa des Salamandres.

– Une bête recouverte d'écailles aussi haute que le plafond de ce hall qui, grâce à son cou de serpent, arrache le cœur de ses victimes.

– Mais c'est ça qu'il nous faut! s'exclama Baenrhée.

– Non, car une fois que ces monstres auront mangé tous les Aculéos, ils se tourneront vers les humains pour se nourrir.

– *Elle* n'aime pas beaucoup cette suggestion, s'effraya Massilia.

– Comment vous en êtes-vous débarrassés? s'informa Tanégrad.

– Nous avons creusé de grandes fosses sur le bord de l'océan, où nous avons attiré les dragons. Une fois tombés dedans, nous les avons prestement incinérés.

– Mais c'est justement ça que je propose! s'exclama Pergame.

– Et ces Tanieths, eux? demanda Séïa.

– Nous les avons exterminés un à un en combats singuliers.

– Grâce à votre magie? fit Samos.

– Seulement quand c'était possible.

– C'est quoi, cette histoire de magie? s'écria Apollonia. Es-tu le fils d'un sorcier?

Des cris et des protestations s'élevèrent dans le hall et même avec son micro, Sierra n'arriva plus à se faire entendre. Pour lui venir en aide, Baenrhée poussa un terrible hurlement qui glaça le sang tant des Chevaliers que des recrues. Sierra profita aussitôt du silence pour poursuivre:

– Wellan possède une énergie spéciale dans ses mains, expliqua-t-elle.

– C'est ce que tu as utilisé pour tuer tes ennemis? demanda Pergame.

– Montre-nous ce que tu sais faire, exigea Locrès.

– Pas ici et pas maintenant, trancha Sierra. Mangez et fêtez, plutôt. Nous allons bientôt repartir.

Se doutant que personne ne laisserait Wellan tranquille, la commandante le ramena à sa chambre, où elle lui fit servir son repas.

– Que sais-tu faire d'autre avec tes mains? s'enquit-elle.

– Elles peuvent guérir un malade avec une douce lumière ou brûler vif un ennemi avec des flammes, répondit-il. Je peux aussi communiquer grâce à mon esprit avec ceux qui possèdent les mêmes pouvoirs que moi.

– Peux-tu nous enseigner à faire tout ça?

– Il faudrait, à la base, que vous possédiez des facultés magiques.

– Comment pourrions-nous le savoir?

– La présence de certains dons est un bon indice.

– Il n'y a que Cercika et Apollonia qui arrivent à prédire l'avenir. Pour les autres, je l'ignore.

– Je pourrais commencer par évaluer le potentiel de ces deux-là.

– Alors, dès demain, je te les enverrai, mais en privé, si tu n'y vois pas d'inconvénient.

Elle lui souhaita une bonne soirée et s'esquiva, songeuse.

«Et moi qui ne voulais pas interférer avec l'évolution de cette société...» soupira intérieurement Wellan.

DÉPART

À la demande de Sierra, dès le lendemain matin, Wellan accepta de déterminer l'étendue des dons des deux seuls Chevaliers qui semblaient capables de prédire l'avenir, soit Cercika au moyen de visions et Apollonia grâce à ses cartes de tarot.

Pour ne pas perdre de temps, il les reçut ensemble dans sa chambre du palais. Il commença par leur demander comment elles s'y prenaient et si elles possédaient d'autres facultés particulières.

Cercika lui expliqua qu'elle ignorait quand ses visions étaient sur le point de l'assaillir et avoua qu'elle ne savait pas toujours ce qu'elles signifiaient. Pire encore, il arrivait que ces visions ne se vérifient jamais dans la réalité. Apollonia, quant à elle, n'entrait en transe que lorsqu'elle manipulait son tarot.

— En ce qui a trait à mes autres talents, je peux séduire qui je veux, ajouta-t-elle.

— Nous parlons de magie, ici, lui rappela Wellan.

Il leur révéla que la source de ce type de pouvoir se situait dans leur plexus solaire, au milieu de leur corps. Pendant une heure, il tenta d'aider les deux femmes à sentir l'énergie qui y circulait.

— Tout ce que je capte, ce sont les gémissements de mon estomac, plaisanta le chef des Manticores.

— Moi, rien du tout, se découragea Cercika. Mais si jamais nous y parvenions, qu'est-ce que nous en ferions ?

– Vous pourriez utiliser cette énergie pour éclairer votre route, pour sonder votre environnement à des lieues à la ronde, pour guérir les blessures, même les plus profondes, et pour tuer vos ennemis.

L'air incrédule des voyantes fit comprendre à Wellan qu'il n'y avait qu'une façon de les convaincre. Il retourna lentement sa paume pour ne pas les effrayer et en fit jaillir une petite flamme. Les guerrières firent un saut vers l'arrière.

– D'où provient ce feu ? s'alarma Apollonia.

– De mon plexus solaire.

– Mais c'est impossible, voyons. Il faut un combustible pour allumer une flamme.

– Il se trouve en moi.

La Manticore s'approcha prudemment et retourna la main du prisonnier dans tous les sens sans y trouver quelque dispositif caché que ce soit.

– C'est ce qu'on appelle de la magie, répéta Wellan.

– Alors, personne n'en possède, ici… sauf les sorciers.

– J'aimerais que vous questionniez vos compagnons d'armes à ce sujet, car même s'il n'y en avait que quelques-uns aptes à faire ceci, ils vous fourniraient un avantage certain sur le front.

– Je verrai ce que je peux faire, mais à mon avis, c'est peine perdue.

Apollonia quitta la pièce sans s'apercevoir que sa sœur d'armes ne la suivait pas.

– Je t'ai vu dans une vision avant même que Sierra ne te présente aux Chevaliers, avoua Cercika à Wellan. Tu tombais du ciel.

– Sais-tu à quel endroit ça s'est produit ?

– Je n'ai pas assisté à l'impact, car malheureusement, mes images ne sont pas toujours complètes. Ce sont bien souvent des fragments de situations qui me sont étrangères.

– Pourrai-je repartir chez moi?

– À mon avis, pas avant très longtemps, puisque j'ai également senti que tu occuperas une place très importante dans la vie de Sierra.

– Je participerai donc à votre guerre… En as-tu vu l'issue?

– J'en ai vu plusieurs. J'ignore laquelle se produira.

– Puis-je t'aider à y voir plus clair?

– Pas en ce moment.

Cercika avait pâli. Elle marmonna quelque chose qui ressemblait à un remerciement et s'empressa de partir.

Wellan regretta d'avoir effrayé les deux femmes, mais il devait vérifier si ces gens possédaient de la magie sans le savoir. « Ai-je vraiment le droit d'utiliser mes pouvoirs dans un monde où je ne suis pas censé être? » se demanda-t-il. Quelques coups frappés à sa porte le tirèrent de sa rêverie. Sierra était appuyée contre le chambranle.

– Est-ce du découragement que je lis sur ton visage?

– Les dons que possèdent tes amies n'émanent pas du même endroit que les miens.

– Autrement dit, ils ne servent à rien contre les Aculéos?

Wellan secoua la tête.

– Et moi, est-il possible que j'en possède tout en l'ignorant?

– Se produit-il des choses inexplicables autour de toi dont tu pourrais être la cause?

Sierra vint s'asseoir sur le lit.

– J'ai une intuition plutôt infaillible.

– Tu permets?

– Ta courtoisie ne cesse de m'étonner. Allez, fais ce qu'il faut pour évaluer ma magie.

Wellan avança lentement la main vers le ventre de la jeune femme.

– Il y a une grande énergie en toi, mais je crains que ta colère l'empêche de s'exprimer.

– Dis-moi plutôt quelque chose que je ne sais pas déjà.

– Sans doute pourrais-tu apprendre à la canaliser autrement.

– Étant donné que nous passerons les prochains mois ensemble, tu auras tout le temps voulu pour m'y entraîner. Je suis venue te dire que je te fais préparer des vêtements pour la guerre.

– Est-ce vraiment nécessaire ?

– La plus grande qualité de nos cuirasses, c'est de nous protéger au moins le cœur.

– Dans ce cas, je la porterai volontiers.

– Si tu as des dieux, c'est le moment de les prier, car nous partons bientôt.

– Merci de me faire confiance, Sierra.

– Ne me remercie pas trop vite. Là où nous allons, c'est l'enfer.

Elle lui adressa un sourire triste et le quitta. Wellan se réjouit de ne pas entendre la clé tourner dans la serrure, mais il n'avait aucune intention d'abuser de sa liberté.

Sierra retourna à sa propre chambre au-dessus du hall et commença à rassembler quelques effets dans ses sacoches de cuir. Les serviteurs avaient fait réparer et polir sa cuirasse, sa ceinture, ses brassards et ses bottes et laver plusieurs pantalons et débardeurs qu'elle portait en dessous. Elle roula la serviette qui lui permettrait de se sécher après s'être lavée dans les rivières et choisit quelques bouteilles de lotion savonneuse et un peigne pour démêler ses cheveux. Puis elle sortit son épée et son poignard de leur fourreau pour s'assurer qu'ils avaient été affûtés durant le répit. Ilo avait déjà déposé ses affaires à côté du lit.

Satisfaite de ses préparatifs, Sierra s'apprêtait à quitter la pièce lorsque son amant y entra. Il semblait encore une fois très contrarié.

– Est-il vrai que nous sommes obligés d'emmener le prisonnier à la guerre ? demanda-t-il sans détour.

– La haute-reine a exigé que je m'occupe personnellement de lui, alors il m'accompagnera durant les prochains mois tandis que je circulerai d'un champ de bataille à l'autre.

– Autrement dit, elle a signé son arrêt de mort.

– Tu crois vraiment que je ne suis pas en mesure de le protéger ?

– Je suis sûr que si, mais il pourrait te nuire et causer ta perte.

– Ilo, tu n'as aucune raison d'être jaloux de Wellan. Tout ce qui m'intéresse chez lui, ce sont les connaissances qu'il peut nous apporter et qui nous aideraient à nous débarrasser une fois pour toutes de la menace.

– Il passe plus de temps avec toi que moi.

Sierra déposa ses armes sur la commode et alla se réfugier dans ses bras.

– Je ne fais que mon devoir, chuchota-t-elle avant d'aller chercher un baiser sur ses lèvres.

Ilo voulut la pousser jusqu'au lit, mais elle résista.

– Nous nous comblerons toute la nuit si tu veux, mon bel Eltanien, mais je dois d'abord assister au départ des autres garnisons.

Ils s'embrassèrent encore quelques minutes, puis Sierra quitta le hall. Pour ne pas encombrer la cour et surtout pour éviter que les recrues se retrouvent avec un groupe qui n'était pas le leur, les divisions partaient à différents moments de la journée. Puisqu'elles devaient parcourir plus de territoire que les autres, les Manticores quittaient toujours la forteresse les premières. Sierra circula parmi les soldats en les encourageant et s'arrêta finalement devant Apollonia.

– Désolée de ne pas posséder de pouvoirs magiques, s'excusa-t-elle.

– Sincèrement, je ne m'attendais pas à ce que l'une de nous en ait. Soyez prudentes sur la route, Manticores.

Les deux femmes échangèrent une franche poignée de main, appuyèrent leur front l'un contre l'autre, puis les Chevaliers grimpèrent sur leurs chevaux.

– Sous le ciel! Sur la terre! La ferveur au cœur! s'exclama Sierra.

Les Manticores hurlèrent la devise des Chevaliers d'Antarès d'une seule voix avant de suivre leur chef vers les grandes portes. Lorsque les derniers cavaliers les eurent franchies, il ne resta plus que les palefreniers dans la cour. Leur journée était loin d'être terminée. Certains des chevaux des Salamandres se trouvaient dans l'écurie, mais les autres se prélassaient dans les pacages à l'extérieur des murs. Ils saluèrent Sierra et s'empressèrent d'aller les chercher. La commandante grimpa sur la passerelle et regarda les Manticores s'éloigner.

– C'est toi qui as suggéré à ma mère de m'envoyer vivre à l'autre bout du monde? fit alors une voix masculine qu'elle reconnut tout de suite.

– Ravie de vous revoir, Prince Lavrenti.

– Pourquoi?

– Je l'ai fait au nom de plusieurs dames du château et en mon propre nom également. Votre comportement n'est pas digne de votre rang.

– Je n'aime pas qu'on se mêle de mes affaires.

– Tiens donc, moi non plus. Je vous souhaite beaucoup de bonheur auprès de votre nouvelle épouse.

– On m'envoie à Einath!

– Vous y serez au moins très bien nourri, car c'est de ce royaume que sont issus les meilleurs cuisiniers.

– Tu ne pourras pas passer toute ta vie à te cacher sous tes sarcasmes, Sierra.

– Je vous souhaite également une belle journée.

La commandante n'avait pas de temps à perdre avec ce suborneur sans scrupule. Elle dévala l'escalier afin d'aller s'assurer que tout serait prêt pour le départ des Salamandres. Dans l'écurie, Mackenzie et les autres jeunes gens sellaient déjà les bêtes. On entendait le vacarme que faisaient les soldats d'Alésia qui commençaient à quitter leur immeuble. Au fur et à mesure que les garçons sortaient les destriers dans la cour, ils appelaient le nom du Chevalier qui était gravé dans le cuir de la selle. Les guerriers venaient les prendre par les guides et les emmenaient près des portes pour donner de l'espace aux autres. Bientôt, des palefreniers revinrent avec le reste des chevaux et les préparèrent près des enclos avec l'équipement que leurs camarades avaient déjà aligné contre la clôture.

Sierra n'aimait pas repartir à la guerre, mais elle se plaisait dans cette effervescence annuelle. Elle distribua ses bons vœux à tous avant même qu'ils soient en selle, puis se dirigea vers Alésia.

– C'est une magnifique journée pour un départ, lui dit la commandante des Salamandres. Il fait froid, mais le soleil brille de tous ses feux.

– Selon les derniers rapports, il n'a pas encore commencé à neiger dans le Nord. Vous devriez franchir la distance entre Antarès et Altaïr en un rien de temps. Forme bien tes recrues, Alésia.

– Tu me connais mieux que ça, Sierra. À leur retour l'an prochain, ces soldats compteront parmi les meilleurs guerriers de tout l'Ordre.

Alésia grimpa sur son beau cheval blanc et le fit pivoter sur lui-même pour s'assurer que tous ses frères et sœurs d'armes étaient enfin prêts. Près d'elle, Massilia semblait triste.

– *Elle* va s'ennuyer de ses belles robes, murmura-t-elle, sans s'adresser à personne en particulier.

– Sous le ciel! Sur la terre! La ferveur au cœur! cria Sierra.

Les soldats lui firent aussitôt écho, puis attendirent que leur chef prenne la tête du cortège en brandissant sa lance au-dessus de sa tête. «Il ne reste plus que les Basilics», se dit Sierra. Ceux-là faisaient si peu de bruit qu'on pouvait facilement manquer leur passage même si le groupe comptait plus de deux mille soldats.

Comme tous les ans, la commandante avait choisi de ne faire partir les Chimères que le lendemain, car elles empruntaient la même route que les Basilics et qu'elle ne voulait pas que l'ennemi puisse fondre sur deux garnisons en même temps.

Chésemteh arriva la première dans la cour, ses sacoches en cuir sur l'épaule et ses armes à la main. D'aussi loin que Sierra s'en souvenait, il avait toujours été impossible de deviner les émotions de la scorpionne sur son visage impénétrable.

– Et c'est reparti, fit Chésemteh.

– J'ai hâte au jour où je pourrai vous dire de vous bâtir une autre vie, soupira Sierra.

– Un autre vie? La guerre, c'est tout ce que nous connaissons.

– Je suis certaine que nous pourrions apprendre à faire autre chose.

– Est-ce vrai que tu vas devoir traîner Wellan avec toi?

– Ce sont les ordres de la haute-reine.

– Alors, tu vas pouvoir constater s'il est aussi doué qu'il le prétend. Et s'il ne l'est pas, tâche au moins de le garder en vie.

– Je ferai ce que je peux.

Le reste de la division sortit de l'immeuble dans le silence le plus complet, car c'est ainsi que la scorpionne avait formé ses Chevaliers. Seule Trébréka gambadait au milieu de ses compagnons. Rien n'empêchait cette Eltanienne de manifester son enthousiasme. Malgré ses airs désinvoltes, elle était l'un des meilleurs archers de l'Ordre et Chésemteh ne se serait jamais passée d'elle.

Encore une fois, les palefreniers amenèrent les chevaux. Les Basilics attachèrent leurs sacoches à leur selle et glissèrent leurs épées dans les fourreaux qui y étaient fixés. Trébréka fit un gros câlin à sa jument et sauta sur son dos d'un seul bond.

– Nous avons grand besoin d'exercice, toutes les deux, déclara-t-elle.

– Surtout que c'est elle qui va marcher et pas toi, la taquina Locrès.

– Ça ne la fatigue pas, parce que je suis légère comme une plume.

Lorsque l'armée grimpa en selle, tout ce qu'on entendit, ce furent les craquements des sangles en cuir.

– Sous le ciel! Sur la terre! La ferveur au cœur! lâcha Sierra.

Les Basilics ne firent que lever le poing vers le firmament sans prononcer un seul mot, mais la commandante savait qu'ils avaient répété ses paroles dans leur tête. Tout comme les Manticores et les Salamandres avant eux, ils franchirent les portes de la forteresse en se dirigeant franc nord, avant de bifurquer vers l'ouest. Sierra attendit que le dernier cavalier soit parti, puis retourna à l'intérieur.

ANTARÈS

Les Chimères ne partant que le lendemain, Sierra en profita pour aller chercher Wellan au palais et l'emmener manger avec les derniers Chevaliers. Le vaste hall lui parut bien vide, tout à coup. Puisque ces soldats n'étaient pas aussi bruyants que les Salamandres et les Manticores, il devint possible d'avoir une conversation sans devoir crier pendant le repas. Pour montrer son mécontentement de voir sa maîtresse encore une fois assise près du prisonnier, Ilo alla s'installer plus loin avec Ousii et plusieurs autres Eltaniens de sa division.

— Es-tu nerveux à l'idée de partir à la guerre ? demanda Antalya à Wellan.

— Pas vraiment. Je l'ai fait si souvent.

— Peux-tu nous dessiner à quoi ressemblait tes ennemis ? demanda Méniox.

— J'ai malheureusement laissé mon journal dans ma chambre.

Thydrus arracha une page du grand cahier où il composait ses poèmes et la lui tendit avec sa plume. Wellan se mit donc à l'œuvre et en peu de temps créa une illustration assez crédible d'un homme-insecte.

— Ils sont aussi laids que les Aculéos, admit Antalya.

— Laisse-moi te montrer les nôtres, offrit Slava en lui ôtant la plume et en retournant la feuille.

Le jeune natif d'Antarès était vraiment doué pour le dessin. En un tour de main, il esquissa le portrait d'un homme-scorpion.

– Là, tu as peur ? insista Antalya.

– Je pense que je me rendrai compte de la menace que représentent vraiment les Aculéos quand je les verrai en chair et en os, affirma Wellan.

– Alors, il sera trop tard, le taquina Urkesh.

Lorsqu'ils eurent vidé les plats, Sierra et Wellan se dirigèrent vers les laboratoires pour voir si Odranoel avait réussi cette fois à contenter la commandante. En pénétrant dans le complexe scientifique, celle-ci se désola de ne pas sentir de poudre à canon, car c'était le signe indiscutable que le savant n'avait pas continué à améliorer son parabellum. En furetant d'une pièce à l'autre, elle finit par trouver Odranoel devant une table chargée de circuits et de fils multicolores. En compagnie d'un jeune homme qui portait une chemise blanche courte et un pantalon soutenu par des bretelles, il examinait une petite boîte rectangulaire de la taille d'une botte.

– Ça ne ressemble pas à une arme, laissa tomber la femme Chevalier.

L'inventeur se retourna et lui adressa un large sourire de satisfaction.

– Tu as raison, mais ceci te sera encore plus utile.

– Tout dépend de ce que je peux en faire.

– Voici le movibilis, la version sans fil du stationarius. J'y travaille depuis un moment dans ma tête, mais il était inutilisable loin des sources d'alimentation en électricité. Heureusement, ce jeune homme est venu offrir ses services au Royaume d'Antarès. Sierra, je te présente Skaïe.

– Enchantée, fit poliment la femme Chevalier en lui serrant la main.

– Il a résolu le problème grâce à ce qu'il appelle une pile.

– Un dispositif électrochimique qui convertit l'énergie chimique en énergie électrique grâce à une réaction d'oxydo-réduction, ajouta fièrement le jeune savant. Chaque pile assurera une utilisation de l'appareil pendant au moins vingt heures.

– Ce movibilis est-il fonctionnel et puis-je l'emporter avec moi demain ?

– Un peu de patience, commandante, tenta de l'apaiser Odranoel. Il nous fallait être bien certains que ces appareils puissent communiquer clairement entre eux grâce à des tours de réception. D'ailleurs, pour qu'ils deviennent utilisables, nous devons d'abord aller planter ces tours au nord des quatre royaumes où vous effectuez des patrouilles.

– Autrement dit, tu n'as absolument rien à m'offrir avant mon départ ?

– Les movibilis sont en fabrication en ce moment même et j'enverrai des ouvriers installer l'équipement de transmission dès que possible.

– Dans combien de temps pourrons-nous les utiliser ?

– Environ deux ou trois mois.

– Et qui aura le courage de venir nous les livrer sur les champs de bataille ?

– Ce n'est pas encore déterminé.

Sentant qu'elle était sur le point d'exploser de colère, Sierra jugea préférable de tourner les talons et de quitter le laboratoire. Wellan s'empressa de la suivre.

– Je possède un autre pouvoir qui vous permettra de vous servir des movibilis dans un délai très raisonnable, offrit-il.

– Ne me fais pas miroiter un autre mirage, grommela-t-elle.

– Ce n'est pas dans mes habitudes.

– Commençons par nous rendre dans le Nord. J'ai beaucoup de choses à faire avant de partir, alors je te reverrai à la première heure demain dans le hall.

– Oui, bien sûr.

Elle poursuivit seule sa route dans le couloir, laissant Wellan se débrouiller pour rentrer au palais. «On dirait que je ne suis plus un prisonnier, tout à coup», s'amusa-t-il intérieurement. Il marcha lentement pendant quelques minutes, persuadé que Sierra reviendrait sur ses pas pour l'accompagner jusqu'à sa cellule de luxe, mais elle n'en fit rien. Il passa donc le reste de la journée à explorer les recoins de la forteresse qu'il ne connaissait pas encore, puis demanda aux serviteurs s'ils pouvaient lui servir son repas dans sa chambre. Il tira sa petite table sur son balcon et y mangea en respirant l'air de plus en plus froid du soir. Puis, il prit une douche chaude et s'allongea sur son lit. «C'est la dernière fois que je dors sur un matelas confortable avant plusieurs longs mois», se résigna-t-il en s'endormant.

Au matin, il chargea ses sacoches de cuir sur son épaule et rejoignit les Chimères dans le hall. L'atmosphère y était moins festive que les derniers jours. Très peu de Chevaliers bavardaient. Ils semblaient tous concentrés sur leur assiette. Puisque Sierra était assise près d'Ilo qui lui parlait tout bas, Wellan choisit de s'installer à côté de Cercika.

– Pas de vision sur cette nouvelle campagne? lui demanda-t-il.

– Ce n'est pas un pouvoir que je peux déclencher quand bon me semble, répliqua-t-elle. Mais je me ferai un plaisir de t'avertir si jamais je vois quelque chose.

– Elle dit ça uniquement pour se rendre intéressante, la taquina Urkesh. En réalité, elle ne voit rien du tout.

– Ne me cherche pas querelle, l'avertit-elle.

– Il se sent intouchable parce qu'il a les faveurs de Chésemteh, intervint Slava.

– Laissez-la tranquille, les avertit Thydrus sur un ton qui n'entendait pas à rire.

Puisqu'il partait avec cette garnison, Wellan aurait le temps d'apprendre à mieux connaître ces soldats. Il mangea sans perdre de temps pour ne pas retarder les Chimères. Lorsque Sierra donna le signal, les Chevaliers quittèrent le hall avec leurs affaires. Ils sortirent dans la cour, où les chevaux les attendaient.

– Wellan, tu devras rester près de moi en tout temps, lui dit la commandante.

– Entendu.

– Nous allons accompagner les Chimères jusqu'à Maxbourg, puis nous piquerons vers l'ouest.

Même s'il avait étudié la grande carte que Sierra avait fait apparaître sur le mur du hall pendant l'assemblée de remue-méninges, Wellan ne pouvait pas évaluer la distance que cela représentait. Il n'avait aucun autre choix que de la suivre.

– En selle! ordonna-t-elle.

Les guerriers lui obéirent aussitôt et formèrent une ligne de quatre chevaux de large. Ils étaient beaucoup plus disciplinés que ceux des autres garnisons.

– Sous le ciel! Sur la terre! La ferveur au cœur! lança Sierra.

«Courage, honneur et justice», se dit Wellan en talonnant sa monture. Les guerriers de la dernière division quittèrent le Château d'Antarès la tête haute. Ils chevauchèrent toute la journée sur des routes de terre entre des fermes et des champs cultivés à perte de vue. Wellan avait apporté son journal, alors il observait tout ce qui l'entourait pour en faire des entrées lorsque les Chimères s'arrêteraient pour la nuit. Sierra se trouvait à sa gauche et Slava à sa droite. Cercika était la quatrième cavalière de sa rangée, à la gauche de Sierra.

– Le paysage est semblable à celui de mon pays, fit Wellan, mais les parfums me sont inconnus.

– C'est sans doute parce que nos cultures sont différentes, répondit Sierra.

– Pourquoi partir à l'aube de la saison froide ?

– Ce n'est pas par choix. Nous sommes soumis au rythme des Aculéos. Dans un peu plus d'une semaine, ils recommenceront à descendre des falaises. Nous devrons donc être en mesure de les empêcher d'aller plus loin à ce moment-là. Les Chimères et les Basilics seront en position plusieurs jours avant le début de l'invasion, tandis que les Salamandres et les Manticores n'auront que quelques heures pour s'y préparer.

À la fin de la journée, lorsque l'armée s'arrêta dans un grand champ, à l'extérieur d'une ville qui portait le nom de Paddybourg, la température s'était grandement refroidie et les Chevaliers jetèrent leur chaude cape sur leurs épaules. Pour les remercier d'aller affronter les monstres qu'ils ne voulaient pas voir apparaître dans leurs rues, les citadins arrivèrent sur des charrettes avec de grandes marmites de potage qu'ils n'avaient qu'à accrocher au-dessus des feux, ainsi que du pain frais, des œufs et des tranches de lard salé pour le lendemain matin.

Wellan se rassasia tout en se réchauffant les mains sur son bol de soupe. Fatigué, il dormit comme une souche, enroulé dans sa cape. Au réveil, il avala des œufs brouillés cuisinés par les Chevaliers, qui préparaient les repas tour à tour pendant toute la campagne militaire. Les deux jours suivants furent une répétition du premier. Puis, le quatrième, les soldats rencontrèrent des gens qui fuyaient vers le sud dans toutes sortes de véhicules tirés par des chevaux, emportant tout ce qu'ils pouvaient.

– Ils ont peur, expliqua Slava à Wellan. Ils partent avant que les raids recommencent.

– Comment les Aculéos opèrent-ils ?

– Ils descendent de leur pays en pleine nuit au moins deux fois par mois, parfois quatre ou cinq. Nous n'avons pas encore été capables de déterminer la fréquence exacte des attaques. Lorsqu'ils réussissent à nous contourner, ils pénètrent dans les premières villes qu'ils rencontrent.

– Pour en déloger les habitants ?

– En quelque sorte, puisqu'ils les mangent.

– Ce qui veut probablement dire qu'ils n'ont pas suffisamment de nourriture sur leur territoire pour nourrir tout le monde, crut comprendre Wellan.

– Nous y avons déjà pensé, mais nous ne sommes sûrs de rien.

– Pourquoi ne s'attaquent-ils pas d'abord au bétail ?

– Parce que les fermes d'élevage se situent au sud de la plupart des pays. Le Nord est surtout une zone industrielle et ses habitants importent la viande qu'ils consomment.

Wellan garda le silence pendant que son cerveau assimilait ces informations.

– Selon moi, ils n'ont pas appris à réduire le nombre des naissances en fonction de leurs ressources, dit-il enfin. Peut-être se débarrassent-ils de leur surplus de population en envoyant leurs guerriers se faire massacrer.

– Surtout si leurs femelles pondent des centaines d'œufs à la fois comme les petits scorpions des pays tropicaux, précisa Cercika, qui pouvait l'entendre.

– Depuis combien de temps durent ces invasions ?

– Un peu plus de cinquante ans, répondit Slava.

– Il n'y en avait jamais eu auparavant ?

– Rien dans nos annales ne l'indique.

– Et les Alnilamiens qui ont réussi à escalader ces falaises ne sont jamais revenus pour nous raconter ce qui se passe sur les hauts plateaux.

Sierra décocha à Wellan un regard réprobateur. Ethnologue ou pas, il était hors de question qu'il se rende chez les Aculéos pour les étudier. Lorsqu'ils établirent enfin leur campement et qu'ils formèrent des centaines de petits groupes autour des feux pour se réchauffer, les compagnons de Wellan voulurent en savoir davantage sur l'ennemi qu'il avait affronté dans son monde. Ilo, qui savait que Sierra finirait par quitter les Chimères pour commencer ses patrouilles, avait décidé de s'asseoir près d'elle, même s'il n'aimait pas particulièrement son prisonnier.

– Au moment où nous les avons affrontés, nous ne savions pas qui étaient vraiment les Tanieths. Ce n'est que tout récemment que nous avons découvert qu'ils étaient des croisements d'animaux effectués par les dieux de votre panthéon pour les servir.

– Ils sont donc tombés dans un vortex eux aussi ? demanda Antalya.

– Je pense plutôt qu'ils ont été conduits jusque chez moi par Amecareth, qui désirait posséder son propre univers. Apparemment, les dieux ont créé d'innombrables bêtes et ils ont abandonné celles qu'ils ne pouvaient pas manipuler à leur guise.

– Si les Aculéos sont vraiment des hybrides laissés à eux-mêmes, pourquoi s'en prennent-ils aux humains ? s'étonna Ilo. Ils devraient plutôt se venger sur les dieux.

– Par expérience, je sais que certains de ces croisements manqués se souviennent de leurs origines, mais ce n'est pas le cas de tous.

– Cela n'excuse pas leur cruauté.

– Je suis d'accord.

– Mais pourquoi les dieux ne les ont-ils pas tout simplement détruits s'ils en avaient perdu le contrôle ? s'enquit Sierra.

– J'aimerais bien connaître la réponse à cette question, soupira Wellan.

– Si je comprends bien, fit Méniox, vos hommes-insectes étaient l'équivalent de nos Aculéos.

– C'est exact, sauf qu'ils étaient dirigés par Amecareth. Vos scorpions obéissent-ils aux ordres d'une divinité ?

– Là, c'est franchement inquiétant, se troubla Cercika. Car si les dieux laissent les Aculéos nous massacrer, ça voudrait dire qu'ils se sont retournés contre nous.

– Ce serait donc pour ça qu'ils ne répondent jamais à nos prières, ajouta Antalya.

– Mais nous n'en savons rien, trancha Sierra pour ne pas démoraliser ses troupes avant les premiers affrontements.

– Les prêtres pourraient-ils être au courant et n'en avoir jamais parlé au peuple ? questionna Thydrus.

– Ce sont des humains comme les autres, cracha Ilo. Ils finiront bien par se faire dévorer eux aussi.

– Vos prêtres sont-ils plus honnêtes que les nôtres ? demanda Urkesh à Wellan.

– Nous n'en avons pas à Émeraude. Chacun est libre de vénérer le dieu de son choix sans avoir à rendre de comptes à qui que ce soit.

– Voilà un domaine dans lequel ton monde est supérieur ! s'exclama Antalya.

– Pourrait-on revenir aux hybrides ? fit Méniox, curieux. Y en a-t-il beaucoup d'autres chez toi ?

– Malheureusement, oui. Jusqu'à présent, nous avons trouvé des hommes-félins, des hommes-chevaux, des hommes-singes, des araignées géantes et même des créatures appelées Scorpenas, qui sont à mon avis un croisement semblable à celui des Aculéos, sauf que le résultat est plus insecte qu'humain.

– Des araignées géantes jusqu'à quel point ? s'inquiéta Cercika.

– Elles sont aussi hautes sur leurs pattes que ce chêne, là-bas.

– Et vous partagez vos terres avec de tels monstres? glapit Urkesh.

– Non. Elles vivent sur une île d'où elles ne peuvent pas s'échapper.

– Mangent-elles les humains qu'elles attrapent? voulut savoir Méniox.

– Pas du tout. Elles en font leurs animaux de compagnie.

– Est-ce que tu te moques de nous? se méfia Ilo.

– Je vous jure que ce n'est pas une histoire pour faire peur aux enfants.

– Tu nous aideras à nous débarrasser des Aculéos? demanda Antalya pour éviter une querelle entre les deux hommes.

– Je ne vois pas comment un seul magicien pourrait y arriver, mais je ferai tout ce que je peux.

Engourdis par le froid, les soldats resserrèrent leur cape sur eux et s'allongèrent sur le sol. «Finalement, le climat était plus agréable à Enlilkisar», songea Wellan. En se laissant gagner par le sommeil, il se mit à penser aux derniers événements auxquels il avait participé à An-Anshar. La menace de Kimaati avait-elle été vaincue? Onyx avait-il réussi à reprendre sa forteresse? Y avait-il eu des blessés? Des morts? Il ferma lentement les yeux. La dernière image qui apparut dans son esprit fut celle de Bridgess qui lui souriait… ou était-ce Sierra? Il sombra dans le sommeil.

DESCENTE AUX ENFERS

Quelques jours plus tard, alors qu'ils allaient bientôt atteindre la ville de Leifbourg, les Chimères furent réveillées par l'arrivée d'un gamin qui fonçait dans leur campement sur un gros cheval de trait, suivi des sentinelles, qui n'avaient pas réussi à l'intercepter.

– À l'aide! À l'aide! hurlait l'enfant en galopant entre les Chevaliers qui se réveillaient en sursaut.

Sierra bondit sur ses pieds et courut à la rencontre du garçon. Elle agrippa les rênes et freina la course de l'animal.

– Que se passe-t-il?

– Les monstres… dans les maisons… beaucoup de sang… haleta l'enfant.

– Nous allons les chasser. Reste ici. Nous reviendrons te chercher, d'accord?

Elle l'aida à descendre sur le sol et lui tendit sa gourde.

– Chevaliers, préparez-vous au combat! ordonna-t-elle.

Voyant que les autres avaient abandonné leur cape, Wellan en fit autant. Il transporta sa selle et sa bride en emboîtant le pas aux soldats jusqu'à la clairière où ils avaient laissé les chevaux. Il retrouva finalement sa monture, la harnacha, puis grimpa sur son dos et suivit ceux qui étaient déjà prêts. Ilo passa près de lui, tirant la jument de Sierra.

– Tiens-toi prêt à diviser tes hommes en plusieurs groupes, lui dit la grande commandante en mettant le pied à l'étrier. Wellan, talonne-moi comme si tu étais mon ombre.

Sierra leva le bras et fit signe aux Chimères de se mettre en branle. Levant la poussière, l'armée se précipita au secours des habitants de Leifbourg. Cette ville de mineurs se trouvait dans un vallon, près d'une petite rivière, et la route qui y menait partait du sommet d'une colline. De ce promontoire, Sierra put voir toute la vallée d'un seul coup d'œil. Aucun feu ne brûlait pour l'instant. Les habitants prenaient la fuite dans toutes les directions, ainsi que les chevaux et les animaux domestiques. Lorsqu'ils arrivèrent enfin aux portes de la ville, Sierra freina soudain la colonne et sauta sur le sol, aussitôt imitée par ses Chevaliers.

– Dispersez-vous ! ordonna Ilo.

Les Chimères envahirent Leifbourg comme une marée de fourmis. En apercevant leurs cuirasses, les habitants leur pointèrent la place centrale tout en continuant de courir en sens inverse. Wellan ne quitta pas Sierra d'une semelle. Autour de lui, c'était le chaos. Pressés par leurs parents qui fuyaient, les enfants pleuraient. La plupart des citadins hurlaient de terreur. L'ancien Chevalier entendit alors un fracas qui ressemblait à du bois qu'une énorme hache était en train de fendre. Ce n'est qu'en arrivant au milieu de l'agglomération qu'il comprit que c'étaient des portes que l'ennemi défonçait. Au milieu de l'exode, Wellan vit alors son premier homme-scorpion.

La seule chose que cet Aculéos avait en commun avec Chésemteh, c'était sa chevelure tricolore. Pour le reste, il s'agissait d'une tout autre créature. Plus haut qu'un homme, son corps était très musclé. Il ne portait qu'un pagne et un curieux plastron qui semblait fait de bouts de bois... ou de fémurs ? Wellan ne vit aucune arme dans ses mains, mais il n'en avait sans doute nul besoin, puisque deux de ses quatre bras se terminaient par des pinces en tous points semblables à celles des scorpions de Fal, hormis leur taille.

Alertés par la présence des Chevaliers, d'autres Aculéos convergèrent vers la place centrale. Il y en avait des centaines! Ilo en tête, les archers mirent un genou en terre devant leurs compagnons d'armes et se mirent à tirer leurs flèches dans la gorge et les yeux de leurs adversaires. Les premiers tombèrent comme des mouches, mais cela ne découragea nullement leurs congénères, qui continuèrent à avancer en leur passant sur le corps. Lorsqu'ils ne furent plus qu'à quelques pas des archers, ceux-ci laissèrent tomber leur arc et dégainèrent leur épée.

– Ne les laisse pas te transpercer avec leur dard! cria Sierra à Wellan.

– Ce n'est certes pas mon intention!

Wellan resta donc à l'écart pour observer les combats et mieux comprendre la façon de procéder de ce nouvel ennemi. Les Chevaliers qui possédaient des bras plus musclés, comme Thydrus et Urkesh, fonçaient droit sur l'ennemi en balayant leur lame devant eux, arrivant bien souvent à faucher une des pinces, puis l'autre quand l'Aculéos chancelait en proie à la douleur.

Ilo et la plupart des Eltaniens continuaient à utiliser leur arc. Leurs tirs étaient aussi précis que ceux des Elfes d'Enkidiev. Les femmes Chevaliers travaillaient plutôt en équipe de trois ou quatre, tournant autour d'un adversaire pour l'attirer pendant que l'une d'elles lui tranchait le dard. Une fois ce dangereux appendice disparu, il ne restait qu'à éviter d'être happé par ses pinces.

Wellan en vint rapidement à la conclusion que ces hybrides étaient plus impressionnants que les Tanieths, mais pas vraiment plus intelligents. Même blessés, ils continuaient d'attaquer les soldats au lieu de battre en retraite. Ils semblaient poussés par un désespoir que l'ancien commandant d'Enkidiev ne parvenait pas à comprendre.

Il étudia la stratégie de Sierra. En compagnie de Cercika et d'Antalya, elle malmenait les Aculéos à coups d'épée sans fléchir. En bondissant dans les airs, elle arrivait même parfois à leur couper la tête. Wellan était si concentré sur la bataille qu'il ne ressentit pas l'approche d'un des monstres qui l'avait contourné. Ce fut Sierra qui l'aperçut entre deux frappes.

– Wellan! Derrière toi!

Au lieu de fuir, l'ancien Chevalier se retourna et vit l'homme-scorpion qui approchait, son dard relevé au-dessus de sa tête. Au moment où il le projetait vers l'avant pour le planter dans le cou de sa victime, Wellan réagit selon ses anciens réflexes de soldat magique: des rayons ardents partirent de ses mains et frappèrent si durement l'Aculéos qu'il fut projeté contre le mur d'une maison. Le scorpion pencha la tête sur le trou béant au milieu de son corps avant de s'écrouler sur le trottoir. « C'est vraiment plus facile quand l'ennemi n'est pas protégé par une carapace comme les Tanieths », songea Wellan en s'élançant dans la mêlée. Même si Sierra lui avait ordonné de rester à l'écart, il se mit à bombarder les hommes-scorpions en faisant attention de ne pas blesser les Chimères.

Sidérée par les faisceaux aveuglants que produisait son prisonnier, Sierra relâcha son attention pendant quelques secondes. La pince d'un Aculéos claqua à quelques centimètres à peine de son visage. Elle sursauta et planta la pointe de son épée entre les os qui formaient le plastron de son adversaire. Celui-ci encaissa le coup en serrant les dents. Son dard était déjà en mouvement. Sierra écarquilla les yeux en le voyant foncer sur elle. Afin de pouvoir le repousser, elle tenta de retirer sa lame de la chair de l'homme-scorpion en appuyant le plat de sa botte contre sa poitrine. L'aiguillon éclata alors en mille morceaux juste au-dessus d'elle. Sierra se jeta sur le sol en effectuant une roulade et aperçut Wellan, qui venait de lui épargner une mort cruelle.

– Ne reste pas là ! hurla-t-elle.

Le prisonnier l'avait déjà compris. Il se mit à avancer en cherchant d'autres cibles qui n'étaient pas aux prises avec des Chevaliers et les terrassa sans relâche. Les combats durèrent un peu plus de deux heures dans toutes les rues de la ville. Lorsque Wellan abattit le dernier Aculéos, il se trouvait à quelques pas de la rivière. Il se retourna et constata la désolation derrière lui. Il y avait des cadavres partout. «Je déteste la guerre», se dit-il, attristé. Il tendit l'oreille. Le silence qui venait de tomber sur Leifbourg lui indiqua que la bataille était enfin finie. Sierra émergea d'un carrefour et se précipita vers lui.

– Est-ce que ça va ?

– Je suis exténué, mais sauf. Es-tu blessée ?

– Quelques égratignures. Merci de m'avoir sauvé la vie tout à l'heure.

– En temps de guerre, il faut s'entraider.

Il marcha entre les cadavres pour la rejoindre.

– Les Aculéos n'étaient pas censés descendre des falaises avant plusieurs jours, grommela Sierra.

– Qu'allez-vous faire de leurs corps ?

– Les enterrer le plus rapidement possible pour éviter la propagation de maladies.

– Vous perdriez beaucoup moins de temps en les brûlant, suggéra-t-il.

– Ils sont beaucoup trop lourds pour être empilés.

– Peut-être pour vous, mais pas pour moi.

Sierra arqua un sourcil avec incrédulité, mais se ravisa lorsqu'elle vit son prisonnier diriger les mains vers les premiers cadavres d'hommes-scorpions, qui s'élevèrent dans les airs comme si un vent puissant les soulevait.

– C'est toi qui fais ça ? s'étrangla-t-elle, troublée.

– Ce pouvoir s'appelle la lévitation.

Il entassa une trentaine de cadavres les uns sur les autres en formant une pyramide. D'intenses flammes jaillirent ensuite de ses paumes, faisant sursauter la commandante. Le bûcher s'enflamma d'un seul coup.

– Mais si tu étais capable de faire toutes ces choses, pourquoi es-tu sagement resté assis dans ta cellule à Antarès?

– Je n'avais aucune raison de m'attaquer à vous.

Il revint se planter devant elle.

– Vous n'avez rien à craindre de moi. Combien de fois devrai-je te le redire?

Au lieu de répliquer, Sierra prit ses mains et les retourna pour les examiner.

– Tu n'es même pas brûlé…

– Crois-moi, c'est seulement parce que j'en ai l'habitude. Les premières fois que j'ai utilisé le feu, mes paumes m'ont fait beaucoup souffrir.

– Si nous retrouvons ton vortex, je vais t'envoyer chercher d'autres magiciens comme toi.

– Plusieurs d'entre nous seraient certainement heureux de vous débarrasser de ces monstres.

– Possèdes-tu suffisamment de feu pour incinérer tous les Aculéos que nous avons tués?

– Je n'en sais rien, mais je vais essayer.

Tandis qu'ils remontaient la rue, Wellan continua d'empiler les hommes-scorpions et de les faire flamber sous le regard émerveillé de sa geôlière. Lorsqu'ils arrivèrent là où des Chevaliers avaient commencé à faire asseoir les blessés sur le bord des trottoirs et à traîner leurs propres morts à l'écart, tous eurent la même réaction que Sierra en voyant Wellan transporter et incinérer magiquement les Aculéos. Ilo s'approcha de sa maîtresse.

– Savais-tu qu'il possédait autant de puissance?

– Non, Ilo. Je l'ignorais tout comme toi.

– J'espère que tu te rends compte que ce qu'il vient de faire aux Aculéos, il peut fort bien nous le faire à nous aussi.

– Si telle était son intention, il nous aurait déjà tous tués à la forteresse. Pourquoi refuses-tu de croire qu'il est vraiment un pauvre homme happé par une sorte de tourbillon qui l'a arraché à son monde ?

– Parce que ça n'existe pas. Tu sais aussi bien que moi que le plus grand plaisir des sorciers, c'est de s'amuser aux dépens des humains.

– Selon toi, il s'est amusé, aujourd'hui ?

Méniox se joignit à eux.

– Je viens de faire le compte, commandante, annonça-t-il. Il y a dix-neuf morts dans nos rangs et des centaines de blessés, dont deux assez graves.

– Où sont-ils ?

Sierra suivit Méniox, alors qu'Ilo préféra rester sur place pour surveiller Wellan. L'Eltanien parcourut toute la ville avec lui et se rendit compte qu'il travaillait de moins en moins vite. Lorsque Wellan eut hissé magiquement le dernier Aculéos sur la centième pyramide de cadavres et qu'il y eut mis le feu, il tomba sur ses genoux en respirant de plus en plus difficilement. Ilo s'approcha de lui en espérant qu'il était en train de mourir afin d'être débarrassé de lui. Wellan s'écroula sur le dos, à quelques pas du bûcher, les yeux fermés. L'Eltanien se pencha pour voir s'il avait rendu l'âme, mais bondit en arrière lorsqu'un cocon aveuglant se forma autour de son rival.

– Mais qu'est-ce que c'est encore ? s'écria-t-il.

Plusieurs Chevaliers s'avancèrent, sidérés.

– Est-il en train de se consumer lui-même ? demanda Slava.

– Ce n'est pas du feu qui l'enveloppe, lui fit remarquer Urkesh. On dirait de la lumière.

– Il n'y a qu'une façon de le savoir.

Ilo n'eut pas le temps de dire à Slava de faire preuve de prudence. Celui-ci toucha la lumière du bout des doigts et fut projeté plus loin. Ses compagnons se précipitèrent pour le secourir.

– Ça va ? s'inquiéta Thydrus.

– On dirait qu'un énorme marteau m'a frappé de plein fouet.

– Regarde, tes doigts sont brûlés.

– Si c'est bien du feu, pourquoi est-il blanc ? s'interrogea Ilo.

– Quand on fait chauffer le fer très longtemps, il prend aussi cette couleur, lui rappela Urkesh.

– Moi, je pense qu'il s'agit d'un système de protection, déclara Slava en se relevant. Il a dû dépenser une importante quantité d'énergie pour incinérer autant d'Aculéos.

Le nombre de volutes noires qui s'élevaient de la ville en témoignait.

– Si on ne peut pas le toucher tant qu'il est là-dedans, est-ce qu'on va devoir le laisser ici pendant qu'on retourne au campement ? demanda Thydrus.

– C'est le prisonnier de Sierra, indiqua Ilo, alors c'est à elle de prendre cette décision.

Au lieu de perdre son temps à regarder dormir Wellan, le chef des Chimères se dirigea vers ses hommes pour envoyer les moins fatigués s'assurer que les chevaux étaient restés là où ils les avaient laissés. Puis il se mit à la recherche de Sierra, qu'il trouva devant les corps alignés de leurs compagnons d'armes tombés au combat.

– La plupart ont été frappés par un dard, lui dit-elle tristement. Les autres ont subi des blessures profondes et sont morts au bout de leur sang. Mais ça aurait pu être pire si Wellan n'était pas intervenu.

– Justement, je suis venu te parler de lui. Il est en train de lui arriver quelque chose de vraiment étrange.

– Où est-il ?

Ilo la conduisit jusqu'au cocon lumineux.

– Qui lui a fait ça ? s'alarma Sierra en se penchant sur son prisonnier.

– Personne. Surtout, n'y touche pas, l'avertit Ilo. Slava s'est brûlé les doigts en essayant.

– Je ne comprends pas...

– Nous non plus et tant qu'il sera inconscient, nous n'en saurons pas davantage. Ce qui est certain, cependant, c'est qu'il ne peut pas être déplacé.

– Alors je resterai auprès de lui pendant que tu conduiras tes hommes à l'extérieur de la ville.

– Sierra, sois raisonnable.

– En ce moment, c'est une demande, mais si tu insistes pour que j'en fasse un ordre, je te contenterai.

– Je ne peux pas te laisser seule ici.

– À mon avis, ce phénomène ne durera pas longtemps. Je le ramènerai au campement dès que ce sera possible.

– Je vais demander à quelques Chevaliers de rester avec toi au cas où d'autres Aculéos décideraient de descendre des falaises en pleine nuit. En attendant, nous allons enterrer nos morts dans la forêt et soigner les blessés.

Au fil des heures, les citadins se mirent à réapparaître dans la ville. Beaucoup s'arrêtèrent devant les piles de cendres en se demandant ce que c'était. Antalya, Iordan et Vadik, qui étaient postés autour de Sierra, leur expliquèrent ce qui s'était passé.

– Mais s'il en vient d'autres ? s'inquiéta une femme qui tenait sa petite fille serrée contre elle.

– Maintenant que nous sommes arrivés dans le Nord, ils ne passeront plus, la rassura Antalya.

– Vous êtes sûrs que nous pouvons rentrer chez nous ?

– Absolument sûrs.

D'autres habitants s'étaient rassemblés autour du cocon lumineux de Wellan.

– Ce sont les monstres qui lui ont fait ça ? demanda un petit garçon.

– Non, fit Sierra en se tournant vers lui. Je pense qu'il agit comme les chenilles lorsqu'elles sont prêtes à se transformer en papillon, sauf que son enveloppe est composée de lumière.

– Il aura des ailes quand il en sortira ?

– Je n'en sais rien, avoua la commandante.

« Il ne manquerait plus que ça », songea-t-elle.

Puisque la nuit allait bientôt tomber, plusieurs citadins reconnaissants vinrent déposer des lampes à l'huile autour des Chevaliers et du cocon, puis ils leur apportèrent des plateaux chargés de nourriture.

Sierra mangea mécaniquement en se remémorant les événements de la journée. Les Aculéos avaient quitté leur pays plusieurs jours avant la date où ils le faisaient habituellement. La même chose était-elle arrivée aux Basilics, aux Salamandres et aux Manticores ? Elle regretta amèrement qu'Odranoel ait été incapable de terminer son movibilis à temps, car elle aurait pu communiquer instantanément avec les chefs de ces divisions pour les mettre en garde. La seule chose à faire, c'était de quitter les Chimères dès que possible pour aller voir ce qui se passait à Hadar.

Assis autour du cocon, Antalya, Iordan et Vadik avalaient également leur nourriture en silence. Toutefois, ils étaient moins torturés que la commandante et plutôt contents d'avoir reçu de l'aide cette fois-ci. Ils espéraient secrètement que Wellan reste avec les Chimères.

Un peu avant minuit, le cocon s'éteignit d'un seul coup. Wellan prit une profonde respiration et se mit en position assise.

– C'était quoi cette lumière autour de toi? demanda Antalya avant que Sierra puisse intervenir.

– Ma façon de faire le plein d'énergie, car j'en ai dépensé beaucoup aujourd'hui.

– Ça, tu peux le dire!

– Es-tu en mesure de marcher? s'enquit Sierra.

– Je suis même prêt à abattre plusieurs centaines d'Aculéos.

– Grâce à toi, il n'y en a plus un seul, lui fit remarquer Iordan.

Il lui offrit un bol de potage qui avait quelque peu refroidi, mais Wellan ne s'en plaignit pas. Il l'avala en quelques gorgées.

– Prenez les fanaux, ordonna Sierra. Ils nous permettront de nous éclairer jusqu'au campement.

Le petit groupe se mit alors en route afin de rejoindre le reste des Chimères.

REGROUPEMENT

Attirés par les lanternes, les sentinelles vinrent au devant de Sierra et de ceux qui l'accompagnaient. Tout comme la commandante s'en doutait, Ilo ne dormait pas. Il était assis devant l'un des feux, perdu dans ses pensées. Sierra envoya ses Chevaliers se reposer et poursuivit son chemin avec Wellan.

– Es-tu en état de me faire un rapport ? demanda-t-elle en s'assoyant près de son amant.

– Nikanor et Vakram sont mourants, murmura l'Eltanien, affligé.

– Puis-je les voir ? fit Wellan.

Ilo se redressa comme un coq de combat.

– Si quelqu'un peut les aider, c'est lui, tenta de l'apaiser Sierra.

– Je sais où ils sont, déclara Cyréna. Je vais l'y conduire.

Wellan la suivit sans hésitation, tandis que la commandante gardait son regard planté dans celui d'Ilo.

– Que tu le veuilles ou non, la haute-reine me l'a confié et, comme tu l'as constaté toi-même, il peut nous être très utile.

– Tu trouves normal qu'un étranger arrive de nulle part et qu'il gagne aussi facilement ta confiance ?

– Je possède le don de voir à travers des gens, Ilo. Wellan est exactement ce qu'il dit être. C'est la dernière fois que nous avons cette conversation, est-ce bien clair ?

Elle le quitta et alla retrouver Wellan pour voir à l'œuvre ses facultés de guérison. Il venait tout juste de passer une main lumineuse au-dessus des deux Chevaliers pour évaluer leur état. Jugeant que celui de Vakram était plus critique, il s'occupa d'abord de lui et arrêta ses hémorragies internes. Puisqu'il redevenait stable, Wellan se tourna vers Nikanor, qui avait été effleuré par le dard d'un Aculéos. Quelques gouttes de son venin circulaient dans ses veines, le faisant trembler de tous ses membres en le tuant plus lentement que s'il avait reçu une dose massive. Wellan rappela à son esprit ce qu'Onyx avait déjà fait pour son Chevalier Kevin. Il ne connaissait pas le poison des hommes-scorpions et encore moins les plantes de la région, mais il possédait une magie assez puissante pour faire sortir le mal du corps de Nikanor.

– Donne-moi ton poignard, réclama-t-il à Cyréna.

Sierra n'eut pas le temps d'intervenir : sa camarade tendit l'arme à son prisonnier sans même lui demander ce qu'il comptait en faire. Wellan incisa le bras du blessé et laissa tomber le poignard sur le sol. À l'aide de ses pouvoirs de lévitation, il attira le venin à l'extérieur de cette nouvelle plaie avant qu'il puisse poursuivre son chemin dans le corps de Nikanor. Un liquide noir s'en écoula pendant quelques secondes et les convulsions du mourant cessèrent sur-le-champ.

– Il ira mieux avant l'aube, déclara Wellan, satisfait.

– Et Vakram ? demanda Cyréna.

– Ses lacérations ont-elles été bien nettoyées avant que vous les recouvriez de pansements ?

– Cercika s'en est occupée avec Assia. Elles savent bien le faire.

– J'ai réparé les vaisseaux sanguins endommagés à l'intérieur de son corps, alors il survivra. Toutefois, je ne sais pas combien de temps durera sa convalescence.

– Nous n'aurons qu'à lui confier les chevaux pendant qu'il récupérera.

– Y a-t-il d'autres blessures sérieuses que je pourrais traiter?

– Sans doute. Tu veux faire le tour du campement?

– Si je peux soulager d'autres valeureux guerriers, alors, oui, je veux bien.

Wellan se leva et arriva nez à nez avec Sierra.

– Pourquoi te sens-tu obligé de jouer au médecin?

– Parce que ça fait partie de mon serment de Chevalier.

– D'où te viennent ces incroyables facultés?

– C'est un cadeau que les dieux ont offert à ceux qui ont dédié leur vie à la protection de leurs semblables.

La franchise de son sourire eut raison de la commandante. Elle lui permit de poursuivre ses examens en compagnie de Cyréna et retourna s'asseoir avec Ilo.

– Il les a sauvés tous les deux, annonça-t-elle.

– Et il arrive d'un univers où tout le monde est capable d'en faire autant? Tu ne trouves pas ça inquiétant?

– Ce que je trouve anormal, c'est que nous ne soyons pas comme eux. Ils ont reçu leurs pouvoirs de leurs dieux, Ilo. Pourquoi pas nous?

– Ou bien tes dieux se moquent de nous ou bien ils n'existent tout simplement pas.

– J'oubliais que les Eltaniens sont des athées.

– Nous croyons à une énergie cosmique qui a créé l'univers, mais nous ne pensons pas que ce soit Achéron. Nous l'appelons Patris et il n'a pas de visage.

– J'avoue que c'est plus simple ainsi et que ça élimine ces bons à rien de prêtres.

Wellan revint une heure plus tard en leur disant que les blessures les plus graves avaient été traitées et qu'il s'occuperait des éraflures le lendemain. Pour éviter de provoquer une autre querelle entre Sierra et son amant, il s'enveloppa dans sa cape et s'allongea sur le sol, la tête sur sa selle. Il s'endormit tout de suite et n'ouvrit l'œil qu'au matin. Il accepta volontiers l'assiette de gruau chaud que lui tendit Sierra.

– C'est un présent de la part des habitants de Leifbourg, l'informa-t-elle.

– Notre route nous fera-t-elle repasser par cette ville?

– Elle se trouve en effet sur notre chemin. Pourquoi?

– J'aimerais savoir s'il y a eu des blessés parmi la population.

– Il y a des médecins dans toutes les villes, Wellan. Ils sont parfaitement capables de soigner leurs patients.

En voyant qu'il était enfin réveillé, plusieurs Chevaliers vinrent s'asseoir autour du feu où il mangeait.

– Es-tu un sorcier? lui demanda Méniox.

– Je vous jure que non, se découragea Wellan. Je n'utilise mes pouvoirs que pour aider les autres, jamais pour leur nuire. Je suis un Chevalier d'Émeraude, un soldat magicien comme des centaines d'autres dans mon monde. Je sais me battre avec une épée, mais quand je ne suis pas armé, j'utilise l'énergie de mes mains.

– Je veux apprendre à le faire aussi!

– Pour y arriver, il faut posséder un potentiel magique. Or il semble que vos dieux n'ont pas jugé bon de vous l'accorder.

– Même moi, qui peux prédire l'avenir, je n'arrive pas à faire ce qu'il fait, affirma Cercika.

– Il est vrai que je ne capte presque pas de magie sur votre continent, se découragea Wellan.

– Vos dieux sont-ils plus près de vous que les nôtres? l'interrogea Urkesh.

– Ils ne nous apparaissent pas tous les jours, mais ils sont là quand nous avons besoin d'eux. Personnellement, j'ai toujours vénéré la déesse de mon pays de naissance et elle m'a choyé tout au long de ma vie.

– Pourquoi les nôtres ne sont-ils pas à nos côtés quand nous repoussons les Aculéos au lieu de nous laisser mourir par centaines tous les ans ? se désola Antalya.

Ilo allait répéter qu'ils n'existaient pas, mais Wellan le précéda :

– Achéron n'est pas aussi magnanime qu'Abussos.

– Abussos, c'est ton dieu ? demanda Thydrus en se joignant au petit groupe.

– C'est le dieu fondateur de mon monde. Sa véritable apparence est celle d'un hippocampe, mais il peut se donner une forme humaine s'il en a envie.

– Ressemble-t-il à un homme normal quand ça lui arrive ? le questionna Antalya, intéressée.

– Je dirais que son visage rappelle beaucoup celui de Slava.

Flatté, Slava bomba le torse.

– J'ai toujours su que j'étais spécial !

– On ne sera plus capable de lui parler, maintenant, plaisanta Urkesh.

En regardant plus loin dans le campement, Wellan constata qu'une ligne de soldats se formait derrière Méniox.

– Ils ont besoin de tes dons de guérisseur, lui murmura Cercika.

Sierra avait aussi compris ce qui se passait, mais elle ne savait pas si elle devait intervenir. Elle ne voulait pas que Wellan s'épuise à soigner les plaies, mais elle ne voulait pas non plus qu'Ilo se retrouve avec une garnison de blessés avant même la saison des invasions. Elle n'eut pas le temps de lui demander son avis : il déposa son écuelle et se mit au travail. Ainsi, il referma des entailles, replaça des épaules et des poignets disloqués et souda même des os fracturés. Sans compter le nombre de Chevaliers qu'il traitait, Wellan travailla sans relâche pendant un peu plus de deux heures. Sa dernière patiente était nulle autre que Cercika.

– Ce n'est qu'une égratignure, mais elle m'empêche de supporter le brassard de mon bras droit.

– Toute blessure mérite de recevoir un bon traitement.

Elle s'émerveilla en voyant la lumière jaillir de ses mains et faire disparaître l'entaille superficielle.

– Ce doit être fantastique de posséder une telle puissance, s'émerveilla-t-elle.

– Pas toujours, soupira Wellan.

– Peux-tu faire revivre les morts ?

– Aucun de nous n'a reçu le pouvoir de ressusciter ceux qui tombent au combat.

– J'ai l'impression que tu n'as pas fini de nous étonner.

Ilo ordonna alors à ses Chevaliers de remonter en selle. Ceux-ci ramassèrent leurs affaires en vitesse et partirent à la recherche de leur monture. Celles des soldats qui avaient perdu la vie la veille furent libérées. Tous les destriers d'Antarès avaient été entraînés pour retourner à la forteresse de l'Ordre lorsqu'ils n'avaient plus de cavalier. Le petit troupeau partit aussitôt au galop vers le sud.

Une fois sur le dos de son cheval, Wellan se dirigea vers la tête de la colonne, puisqu'il avait promis à Sierra de la suivre comme son ombre. Les Chevaliers se remirent en marche.

– Je ne sais pas encore si tu es une bénédiction ou une malédiction, déclara la commandante à son prisonnier.

– Je finis toujours par me faire aimer, plaisanta-t-il.

Il se permit alors de sonder Sierra à l'aide de ses facultés magiques. Malgré ses efforts pour paraître en pleine possession de ses moyens, elle était physiquement exténuée. «Ilo le prendrait sans doute très mal si je lui donnais un peu de mon énergie alors qu'il est si près d'elle», se dit-il. Il décida donc d'attendre de remettre pied à terre et de pouvoir isoler la commandante.

Lorsque les Chevaliers d'Antarès entrèrent finalement à Leifbourg, ils y reçurent un accueil royal. Les habitants s'étaient massés de chaque côté de la rue principale qu'ils devaient longer pour continuer vers le nord. Les commandants avaient presque atteint la limite de la ville lorsqu'une femme se précipita devant eux, un enfant de quatre ou cinq ans inanimé dans les bras. Wellan n'attendit pas que Sierra lui en donne la permission et sauta à terre.

– Que lui est-il arrivé?

– Il allait bien jusqu'à ce matin, pleura la mère. Notre médecin l'a examiné et il ne comprend pas pourquoi il ne reprend pas conscience.

– Me permettez-vous de l'ausculter à mon tour?

– C'est vous que mon mari a vu soigner les blessés quand il est allé vous porter à manger?

– Oui, c'est bien moi. Déposez le petit par terre, je vous prie.

Cyréna se laissa glisser sur le sol pour l'assister, au besoin. En réalité, elle voulait surtout le voir procéder à un autre miracle. Wellan examina l'enfant avec sa lumière, puis fouilla dans ses cheveux bouclés pour finalement en déloger le bout d'un dard de scorpion.

– Il a dû le recevoir pendant la bataille, devina-t-il.

– Je courais en le protégeant contre ma poitrine... se chagrina la pauvre femme.

Elle éclata en sanglots amers.

– C'est comme pour Nikanor? murmura Cyréna.

– La même chose.

Elle remit discrètement sa dague à Wellan et le contourna pour agripper les épaules de la mère.

– Si vous n'avez pas le cœur solide, je vous conseille de fermer les yeux, lui dit la femme Chevalier.

– Non, je veux voir ce qu'il va faire.

Cyréna se prépara donc à la retenir fermement. Après avoir retrouvé le chemin parcouru par le venin, Wellan pratiqua une petite ouverture dans la jambe de l'enfant avec le bout de la lame. Utilisant encore une fois sa magie, il le débarrassa prestement du poison noir. En quelques secondes à peine, le garçon ouvrit les yeux et se mit à pleurer. Wellan referma sa plaie et le laissa sauter dans les bras de sa mère.

– Comment pourrais-je vous remercier ? sanglota-t-elle.

– Passez au suivant, répondit le guérisseur.

– Quoi ?

– Lorsque vous recevez un bienfait, à votre tour offrez-en un à une autre personne. C'est tout ce que je demande.

Il la salua et retourna vers son cheval. Après avoir ramassé son poignard, Cyréna s'empressa de le rattraper.

– S'il y a une seule chose que j'aimerais que tu m'enseignes, c'est ça, chuchota-t-elle. Trop de bons Chevaliers meurent sur les champs de bataille parce qu'ils ont été empoisonnés de cette façon.

– J'aimerais vous montrer à tous comment le faire, mais si vous n'arrivez pas à activer l'énergie de votre plexus solaire, ce serait peine perdue.

Ils remontèrent à cheval. Wellan remarqua l'humeur chagrine de Sierra, mais n'en fit pas mention devant les autres. La colonne progressa vers le nord jusqu'à la tombée du jour, puis établit un autre campement.

– Combien de temps encore avant que nous arrivions à destination ? demanda Wellan en dessellant son cheval.

– Nous devons parcourir encore plusieurs lieues, répondit Méniox. Habituellement, nous dressons notre quartier général dans les ruines de Maxbourg, une des premières villes à avoir été attaquée par les Aculéos à Antarès. Au cas où on ne te l'aurait pas dit, il y a une cascade en gradins non loin d'ici. Nous en profitons toujours pour aller nous y laver avant que de la glace se forme à sa surface.

L'image de la douche chaude du palais d'Antarès vint subitement hanter Wellan. Il s'était souvent purifié dans des cours d'eau froids durant sa carrière militaire, mais il avait l'impression qu'il allait trouver cela moins agréable, cette fois.

– J'ai l'intention d'y aller avec Thydrus, Slava et Urkesh dans quelques minutes, ajouta Méniox. Ça t'intéresse?

Wellan se dit que s'il tardait trop, le vent frais de la nuit rendrait l'exercice encore plus pénible. Il accepta donc d'accompagner les jeunes gens. Il se déshabilla sur le bord de la rivière et y sauta avec les autres. Il n'avait pas pensé à apporter du savon, mais Thydrus lui laissa utiliser sa bouteille. Il se lava donc sous les chutes, se sécha avec la serviette supplémentaire que lui lança Urkesh et se rhabilla.

– Il va falloir t'équiper, on dirait, le taquina Slava.

– J'ai probablement déjà tout ce qu'il faut dans mes sacoches dont je n'ai pas encore exploré le contenu, s'excusa-t-il.

Puisqu'ils se rapprochaient de plus en plus du Nord et qu'il y avait déjà eu un raid à Leifbourg, Ilo institua des tours de garde. Les sentinelles mangèrent en premier et quittèrent le groupe pour monter dans des arbres ou s'asseoir sur des rochers d'où il leur était possible de voir toute la clairière où paissaient leurs chevaux. Wellan profita du fait que l'Eltanien était parti donner ses ordres pour se tourner vers Sierra.

– Avec ta permission, j'aimerais augmenter ta force vitale.

– Qu'est-ce que c'est? s'étonna-t-elle.

– C'est le feu intérieur qui nous anime. Le niveau du tien est dangereusement bas.

– Et comment comptes-tu t'y prendre?

– J'ai besoin d'appuyer ma main au milieu de ta poitrine pendant quelques secondes.

– Alors, fais-le tout de suite, sinon, ça pourrait être mal perçu par Ilo.

– C'est à lui que je pensais, justement.

Wellan se hâta donc de placer sa paume sur la cuirasse de la commandante, juste au-dessus de son plexus solaire. Elle ne s'alluma qu'une fraction de seconde et le prisonnier s'empressa de la retirer.

– J'ai senti une grande chaleur… avoua Sierra.

– Les effets seront plus évidents demain.

– Merci, Wellan.

Sierra continua de manger en se disant que la présence de cet homme pendant la campagne allait lui permettre de tromper la solitude qui lui pesait souvent lorsqu'elle voyageait d'une garnison à l'autre. De son côté, Wellan demeura songeur, car il avait senti une bien curieuse énergie dans le corps de la commandante.

LE CHOC

Dans la grotte de la famille d'Avali, le blessé, qu'on appelait Dragon, était parvenu à sortir du nid et à marcher autour de la table de pierre, mais une de ses jambes continuait de le faire atrocement souffrir.

Il avait tenté une autre fois de manger du poisson cru, mais avait été incapable de l'avaler. Alaina avait donc continué de lui servir uniquement des légumes. Elle avait aussi réussi à éloigner Kiev le plus souvent possible de lui, car il le harcelait avec toutes ses questions. Elle l'envoyait donc chercher des fruits ou lui demandait d'aller pêcher avec son père.

Un matin, alors qu'elle était certaine que Kiev était parti avec ses amis, Alaina quitta la grotte avec ses filles pour aller renforcer leurs ailes. Accroupi sur une corniche non loin, l'adolescent les vit s'élancer au-dessus de l'océan. Il en profita aussitôt pour revenir chez lui afin de passer un peu de temps seul avec leur protégé.

– Bonjour, Dragon. Avez-vous bien mangé ?

– Il manque quelque chose à mon alimentation, mais je ne sais pas ce que c'est.

– Sans doute que chez vous, vous faisiez cuire vos aliments, comme les humains.

– Je n'en ai aucun souvenir.

– Votre jambe vous fait-elle encore souffrir ?

– Oui et pourtant, je n'y vois aucune lésion.

– Me permettriez-vous d'y jeter un œil ? Je ne suis pas guérisseur, mais qui sait ? Ma mère a ce don, alors peut-être en hériterai-je un jour ?

Le naufragé jugea qu'il n'avait rien à perdre. Assis sur un banc de pierre, il roula son pantalon jusqu'à ce que sa jambe soit découverte.

– Vous avez raison : tout semble normal à première vue.

Kiev posa la main sur le genou de l'étranger. Celui-ci sursauta, mais au lieu de tomber à la renverse, il poussa un cri et ses yeux devinrent blancs, comme s'il allait perdre conscience. L'inquiétant phénomène ne dura que quelques secondes. Le blessé revint brusquement à lui et s'agrippa au bord de la table pour conserver son équilibre.

– Je ne voulais pas vous faire de mal, s'excusa Kiev, malheureux.

– Je n'ai rien, je t'assure.

– Mais vous avez crié de douleur.

– De frayeur plutôt. J'ai eu une vision, je crois.

– Qu'avez-vous vu ?

– C'était une terrible bataille dans le ciel entre des créatures volantes.

– Décrivez-les-moi.

– Des hommes avec de grandes ailes blanches combattaient d'horribles chauves-souris géantes.

Le naufragé ne pouvait pas savoir qu'il s'agissait du peuple de Kiev, car lorsqu'ils revenaient dans la caverne, les membres de la famille faisaient disparaître leurs ailes à l'entrée.

– Ça ressemble au récit de l'attaque de Gaellans, sauf que cette fois, on dirait bien que nous nous défendrons. Possédez-vous le talent de voir l'avenir ?

– Je ne sais rien sur moi-même. S'il te plaît, j'ai vraiment besoin d'air frais.

Kiev l'aida à se lever.

– Je suis capable de m'appuyer sur ma jambe, tout à coup, s'étonna l'étranger. Laisse-moi marcher seul, je te prie.

– Très bien, mais je vous avertis qu'à la sortie de la grotte, il y a un précipice. Alors, faites bien attention.

Le blessé s'assit sur le bord de la falaise, les jambes pendantes dans le vide, et respira l'air salin à pleins poumons en laissant le soleil lui réchauffer la peau.

– Je vous en prie, donnez-moi plus de détails sur ce que vous avez vu, insista Kiev en prenant place près de lui.

– Le combat avait lieu au-dessus d'une grande étendue d'eau comme celle-ci, dit-il en montrant l'océan.

– Les adversaires étaient-ils armés ?

– Les hommes ailés, oui, mais pas les noctules.

– Avec quoi se battaient-elles ?

– Elles semblaient lancer des éclairs fulgurants que leurs opposants bloquaient avec leurs lames.

– Est-ce que je faisais partie de cette vision ?

– Je crois que oui.

« Je vais venger mon peuple ! » s'égaya secrètement Kiev.

– Mais ce n'était peut-être qu'un rêve et non un aperçu de l'avenir, poursuivit le naufragé. Et puis, ces images n'ont duré que quelques secondes à peine.

– Il n'y a qu'une façon d'en avoir le cœur net.

Kiev appuya la main sur la poitrine du blessé. Les yeux de ce dernier se révulsèrent encore une fois et il se laissa tomber sur le dos en gémissant. Une force invisible repoussa alors le jeune Deusalas, l'obligeant à mettre fin au contact. Dragon battit des paupières en revenant à lui.

– Et alors ? s'impatienta Kiev.

– Tu es le commandant de cette armée d'hommes volants, haleta-t-il.

– Si j'étais plus fort, je vous transporterais sur l'île défendue pour vous faire découvrir la caverne qui raconte la même chose.

– La même chose ?

Le jeune homme se laissa tomber sur le dos à son tour et lui décrivit les sculptures de son mieux. Lorsqu'il mentionna la présence du dragon dans les fresques, le naufragé parut troublé.

– Ça vous dit quelque chose ?

– C'est comme s'il y avait une porte dans ma tête dont je secoue frénétiquement la poignée afin de l'ouvrir.

– Mais vous n'y arrivez pas…

– Non.

Des battements d'ailes leur firent lever la tête. Avali arrivait avec un grand sac rempli de poissons, mais les deux hommes bloquaient l'entrée de la grotte.

– Vous ne pourriez pas vous installer ailleurs ? gronda le père.

Kiev se rangea rapidement sur le côté pour lui permettre de passer.

– Pardonne-moi, papa. Dragon voulait prendre l'air et puisqu'il ne peut pas voler, c'était la seule façon de le contenter.

– J'ai échangé mes plus belles prises contre des pommes, déclara-t-il en pénétrant chez lui.

Il déposa le poisson sur la table et détacha le sac qu'il portait sur le dos. Il en sortit un fruit écarlate et le tendit au naufragé, qui l'avait suivi avec son fils.

– C'est la saison des récoltes sur le continent, alors les cueilleurs ont fait une bonne collecte.

Dragon mordit dans la pomme et ferma les yeux. Cette saveur lui était familière. Alaina arriva quelques minutes plus tard avec les filles. Elles avaient ramassé des huîtres sur la plage de l'île. Les parents préparèrent le repas et tous se mirent à table.

– Je te croyais avec tes amis, ce matin, fit la mère.

– Ils sont partis avant que j'arrive, alors je suis rentré et j'ai tenu compagnie à Dragon.

– Tu ne l'as pas harcelé, au moins?

– Pas du tout.

Une fois rassasié, le blessé remonta dans son nid pour faire une petite sieste, mais elle ne dura pas longtemps. Il se réveilla en poussant un cri qui n'avait rien d'humain, semant la panique dans la grotte. Kiev fut le premier auprès de lui.

– Du calme, Dragon. C'était juste un cauchemar.

– Voulez-vous nous en parler? fit Alaina en espérant y découvrir des indices sur son identité.

– J'étais dans une caverne qui ne ressemblait pas à celle-ci… Elle était immense! Il pendait des stalactites du plafond et le sol était couvert de pièces d'or et de pierres précieuses.

– Ça ne correspond à aucun endroit que nous connaissons, lui apprit Avali.

– Étiez-vous le prisonnier de quelqu'un? demanda Kiev.

– Pourquoi faut-il que tu dramatises tout le temps? lui reprocha la mère.

– S'il a été jeté à la mer, sans doute était-ce par quelqu'un qui ne lui voulait pas de bien.

Alaina vit que leur protégé pâlissait à vue d'œil.

– Kiev, va lui chercher à boire, ordonna-t-elle.

– Est-ce que ça va? s'inquiéta Avali.

Sa femme posa la main sur le front de Dragon. Sa peau était étrangement froide. «Pourquoi n'entre-t-il pas en transe quand c'est ma mère qui le touche?» s'étonna Kiev en tendant un gobelet au naufragé. Celui-ci but à petites gorgées.

– Merci…

– À mon avis, il étouffe, ici, laissa échapper l'adolescent.

– Sans doute vivait-il à l'air libre, chez lui, acquiesça Avali. Demain, je l'emmènerai au sommet de l'île et nous lui construirons un abri. Maintenant, laissez-le se reposer.

– Je crois que la porte est en train de s'ouvrir… murmura Dragon à l'intention de Kiev avant qu'il retourne à la table.

Durant la soirée, la famille reçut à nouveau la visite de Sandjiv. Cette fois, il était accompagné d'un des deux Deusalas qui étaient revenus au bercail. Océani s'était débarrassé des vêtements de Tayaress. Pieds nus, il portait désormais un pantalon de toile bleu ciel retenu à la taille par une ceinture.

– Soyez les bienvenus, les salua Avali dans le vestibule qui menait à son logis.

– Si tu n'y vois pas d'inconvénient, mon ami, Océani aimerait voir le visage de l'homme que nous avons trouvé dans les récifs. Il a côtoyé beaucoup de gens dans les deux mondes, alors il aimerait savoir s'il le reconnaît.

– Je vous en prie, entrez.

– Bonjour, Sandjiv, lui dit Alaina. Océani, ça fait des lustres. Où étais-tu passé?

– C'est une longue histoire.

– Mais nous n'avons rien de mieux à faire que de l'écouter, intervint Kiev.

Ses parents lui jetèrent un regard chargé d'avertissement.

– Ça pourrait prendre des jours, répliqua moqueusement Océani.

Il s'approcha du nid où le naufragé l'observait, le front plissé, car son visage lui était familier.

– Eh bien, je ne pensais vraiment pas trouver ici un personnage royal!

– Tu le connais? s'étonna Avali.

– C'est Nemeroff, le nouveau roi d'Émeraude.

– Émeraude? répétèrent en cœur Sandjiv, Avali, Alaina et Kiev.

– Un royaume du monde où Kimaati s'était réfugié.

– Vous me connaissez ? se réjouit Nemeroff.

– Tu es le fils d'Onyx, l'Empereur d'An-Anshar.

– Mais si je n'appartiens pas à votre monde, comment y suis-je arrivé ?

– Sans doute as-tu pénétré dans un des raccourcis entre les univers.

– Je n'en ai nul souvenir.

– Alors, je ne saurais l'expliquer.

– Mais moi, je le peux, fit une voix derrière eux.

Sappheiros se faufila entre Océani et Sandjiv.

– Nous n'avons jamais été présentés, mais j'ai vu ce qui t'est arrivé avant que tu sois emporté dans le vortex.

– Le vortex ? répéta Nemeroff.

– Comment peux-tu avoir oublié ces événements ?

– Il s'est brutalement écrasé dans les récifs du cratère, expliqua Avali. Nous pensons que le choc sur sa tête l'a rendu amnésique.

– Dites-moi comment je me suis retrouvé là-dedans, implora Nemeroff.

Tous prirent place autour de la table.

– Kimaati s'est installé dans la forteresse de ton père pendant qu'il était en mission sur un autre continent. Lorsqu'il est enfin rentré chez lui, Onyx a décidé de l'en évincer. Les Chevaliers d'Émeraude l'ont alors appuyé.

– Des Chevaliers ? s'enthousiasma Kiev. Comme ceux d'Antarès dont parlent les cueilleurs ? Il y en a ailleurs ?

– Laisse-le parler, l'avertit Avali.

– Pendant que les soldats se mesuraient à ceux du dieu-lion, Onyx a affronté Kimaati en duel. Mais lorsqu'il a constaté que le dieu-loup était plus coriace que lui, Kimaati a tenté de s'enfuir en ouvrant un vortex à ses pieds. J'ai alors vu une gamine courir vers lui et, pour l'empêcher de tomber dans le trou magique qui s'agrandissait, tu t'es précipité pour la pousser vers sa mère.

– Et c'est moi qui ai été happé par le vortex… comprit Nemeroff.

Il avait beau essayer d'imaginer cette scène, il n'y arrivait tout simplement pas. Sappheiros eut pitié de lui. Alors, il s'approcha et plaça ses mains de chaque côté de sa tête. En une fraction de seconde, il fit disparaître tous les blocages dans son cerveau.

– Père… murmura Nemeroff, les yeux soudain chargés de larmes.

Le cougar retourna s'asseoir à sa place.

– Kimaati a-t-il eu raison de lui?

– Non, le rassura Sappheiros. Je l'ai tué avant qu'il ne fasse plus de mal qu'il n'en avait fait.

– Et les Chevaliers?

– Il n'y a eu aucune autre victime.

– Quel soulagement…

– Quelle histoire sensationnelle, plutôt! s'exclama Kiev. Vous avez participé à une véritable guerre!

– Seulement pour protéger les miens, répliqua Nemeroff. Merci de m'avoir rendu la mémoire.

Tristement, il quitta la table et grimpa dans son nid, où il se mit en boule.

– Qu'est-ce… commença Kiev.

Avali lui fit signe de se taire. Il suivit ensuite Sandjiv, Sappheiros et Océani jusqu'à la sortie de sa grotte.

– Qu'avez-vous l'intention de faire de cet homme, maintenant? voulut-il savoir.

– Nemeroff est un dieu du même niveau que Kimaati, lui apprit Océani.

– Est-il suffisamment puissant pour retourner dans son monde par lui-même?

– Pour ouvrir le vortex qui le mènerait directement à An-Anshar, il lui faudrait mettre la main sur un bracelet temporel.

– Il y a donc une façon plus simple de voyager entre les mondes que de traverser tous ces univers désolés ? s'étonna Sappheiros.

– J'ai appris bien des choses en usurpant la personnalité de Tayaress, mon ami. Ces bracelets sont jalousement gardés dans le palais d'Achéron. C'est Kimaati qui m'en a informé quand je lui ai demandé d'où venait celui qu'il portait.

– Si j'avais su, je le lui aurais ravi avant de remettre son corps à son père.

– Mais vous savez comment vous rendre là d'où vient Nemeroff, n'est-ce pas ? insista Avali.

– Personnellement, je n'ai nulle envie de retourner dans l'univers d'Abussos, car il a certainement compris maintenant que j'étais un imposteur, répondit Océani. Je n'ai plus envie de mourir.

– Et toi, Sappheiros ?

– Si j'y suis obligé, je me sacrifierai. Toutefois, quelque chose me dit que Nemeroff n'est pas arrivé ici par hasard. Nous en reparlerons avec lui quand il aura repris son aplomb.

Les trois visiteurs s'envolèrent. Avali se retourna et trouva son fils devant lui.

– Je comprends qu'il n'appartient pas à notre univers, mais est-ce qu'on pourrait le garder quelques jours encore ? supplia Kiev.

– Pour qu'il te remplisse la tête avec ses histoires de guerre ?

– Je veux juste qu'il me parle de ce qui se passe ailleurs…

– Pourquoi ne peux-tu pas te contenter de ce que tu as, Kiev ? Pourquoi est-il si important pour toi de mener une vie différente de celle de tes ancêtres ?

– Parce que je ne comprends pas pourquoi vous vous entêtez tous à vivre dans la peur que les sorciers reviennent vous éliminer. S'il y a une façon de nous assurer une paix durable, alors je veux être celui qui la trouvera.

– Tu pourrais aussi nous faire tous tuer en attirant l'attention d'Achéron.

– Je manque parfois de jugement, mais pas à ce point, papa. Pourquoi refuses-tu de me faire confiance ?

– Parce que je t'aime, jeune imbécile.

Avali l'attira dans ses bras et le serra à lui rompre les os.

– Je te promets de ne rien faire qui mette la colonie en danger.

– J'ai bien peur que l'arrivée de ce dieu ait déjà signé notre arrêt de mort, Kiev.

– Aie confiance.

Le père et le fils retournèrent dans la caverne. Puisque le soleil déclinait rapidement et qu'on n'y verrait bientôt plus rien, Alaina avait déjà couché les filles. Kiev remonta dans son nid, où Nemeroff sanglotait en silence.

– Ça ira, murmura-t-il en frictionnant le dos du dieu-dragon.

Nemeroff ne répondit pas, mais Kiev sentit que le contact de sa main lui avait apporté un certain réconfort.

NOSTALGIE

Lorsque Kiev ouvrit l'œil au matin, il trouva Nemeroff dans la même position que la veille, mais il avait cessé de pleurer. Il ne ressemblait plus au naufragé qu'ils avaient sauvé d'une mort certaine dans les écueils : c'était désormais un homme beaucoup plus résolu.

– Avez-vous réussi à dormir ? demanda l'adolescent.

Nemeroff secoua la tête.

– Tout m'est revenu d'un seul coup, alors j'ai passé la nuit à mettre de l'ordre dans mes priorités.

– J'imagine que la première, c'est de rentrer chez vous, n'est-ce pas ?

– Je dois en effet retrouver ce vortex qui m'a rejeté ici, même si je crains qu'il se soit refermé depuis. Ma femme est seule avec nos deux nouveau-nés. Elle a besoin de moi.

– Venez manger, puis nous irons enquêter aux alentours des écueils.

Le roi d'Émeraude s'extirpa du nid et alla s'asseoir à table. Les parents, qui venaient de se réveiller, les y rejoignirent.

– J'ai entendu votre conversation, fit Avali.

– Alors, tu nous accompagneras, papa ?

– Il n'est pas question que je te laisse y aller seul, jeune aventurier.

Nemeroff n'avala que des fruits, se rappelant que chez lui, on faisait cuire les œufs et le poisson avant de les consommer. Lorsque ses hôtes furent prêts à partir, il les suivit dehors.

– Je vais aller chercher des amis pour vous transporter jusqu'au vieux cratère, lui dit Avali.

– Ce ne sera pas nécessaire, lui dit Nemeroff en passant devant lui.

Il s'élança dans le vide et se transforma en une gigantesque bête bleue aux grandes ailes de chauve-souris, semant la panique parmi les Deusalas qui pêchaient déjà à cette heure matinale.

– Je le savais! s'exclama joyeusement Kiev en plongeant derrière lui. C'est vraiment un dragon!

Avali s'envola à sa suite. Le père et le fils conduisirent Nemeroff jusqu'au cratère, où il se posa sur les pointes de rochers qui sortaient de l'eau. Il flaira l'endroit, puis leva son long cou vers le ciel.

– Je vais aller voir plus haut, déclara-t-il.

Le dragon prit son envol et fonça vers les nuages.

– Il est même capable de parler quand il est sous cette forme animale! s'étonna Kiev.

– C'est un dieu. J'imagine que rien ne lui est impossible.

– Mais nous en sommes aussi et nous ne pouvons pas nous transformer comme ça.

– Même pas en fils obéissant, ne put s'empêcher de le taquiner Avali. En fait, le seul Deusalas capable de se métamorphoser, c'est Sappheiros, parce que son père était un sorcier.

– Tu ne m'as jamais raconté ça.

– C'est une vieille histoire et, après son départ de Gaellans, je n'y ai plus repensé.

– Sa mère est donc tombée amoureuse d'un homme qui ne vivait pas sur notre île…

– À l'époque, nous allions plus souvent sur le continent, car nous ignorions que notre tête avait été mise à prix.

Ils attendirent de longues minutes avant de voir l'énorme créature redescendre vers la mer. Nemeroff se posa à nouveau sur les récifs.

– Il n'y a aucune trace du vortex, les informa-t-il, découragé.

– Allons discuter de la prochaine étape de vos recherches sur l'île, si vous voulez bien. Les Deusalas peuvent passer pour des hirondelles de mer aux yeux des marins, mais ce serait bien différent pour vous. Il est préférable qu'ils ne vous voient pas.

– Prenez les devants.

Le dragon accompagna les dieux ailés jusqu'au sommet de Gaellans, du côté est. En se posant, Nemeroff reprit son apparence humaine.

– Est-ce la seule forme que vous pouvez adopter ? s'empressa de lui demander Kiev.

– En fait, c'est ma véritable forme.

– Votre père est un dragon, lui aussi ?

– Kiev, quand vas-tu cesser de le bombarder de questions ?

– Mon père divin est un hippocampe et ma mère une louve ailée.

– Mais l'hippocampe, c'est celui que Sappheiros appelle Abussos… pourtant, hier, nous avons appris que vous étiez le fils d'Onyx…

– Les dieux fondateurs engendrent leurs petits dans la foudre, qu'ils lancent ensuite dans l'espace. Cette foudre finit par pénétrer dans le corps d'un bébé en train de naître. Les enfants célestes ont donc aussi des parents terrestres. Dans mon cas, le hasard a voulu que je vienne au monde dans le corps du fils d'Onyx d'Émeraude et de Swan d'Opale.

– Est-il possible qu'Achéron ait fait la même chose ?

– Je ne connais pas le panthéon de votre monde.

Kiev se tourna vers Avali.

– Tu ferais mieux d'adresser cette question à Sappheiros, jeune homme. La majorité des Deusalas ne savent à peu près rien de ce qui se passe dans la cité divine. Mais revenons à la quête de Nemeroff.

– Tout comme Kimaati, je possède la faculté de me déplacer par vortex.

– Alors, qu'attendez-vous pour en former un ? le pressa Kiev.

– Quand apprendras-tu à faire preuve de tact avec les gens ? se découragea le père.

– Je ne voulais pas le bousculer ! Je suis juste curieux de le voir à l'œuvre !

Nemeroff fit d'abord le vide dans sa tête, puis y forma l'image du plateau d'An-Anshar où il avait sauvé la petite fille, mais rien ne se produisit.

– Apparemment, je n'arrive pas à le faire dans votre monde.

– Sans doute parce que vous ne possédez pas de bracelet temporel comme Kimaati.

Avali se cacha le visage dans les mains. Maintenant que son fils avait avoué à ce dieu d'un autre univers qu'il existait une façon pour lui de quitter le leur, Nemeroff allait-il se précipiter chez Achéron pour réclamer cet objet magique ?

– Était-il le seul à en avoir un ? voulut savoir le dieu-dragon.

– Nous l'ignorons, répondit Avali avant que son fils n'invente autre chose.

– Océani a dit qu'il y en avait plusieurs, gardés dans le palais d'Achéron, ajouta pourtant Kiev.

– Où pourrais-je trouver Océani ?

– Pour éviter que vous soyez repéré par les humains ou, pire encore, par leurs prêtres, je vous saurais gré de ne plus vous transformer en dragon, l'implora Avali. Restez ici. Je vais prévenir Océani que vous désirez vous entretenir avec lui.

– Très bien. Je vous remercie.

Avali prit son envol, même s'il était inquiet de laisser son fils seul avec la divinité étrangère.

– Pourquoi est-ce si important que les hommes ne vous voient pas ? demanda alors Nemeroff à l'adolescent.

Kiev lui raconta alors comment les Deusalas avaient failli être exterminés par Kimaati.

– Depuis, ils sont devenus si prudents qu'ils ne savent plus s'amuser, soupira l'adolescent. Ils élèvent leurs enfants dans la peur et les empêchent d'aller à la découverte du continent.

– Il est normal qu'ils craignent une seconde attaque, mais la mise en place de mesures de défense leur serait plus profitable.

– Enfin, quelqu'un qui pense comme moi ! se réjouit Kiev.

– La menace s'est d'ailleurs peut-être éteinte en même temps que Kimaati.

– Mon père pense que non.

Océani et Avali se posèrent à quelques pas d'eux.

– Kimaati a encore deux frères, dont l'un encore plus terrible que lui, expliqua Océani en faisant disparaître ses ailes.

– Pourquoi vous en veulent-ils à ce point ?

– Ils craignent que les Deusalas les supplantent.

– Cela fait-il partie de vos plans ?

– Absolument pas ! lâcha Avali en blêmissant. Tout ce que nous voulons, c'est vivre en paix.

– Mais ce n'est pas de cela que vous voulez me parler, intervint Océani.

– En effet, acquiesça Nemeroff. Apparemment, il faut posséder un bracelet quelconque pour quitter ce monde.

– Les sorciers d'Achéron en ont fabriqué quelques-uns, que leur maître a prestement enfermés dans une chambre forte bien gardée. Sans doute Kimaati avait-il réussi à lui en ravir un.

– Ce qui signifie que cet endroit n'est pas aussi bien protégé qu'il le croit. Comment peut-on s'y rendre ?

– Il y a quelques points d'entrée à partir de cette planète, mais il n'est pas question que je vous les révèle avant que vous compreniez ce que vous risquez.

– Je suis prêt à tout pour revoir ma femme et nos deux jeunes enfants.

– Je comprends votre hâte, mais la prudence s'impose, parce que les règles du jeu ont été dictées par un panthéon qui n'a pas les mêmes préoccupations que le vôtre.

– Dans ce cas, instruisez-moi, Océani.

– Commencez par vous reposer, car votre force vitale est dangereusement basse en ce moment. Vous ne survivriez pas à une charge d'Achéron dans l'état où vous êtes.

– Vous avez raison. Et je vous remercie de m'aider.

– Vous reverrez votre famille. Je vous le promets.

Océani s'envola le premier.

– Kiev, tu viens à la pêche ? demanda Avali.

– Non. Je veux rester ici avec Nemeroff. Je vais lui montrer l'abri où notre ancien roi avait bâti son nid. De cette façon, il ne sera plus obligé de vivre dans une grotte et il guérira plus vite.

– Ne fais pas de bêtises.

– Comme l'emmener explorer le continent, par exemple ?

– Kiev…

– Je te jure de ne rien faire qui soit défendu, papa.

– S'il ne cesse de vous harceler, je tiens à le savoir, fit le père à l'intention du dieu-dragon.

– Comptez sur moi.

Kiev attendit sagement que son père se soit éloigné et se tourna vivement vers Nemeroff.

– Il existe une île très spéciale, lui dit-il. Personne n'y vit, mais dans une de ses cavernes sont gravées des scènes de la vie de mon peuple. Ce qui la rend encore plus fascinante, c'est qu'elle parle de votre arrivée dans notre monde.

– Vraiment? Est-ce loin d'ici?

– Plusieurs heures quand les vents ne sont pas contraires, sinon, toute une journée.

– Les vents n'ont jamais empêché un dragon d'aller où il le désire. Tu n'as qu'à monter sur mon dos et m'indiquer où c'est.

– Il ne faudrait pas que quelqu'un nous voie, surtout mon père. Théoriquement, cette île n'est plus un endroit défendu, mais il me punirait juste parce que je vous ai persuadé d'y aller.

– Je peux voler très haut.

– Oui, je l'ai constaté tout à l'heure.

– Mais il fait très froid à une telle altitude.

– Les Deusalas ressemblent à des humains, mais ils n'en sont pas. Notre peau nous protège autant du froid que de la chaleur. Si nous portons des vêtements, c'est uniquement par pudeur.

– Alors, je pense que cette petite balade me fera du bien.

La peau de Nemeroff se couvrit d'écailles et sa pupille s'allongea dans ses yeux bleus. Quelques secondes plus tard, il était redevenu l'énorme bête qui avait examiné les récifs.

– Allez, monte.

Kiev ne se fit pas prier. Il escalada la patte du dragon et s'installa à la base de son cou. Nemeroff ouvrit ses ailes et, propulsé par une formidable poussée de ses pattes arrière, monta en flèche jusqu'aux nuages. C'est d'ailleurs sous le couvert de ceux-ci qu'il fila tout droit vers l'île. Sa vitesse était vertigineuse et Kiev dut s'agripper solidement pour ne pas être emporté par le vent.

– Nous devrions y être, maintenant! cria-t-il.

Le dragon perdit de l'altitude.

– Elle est là!

Nemeroff descendit aussi abruptement qu'il avait quitté Gaellans et se posa dans la plus grande clairière qu'il trouva près du sommet de l'île. Kiev se laissa glisser sur le sol en poussant des cris de joie.

– C'était fabuleux!

Nemeroff reprit sa forme humaine.

– J'espère que je n'ai pas atterri trop loin de la caverne.

– En suivant ce sentier, nous y serons dans quelques minutes à peine.

– On dirait que tu es souvent venu ici, remarqua le jeune roi en le suivant.

– Oui… même quand ce n'était pas permis.

Ils arrivèrent à l'entrée de la grotte.

– J'ai encore oublié de prendre ma lampe de poche! s'exclama l'adolescent, désolé.

– Il n'y a donc aucun éclairage, là-dedans?

– Malheureusement, non.

Le sourire espiègle de Nemeroff fit comprendre à Kiev que ce n'était pas un problème. Tout comme Sappheiros, il illumina ses paumes et éclaira sa route.

– Je veux apprendre à faire ça!

– Je te l'enseignerai plus tard.

Kiev, qui se rappelait très bien la séquence des fresques, les regarda une à une pour voir si d'autres étaient apparues. Lorsqu'ils arrivèrent à la scène du dragon s'élançant de la falaise avec des hommes ailés à ses trousses, Nemeroff admit que ça lui ressemblait. Après son propre portrait, Kiev s'attendait à voir la sculpture du géant chauve en train de plonger son poing dans la poitrine du dieu ailé, mais elle n'était plus là !

– Je ne comprends pas comment c'est possible ! lâcha-t-il, démonté. Il y avait d'autres scènes après celles-ci, mais elles ont toutes disparu.

C'est alors qu'un phénomène, bien plus insolite encore, se produisit. Une main invisible se mit à tailler la pierre sous les yeux de Kiev, mais il ne reconnut pas les symboles qui apparaissaient à une vitesse folle.

Bienvenue, Nayati. Ton destin est désormais lié à celui des véritables dieux de ce monde.

En voyant la surprise sur le visage de Nemeroff, l'adolescent devina qu'il pouvait lire cette écriture.

– Partons d'ici, supplia Kiev.

– C'est un message pour moi.

– Mais il n'y a personne en train de l'écrire !

– Une entité magique habite ces lieux.

Excellent, tu as l'esprit ouvert.

– Qu'attendez-vous de moi ?

– Dites-moi ce qui se passe ! exigea Kiev.

– Tout à l'heure. Sois patient.

Nous te permettrons de partir de ce monde uniquement lorsque la prophétie sera réalisée.

– Quelle prophétie ?

Celle que tous ceux qui sont entrés ici ont été incapables de déchiffrer : Un dieu ailé réussira à anéantir tout le panthéon d'Achéron et à libérer les humains de son joug.

– Je suis un dragon, pas un dieu ailé.

Ils auront besoin de toi. Ne les déçois pas.

Tous les mots s'effacèrent d'un seul coup. À la place apparut une représentation d'un homme et d'un adolescent en train de regarder un mur où apparaissaient des mots.

– C'est nous… s'étrangla Kiev. Je vous en prie, sortons d'ici.

Puisque la caverne ne semblait plus vouloir leur livrer d'autres secrets, Nemeroff accepta de suivre le jeune Deusalas à l'extérieur.

– Êtes-vous responsable de ce qui vient de se passer ? demanda-t-il, terrorisé.

– Non, Kiev. Mon père m'a déjà raconté qu'il existe un tout petit livre dans mon pays au moyen duquel les dieux peuvent parler directement aux humains. Lorsqu'on l'ouvre, au lieu d'une page, on y trouve une surface en mouvement comme de l'eau où s'écrivent les paroles de la créature magique qui vit dans le livre.

– Êtes-vous en train de me dire que cette grotte est vivante ?

– En quelque sorte.

– Comment pouvez-vous être sûr que ce n'est pas un sorcier qui se joue de nous ?

– Parce que je peux facilement flairer l'intervention des sorciers. Ça fait partie des pouvoirs de tous les dieux.

– Mais je suis censé en être un, moi aussi.

– As-tu ressenti une présence maléfique en ces lieux ?

– Non… mais je sais si peu de choses au sujet de la magie.

– Tout cela est sur le point de changer, Kiev. Assieds-toi et calme-toi. Il n'est pas question que je te ramène chez toi dans un état pareil.

L'adolescent fit ce qu'il lui demandait et finit par chasser en partie ses angoisses.

– Pouvez-vous me dire ce qui était écrit sur le mur et pourquoi je n'arrivais pas à le lire ?

– Ce qui me convainc que ce n'est pas un sorcier qui est à l'œuvre dans cette grotte, c'est que les mots qui sont apparus étaient dans la langue des dieux. Les sorciers ne la connaissent pas. Nous ne sommes qu'une poignée de divinités à pouvoir la déchiffrer. Puisqu'il semble que nous allons passer encore du temps ensemble, je te l'enseignerai, si tu veux.

– Je veux tout apprendre. Commençons par ce qu'ils vous ont dit, si vous voulez bien.

– Il semblerait que je ne suis pas arrivé ici par hasard, Kiev. Mon destin est lié au vôtre et cette créature ne me laissera pas retourner dans mon monde avant que la prophétie se soit accomplie.

– Quelle prophétie?

– Un dieu ailé réussira à anéantir tout le panthéon d'Achéron et à libérer les humains de son joug. Et si j'ai bien compris les autres sculptures, on dirait bien que ce sera toi.

– Moi…

– Rentrons maintenant, avant que ton père s'aperçoive que tu lui as désobéi.

– Pourquoi n'êtes-vous pas bouleversé par tout ceci?

– Sans doute parce que j'ai compris que je ne pourrai pas rentrer chez moi autrement. Et je suis prêt à tout pour y parvenir.

Nemeroff se métamorphosa. Voyant que l'adolescent était toujours paralysé, il l'attrapa par sa chemise et le déposa sur son dos.

– Accroche-toi.

Le dragon fila une fois de plus vers le ciel.

RETROUVAILLES

Nemeroff revint sur Gaellans et se posa dans la clairière d'où il était parti. Kiev sauta à terre. Il avait eu suffisamment de temps pendant le vol pour se calmer.

Puisque le soleil allait bientôt se coucher, il s'empressa de conduire le dieu-dragon jusqu'à un renfoncement dans un des pans rocheux de l'île. Ce n'était pas une caverne, mais plutôt une sorte de toit en pierre qui le protégerait de la pluie et du vent.

– Qui habitait ici? demanda Nemeroff.

– C'était le nid de notre ancien roi. Je vais aller vous chercher des couvertures.

– Peux-tu aussi me rapporter du poisson?

– Je croyais que vous n'aimiez pas ça… s'étonna l'adolescent.

– Pas quand il est cru.

– Sandjiv nous défend de faire du feu sur Gaellans, car la fumée pourrait attirer les curieux.

– Il n'y aura pas de fumée, je te le promets.

Kiev fila donc chez lui et revint avec son père. Tandis que l'un transportait le nécessaire pour confectionner un lit douillet, l'autre avait les bras chargés de poisson.

– Désirez-vous que quelqu'un vous tienne compagnie? demanda Avali.

– Si vous n'y voyez pas d'inconvénient, je préférerais être un peu seul.

– Oui, bien sûr. Ne vous étonnez pas, par contre, de voir passer les sentinelles pendant la nuit. Nous les préviendrons que vous êtes là.

– Merci pour votre bonté, Avali.

– À demain, Nemeroff.

– Papa, puis-je rester encore un peu? l'implora Kiev.

– J'exige que tu sois de retour avant le coucher de soleil.

La nuit allait bientôt tomber, mais l'adolescent accepta cette condition. Pendant que son père s'éloignait, il s'assit sur le sol devant Nemeroff.

– Tu veux voir ce que je vais faire avec le poisson, n'est-ce pas?

– Je ne pourrai pas dormir sans le savoir.

– Plus je te connais et plus j'espère que mon fils sera comme toi quand il sera grand.

– C'est un beau compliment. Merci.

Nemeroff déposa plusieurs poissons sur le sol devant lui et, faisant jaillir des flammes de ses mains, il les rôtit en quelques secondes à peine.

– Waouh!

– Tu veux y goûter?

– Bien sûr que oui!

À l'aide d'un faisceau tranchant, le dieu-dragon découpa le poisson en petites portions. Kiev mordit dans la sienne avec enthousiasme.

– C'est délicieux!

– Ça l'est davantage quand on peut l'assaisonner.

– Je vous en supplie, montrez-moi à faire la même chose.

– Pas ce soir, Kiev. Tu dois retourner chez toi, maintenant, car je veux rester en bons termes avec ton père.

– Vous avez raison…

L'adolescent rentra chez lui à regret. Nemeroff termina son repas, puis installa ses couvertures sous la corniche. Juste à temps, d'ailleurs. Un terrible orage éclata. Afin de ne pas se faire tremper par la pluie, il éleva une barrière magique entre lui et les éléments déchaînés, puis s'allongea dans son nouveau nid. Fatigué de sa journée, il s'endormit aussitôt. Il se réveilla un peu avant le lever du soleil et constata qu'il ne pleuvait plus. Il fit donc disparaître sa bulle invisible et sortit de sa cachette.

– *Kaliska ?* appela-t-il par télépathie.

– *Nemeroff ?* répondit une voix qui n'était pas celle de sa femme.

– *Wellan, c'est toi ?*

– *Bien sûr que c'est moi !*

Il pouvait entendre le soulagement dans sa voix.

– *Où es-tu ?*

– *Je suis avec une armée de Chevaliers d'Antarès. Et toi ?*

– *Sur une île dans un océan que je ne connais pas.*

– *Es-tu blessé ? As-tu froid ?*

– *Je me suis écrasé dans des récifs après avoir glissé dans le vortex, mais j'ai été soigné par des hommes ailés.*

– *Donc, ils existent ?*

– *Je t'assure que oui. Et pour répondre à ta deuxième question, il fait très chaud sur cette île.*

– *Ici, il neige.*

– *Pourquoi es-tu avec des Chevaliers qui ne sont pas d'Émeraude ?*

– *Je suis sur un continent qui s'appelle Alnilam. Nous sommes tous deux tombés dans un monde parallèle.*

– *Toi aussi ?*

– *Malheureusement, juste après avoir essayé de te sortir de là.*

– *Oui, je me souviens, maintenant…*

Nemeroff traversa l'île à pied jusqu'aux falaises de l'ouest.

– *Je vois en effet un immense continent devant moi.*

– *En fait, j'en ai examiné la carte géographique et il ressemble beaucoup à Enkidiev, sauf qu'aucune chaîne de montagnes ne le sépare de ce qui serait d'équivalent d'Enlilkisar. En d'autres mots, ici, An-Anshar n'existe pas et les royaumes sont divisés autrement et portent des noms différents. Je me trouve au pied des falaises du Nord, à peu près au centre.*

– *Je peux les apercevoir d'ici. On dirait la paroi rocheuse qui sépare Opale et le pays des Elfes des plateaux enneigés, chez nous. C'est vraiment étrange sans les volcans…*

– *As-tu toujours tes pouvoirs ?*

– *Oui, y compris celui de me métamorphoser. Tu peux te déplacer au moyen de ton vortex ?*

– *Probablement, mais il ne me transporte que là où je suis déjà allé, et j'ai exploré très peu d'endroits, pour l'instant.*

– *Donc il me sera plus facile d'aller vers toi que le contraire.*

– *Surtout que je suis le prisonnier des Chevaliers d'Antarès et que je ne peux pas me déplacer à ma guise.*

– *Prisonnier ?* se hérissa Nemeroff. *Tu veux que je me porte à ton secours ?*

– *Je ne suis pas maltraité, je t'assure. Viens me rejoindre, mais ne fais aucun geste agressif à ton arrivée. Ces guerriers sont frileux et ils n'hésiteront pas à t'attaquer. Si nous voulons partir d'ici, nous devons montrer à ces gens que nous ne sommes pas dangereux. Si tu le peux, évite qu'ils te voient sous ta forme de dragon.*

– *Bien compris. Je vais aller faire mes adieux à mes sauveteurs, car moi, je ne suis pas leur prisonnier, et je filerai vers ta position.*

– *Ça me fera le plus grand bien de voir enfin un visage familier.*

– *Tiens bon.*

Nemeroff retourna à son abri, persuadé que ses nouveaux amis l'y rejoindraient bientôt. Comme la veille, il fit cuire son poisson avec ses mains. Il avait à peine commencé à manger que Sandjiv, Avali et Kiev se posaient devant lui. Ils lui offrirent des pommes et une gourde d'eau fraîche.

– Heureux de constater que la tempête n'a pas eu raison de toi, lui dit le roi.

– Je suis coriace.

Nemeroff déposa son repas sur le sol.

– Ce matin, j'ai découvert qu'un de mes compatriotes a été aspiré en même temps que moi par le vortex et qu'il se trouve sur le continent.

– Vous avez l'intention d'aller le chercher ? s'enquit Kiev.

– C'est mon plan, mais je dois d'abord le libérer, car il a été capturé par des soldats dans le Nord.

– Des Chevaliers d'Antarès ? s'inquiéta Avali.

– Oui, c'est ce qu'il a mentionné.

– Mais comment le savez-vous ?

– Tout comme moi, Wellan possède la faculté de communiquer par la pensée.

– Y a-t-il quelque chose que vous ne pouvez pas faire ? s'émerveilla Kiev.

– Mon père te répondrait que non, mais moi, je n'en suis pas si sûr.

– Promettez-moi de revenir.

– Je ne vois pas ce qui pourrait m'en empêcher.

Nemeroff s'essuya les mains et se leva. Le cœur gros, Kiev se jeta dans ses bras et l'étreignit comme s'il n'allait jamais plus le revoir.

– Non seulement je reviendrai, lui dit le dieu-dragon, mais je vous enseignerai à faire la même chose que moi. Vous êtes des dieux, alors vous avez certainement le potentiel d'accomplir de tels miracles. Mais d'abord, je dois redonner un peu d'espoir à Wellan.

– Il me tarde de faire sa connaissance. Est-il comme vous ?

– Pas physiquement, mais il est le fils d'un dieu, lui aussi, et c'est l'homme le plus intelligent que je connaisse.

Kiev lut entre les lignes et se garda de répliquer. Ce que Nemeroff tentait de lui dire, c'était que son ami n'aurait aucune difficulté à déchiffrer les messages de l'entité qui hantait la grotte défendue.

– Je vais partir maintenant, car mon ami se trouve loin d'ici.

– N'oubliez pas de voler au-dessus des nuages, lui recommanda Sandjiv, et sachez que vous serez toujours le bienvenu chez les Deusalas.

– Merci pour tout.

Les hommes ailés reculèrent, car ils savaient que sous sa forme de dragon, Nemeroff occuperait toute la clairière. Celui-ci se métamorphosa et s'élança vers le ciel en faisant claquer ses ailes dans le vent.

Sans se presser, le roi d'Émeraude chercha un vent qui le porterait vers le nord-ouest. Malgré sa vitesse vertigineuse, il n'arriva à proximité des falaises qu'à la fin du troisième jour.

– *Wellan, fais-moi un signe,* lui demanda-t-il.

Les Chimères finissaient de s'installer dans les ruines de Maxbourg lorsque l'ancien Chevalier entendit la voix de son compatriote. Il était en train de prendre soin de son cheval, au sud de la ville. Il s'assura que les sentinelles ne regardaient pas de son côté et ne lança qu'un seul rayon ardent à la verticale vers le ciel.

Nemeroff piqua vers le sol, mais se posa dans une clairière à une lieue du signal lumineux. Il reprit aussitôt sa forme humaine et se mit à marcher. Il n'alla pas très loin. Deux Chevaliers d'Antarès surgirent devant lui. L'étranger était pieds nus dans la neige et ne portait qu'un pantalon de toile, ce qui les étonna beaucoup.

– Qui êtes-vous et que faites-vous en ces lieux dangereux ? lui demanda Iordan.

– Je m'appelle Nemeroff et je cherche Wellan d'Émeraude.

– C'est le prisonnier, chuchota Chourik à son frère d'armes.

– Êtes-vous un sorcier ? s'inquiéta Iordan.

– Non. Je viens du même monde que Wellan.

– Il y en a combien d'autres comme lui ? s'étonna Chourik.

Nemeroff jugea plus prudent de ne pas répondre. Iordan enleva sa cape et couvrit les épaules du pauvre homme à moitié nu.

– Venez. Nous allons vous conduire jusqu'à lui, décida Iordan, qui préférait laisser Ilo et Sierra décider de son sort.

Devinant que son compatriote allait bientôt atteindre Maxbourg, Wellan y revint d'un bon pas. Justement, des Chevaliers escortaient Nemeroff dans la ville. Alertés par les sentinelles, les deux commandants marchaient déjà à leur rencontre.

– Un survivant ? demanda Ilo.

– Il dit provenir du même univers que Wellan, lui dit Iordan.

« C'est l'ami dont il m'a déjà parlé », comprit Sierra.

– Venez vous réchauffer, le convia-t-elle.

Elle prit Nemeroff par le bras et l'entraîna vers la mer de tentes installées dans les vestiges de la ville. Ilo les regarda passer en se demandant s'il s'agirait d'un nouveau rival. Wellan arrivait justement en sens inverse. Avec soulagement, il serra le jeune roi dans ses bras.

– *Ça fait trois jours que je n'ai pas de nouvelles de toi !*

– *Je suis un dragon, pas une étoile filante.*

– Sierra, je te présente le Roi Nemeroff d'Émeraude, fils de l'Empereur Onyx d'An-Anshar, fit Wellan en libérant son ami. Sierra est la grande commandante des Chevaliers d'Antarès.

– Je suis ravie de faire votre connaissance, Votre Majesté, fit-elle.

– Moi de même. Si je pouvais me mettre quelque chose sous la dent, je vous en serais très reconnaissant. Je suis sur le point de tomber d'inanition.

– Nous nous apprêtions justement à manger.

Wellan l'emmena s'asseoir devant l'un des nombreux feux.

– Tu n'as pas de chaussures?

– Tout ce que je portais a été déchiré quand j'ai atterri dans ce monde, y compris mes bottes.

– J'en ai une autre paire. Je vais aller te les chercher tout de suite.

Pendant que Wellan retournait à sa tente, Nemeroff accepta avec un sourire reconnaissant le bol de potage qu'on lui tendait. Sierra attendit qu'il en ait avalé quelques cuillerées avant de commencer à le questionner.

– Vous êtes tombé quelque part par ici? lui demanda-t-elle.

– Plus au sud, sur des récifs dans l'océan.

– Vous errez depuis tout ce temps?

– J'ai été secouru par des hommes ailés et lorsque j'ai eu repris mes forces, je me suis mis à la recherche de Wellan.

Tous écarquillèrent les yeux, soudainement figés. C'est ainsi que Wellan les trouva lorsqu'il déposa les bottes devant son compatriote.

– On nous raconte pourtant que ce n'est qu'un mythe, lâcha finalement Méniox.

– Je peux vous affirmer qu'ils existent vraiment et que sans eux, je ne serais pas ici en train de vous parler.

Il déposa le bol vide et enfila les bottes avec soulagement. De l'autre côté du feu, Ilo venait de s'asseoir, plus curieux qu'affamé.

– Est-ce qu'ils ont des ailes de chauve-souris ou des ailes d'oiseau? demanda Antalya.

– Elles sont blanches et duveteuses comme celles des colombes.

– Où vivent-ils ? s'enquit Cyréna.

– Sur une île, isolés du reste du monde.

– Attention ! hurla l'une des sentinelles du sommet d'une cheminée qui tenait encore debout. Ils arrivent !

Heureusement que les Chevaliers étaient toujours armés, car une bande d'Aculéos venaient de déboucher sur la rue principale en émettant des grognements menaçants.

– Préparez-vous à attaquer ! ordonna Ilo.

Un genou au sol, il encocha sa première flèche et tira, abattant l'homme-scorpion qui semblait mener les autres. Les suivants ne furent pas découragés pour autant. Épée en main, les Chevaliers avaient formé une ligne derrière les archers.

– Mais qu'est-ce que c'est que ça ? s'étonna Nemeroff qui s'était levé près de Wellan.

– Leurs ennemis. Ne bouge pas d'ici, je vais aller leur donner un coup de main.

– Il n'en est pas question. Je veux participer aussi.

– Alors, reste près de moi. Ton père ne me le pardonnerait pas si tu perdais une deuxième fois la vie.

Nemeroff attendit de voir comment Wellan s'y prendrait avant de l'imiter. S'avançant vers le front afin de ne blesser personne avec ses rayons ardents, l'ancien soldat se mit à cibler les Aculéos qui n'étaient pas déjà aux prises avec des soldats.

– Chevaliers, repliez-vous ! hurla alors Nemeroff en amplifiant sa voix.

Sierra jeta un coup d'œil vers lui et aperçut les écailles bleues qui se formaient sur sa peau. Devinant qu'il devait lui aussi posséder des pouvoirs magiques, elle répéta prestement ses ordres. Étonnées, les Chimères lui obéirent par petits groupes. C'est alors que Nemeroff s'avança.

– Mais qu'est-ce que tu fais ? s'alarma Wellan.

– Je veux terminer mon repas en paix.

Il se transforma d'un seul coup en une énorme créature ailée, semant la panique tant dans le camp des humains que dans celui des Aculéos. Ces derniers tournèrent les talons, mais n'allèrent pas très loin: de la gueule du dragon jaillit d'immenses flammes qui les réduisirent instantanément en cendres. Se servant de ses sens subtils, Nemeroff scruta la région. Puisqu'il ne détectait pas d'autres scorpions, il reprit sa forme humaine et se retourna vers les Chevaliers. Ils avaient tous reculé jusqu'au bout de la rue, où ils formaient un troupeau terrifié.

– Vous n'avez jamais vu de dragon? fit Nemeroff en s'efforçant de ne pas sourire.

Le silence était palpable.

– Il n'y a pas de magie dans leur monde, l'informa Wellan.

Sierra se ressaisit la première et revint vers les deux ressortissants du monde parallèle.

– Pouvez-vous répéter cet exploit à volonté?

– Bien sûr, mais je suis bien plus puissant quand je mange à ma faim.

– Qu'on lui donne tout ce qu'il veut! ordonna-t-elle.

Wellan entoura les épaules de Nemeroff de son bras musclé et le ramena vers le feu sous les regards impressionnés des Chimères. À quelques pas d'eux, à la cime d'un arbre, un homme avait assisté à cette curieuse bataille.

– Comme c'est intéressant… murmura Salocin avant de disparaître.

TOME 2, BASILICS

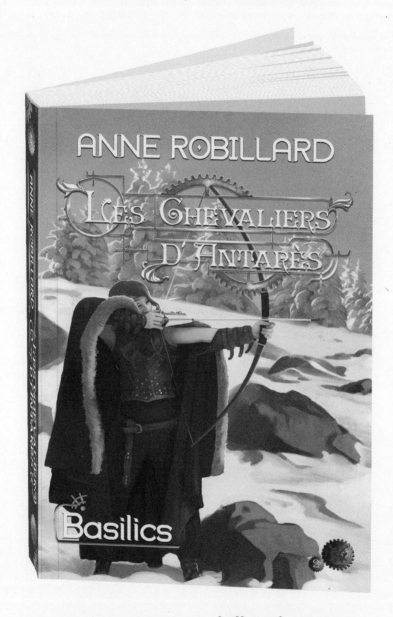

MARQUIS

Réimprimé au Québec, Canada
Mars 2016